AF523902

S
V
H

systhemia – Systemische Pädagogik

Herausgegeben von Rolf Arnold

Band 22

Intransitive Pädagogik

Systemische Skizzen

von

Rolf Arnold

Schneider Verlag Hohengehren GmbH

Umschlag: Gabriele Majer, Aichwald

Nähere Informationen unter:
www.isct.net
www.systhemia.com

Gedruckt auf umweltfreundlichem Papier (chlor- und säurefrei hergestellt).

Bibliografische Information der Deutschen Nationalbibliothek

Die Deutsche Nationalbibliothek verzeichnet diese Publikation in der Deutschen Nationalbibliografie; detaillierte bibliografische Daten sind im Internet über ›http://dnb.dnb.de‹ abrufbar.

ISBN: 978-3-8340-2270-7

Schneider Verlag Hohengehren, Wilhelmstr. 13, D-73666 Baltmannsweiler

Homepage: www.paedagogik.de

Printed in Germany – Druck: Format-Druck, Stuttgart

Über die Geduld

Man muss den Dingen
die eigene, stille, ungestörte Entwicklung lassen,
die tief von innen kommt
und durch nichts gedrängt
oder beschleunigt werden kann,
alles ist austragen – und
dann gebären …

Reifen wie der Baum
der seine Säfte nicht drängt
und getrost in den Stürmen des Frühlings steht,
ohne Angst,
dass dahinter kein Sommer
kommen könnte.

Er kommt doch!

Aber er kommt nur zu den Geduldigen,
die da sind, als ob die Ewigkeit
vor ihnen läge,
so sorglos, still und weit …

Man muss Geduld haben
mit dem Ungelösten im Herzen,
und versuchen, die Fragen selbst lieb zu haben,
wie verschlossene Stuben,
und wie Bücher, die in einer sehr fremden Sprache
geschrieben sind.

Es handelt sich darum, alles zu leben.
Wenn man die Fragen lebt,
lebt man vielleicht allmählich,
ohne es zu merken,
eines fremden Tages,
in die Antworten hinein.

Rainer Maria Rilke (1875-1926),
Viareggio bei Pisa,
am 23.4.1903

Inhaltsverzeichnis

Vorwort

Das vorliegende Buch ist eine Anthologie in eigener Sache. Es basiert auf Texten, die an anderer Stelle in den letzten Jahren von mir publiziert wurden sowie auf bislang unveröffentlkichten Gedanken. Diese Texte wurden zur Begründung einer Intransitiven Pädagogik überarbeitet, aktualisiert und neu geordnet. Eine intransitive Pädagogik weiß um die Unverfügbarkeit (vgl. Rosa 2019) von Erziehung und Bildung sowie Lernen, Kompetenz- und Persönlichkeitssentwicklung im Lebenslauf. Sie ist im Kern eine Systemische Pädagogik – sowohl evidenzbasierte Theoriebildung, als auch wirkungsbezogene Konkretisierung. Ihr systemischer Blick folgt keiner Mode. Das systemische Denken schließt vielmehr an den Erkenntnisstand der neueren Forschungslinien über das Erkennen sowie Denken, Fühlen und Handeln an. Es markiert zugleich eine Rückbesinnung auf Ganzheitskonzepte und bleibt sich stets der Tatsachen bewusst, dass

- wir bloß Beobachtende dessen sind, was uns der Fall zu sein scheint,
- wobei wir lediglich zu sprachlichen Abbildern gelangen können, deren Gehalt letztlich von denen bestimmt wird, die unsere Texte lesen,
- wir dazu neigen, an einmal etablierete Denkstilen, Deutungs- und Emotionsmustern sowie „Sprachspielen" (Wittgenstein) festzuhalten, weshalb die Wirklichkeit stets auch das ist, was diesen Routinen sich offenbart,
- wir zwar meinen, selbst Gedanken zu haben, diese aber oft uns haben,
- alles auch ganz anders sein könnte oder sollte – Türen, die der Konstruktivismus und die Kritische Theorie auf jeweils spezifische Art aufgestoßen haben, und
- wir stets darum bemüht sein sollten, in unseren Beobachtungen und Schlussfolgerungen vielfältiger zu werden statt einfältig zu bleiben, weil Wandel stets mit einer Veränderung des Bewusstseins einhergeht bzw. diese voraussetzt.

Insbesondere dieser letzte Aspekt trat in den letzten Jahren verstärkt in den Vordergrund der veränderungswissenschaftlichen Forschungen. Der Blick richtete sich dabei deutlicher auf die Ermöglichung von Wandel durch eine Transformation der bewährten und vertrauten Deutungs- und Emotionsmuster derjenigen, die das Geschehen beobachten und professionell gestalten (z. B. Lehr- und Führungskräfte). Man erkannte, dass es nicht allein darum gehen kann, deren Blick wissenschaftlich zu differenzieren, da auch die dabei vermittelten Konzepte und Erklärungsmodelle das professionelle Handeln festlegen und einengen können. Vielmehr müsse der Umgang mit Wissen und Nichtwissen (vgl. Arnold 2019a), dem eigenen und dem des jeweiligen Gegenübers, hinzutreten, da jede Förderung, Kompetenzstärkung und Persönlichkeitsentwicklung nur im Modus einer nichtwissenden Begleitung gelingen kann. Tragende Grundlage für die Entwicklung einer solchen Professionalität ist eine Bewusstseinserweiterung auf der Basis erkenntnis- und beobachtungstheoretischer sowie veränderungswissenschaftlicher Einsichten, wie sie die systemischen Forschungen seit den 1980er Jahren mehr und mehr präzisierten. Jede Veränderung ist eine bewusstseinsbasierte Veränderung [1]. Dies gilt für erfolgreiches Leadership, lösungswirksame Beratung sowie gelingende Bildung und Friedenssicherung gleichermaßen. Erst wenn Professionals erkennen, dass sie zwar über komplexes Wissen verfügen müssen und ein Verständnis davon benötigen, wie Forschung zu zuverlässig gültigen sowie nutzbaren Einsichten gelangt, von denen die das Gegenüber bewegenden Sinnzuschreibungen, Potenzialen und Begrenzungen jedoch (noch) nichts wissen, sind anschlussfähige sowie problemlösende Begegnungen möglich. Erfolgreiches Veränderungshandeln setzt deshalb eine Bewegung in die Gegenrichtung einer inneren Offenheit und Demut voraus, zu der Professionals sich entschließen können. Diese Bewegung ist eine Bewusstseinsveränderung.

Der eigentliche Kern einer Intransitiven Pädagogik ist deshalb eine Bewusstseinstheorie, da gelingendes Lehren, Führen, Beraten und Begleiten nur erfolgreich werden kann, wenn sie – auch – von den Möglichkeiten des Gegenübersystems her entworfen wird. Diese Anschluss-Geste ist nicht alles, aber ohne sie laufen die allermeisten wohlgemeinten Interventionen ins Leere oder verschlimmern oft ungewollt sogar noch die Entkräftung, Perspektivlosigkeit und Lähmung des Gegenübers.

Abb. 1: Themenspektrum einer Intransitiven Pädagogik

[1] Das seit 2022 von Oliver König, Otto Scharmer u. a. herausgegebene „International Journal of Awareness-based Systemic Change" (www.jabsc.org) fokussiert deshalb zu Recht auf diese Dimension gelingender Veränderung und lotet deren Vielfalt, Möglichkeiten und Grenzen detailliert aus.

Der hier vorliegende Text will zahlreiche Kompetenzen für eine bewusstseinsbasierte Veränderungspraxis anbahnen, stärken und profilieren. Nach der Lektüre und Bearbeitung der folgenden Kapitel sollen die Leser:innen in der Lage sein,

- die grundlegenden Dimensionen einer Intransitiven Pädagogik zu beschreiben und erste Folgerungen für das professionelle Handeln darzulegen,
- Grundbegriffe der Pädagogik zu dekonstruieren und die These, dass jede Veränderung eine Selbstvernderung sei, argumentativ zu begründen,
- unterschiedliche Lesarten dessen, was das Selbst sei, abzuwägen und deren Tragfähigkeit für das Konzept einer Lebenslauf- und Veränderungswissenschaft zu analysieren,
- die Schritte der Bewegung von der Problem- zur Lösungssicht zu kennen, und diese bei der Umkehr in festgefahrenen oder perspektivlosen Führungs-, Lern- und Begleitungs-Situationen anwenden zu können,
- die Grenzen und Möglichkeiten eines intransitiv-systemischen Denkens beim Neudenken dessen, was Berufsbildung ist und sein könnte, einschätzen zu können und den sich vollziehenden Perspektivwechsel beschreiben zu können,
- die Voraussetzungen und Formen einer gelingenden Erwachsenenbildung darlegen zu können,
- die Besonderheiten der Subjektentwicklung in der Postmoderne erläutern und Möglichkeiten einer gelingenden Transformation im Erwachsenenlernen begründen zu können,
- Führung als einen Inside-Out-Vorgang zu beschreiben und entsprechende Konsequenzen für eine selbsteinschließende Professionalisierung von Führungskräften zu markieren,
- die Möglichkeiten von Erziehung – jenseits der Technologiehoffnungen – erörtern und Ansatzpunkte sowie Strategien einer nachhaltigen Erziehungspraxis und Friedenspolitik skizzieren zu können, und
- die Bedeutung einer systemischen Haltung begründen und Wege zu deren Anregung und Förderung aufzeigen zu können, sowie schließlich
- darlegen zu können, was es bedeuten kann, „am richtigen Ort“ zu suchen.

1 Das Intransitive der Bildung

Systemisches Denken ist ein ganzheitliches Denken. Es löst sich von mechanistisch-linearen Annahmen, denen zufolge jedes Phänomen (z. B. Verhaltensauffälligkeit) ursächlich auf eine oder mehrere Bedingungsfaktoren zurückzuführen sei, die wir nüchtern zu erkennen vermögen. Stattdessen startet das systemische Denken mit einer Erkenntnistheorie, die sich gründlich mit der Frage befasst, wie Beobachter:innen Wirklichkeiten konstruieren und diese wie selbstverständlich für *die* eine, für alle gleiche Wirklichkeit halten – eine Routinebildung, die sie mehr und mehr für das, was gerade neu in Erscheinung treten will, blind werden lässt. Systemische Professionals wissen um die Notwendigkeit von

- Selbstreflexion (Motto: „Seit wann habe ich das?" – gemeint diese Form zu fokussieren sowie die Dinge zu sehen und zu deuten),
- Perspektivenvielfalt (Motto sensu Wittgenstein: „Dass es mir so scheint, heißt nicht, dass es so ist!"),
- Umdeutung (Motto: „Es könnte auch ganz anders sein – und ist es wohl auch!") und
- einem Agieren im Modus der Unverfügbarkeit (vgl. Rosa 2019).

Zudem fokussieren Systemiker auf Wirkungszusammenhänge, Wechselwirkungen, die Unverfügbarkeit pädagogischer Wirkungen sowie die Unvermeidbarkeit ungewünschter Nebenwirkungen.

1.1 Das Erkennen des Erkennens

Eine systemische Haltung basiert auf dem Bewusstsein, dass Menschen Wirklichkeit nicht wahr*nehmen*, sondern wahr*geben* – eine Wortschöpfung des Hypnosystemikers Gunther Schmidt (vgl. Schmidt 2007), mit der dieser die nüchterne Einsicht markiert, dass jeder Eindruck (z. B. von Lehrerinnen und Lehrern) kein Abbild einer so und nicht anders bestehenden Gegebenheit, sondern lediglich die Deutung eines Beobachters bzw. einer Beobachterin sei. Diese Deutung stiftet keinen unmittelbaren Zugang zur Wirklichkeit, sondern dokumentiert bloß, wie wir uns bevorzugt unsere Wirklichkeit konstruieren. Jede Deutung entspringt dabei eigenen Erfahrungen und inneren Bildern, die meist bereits in uns angelegt waren, bevor das aktuelle Ereignis sich uns zeigte. Dessen Deutung ist im Kern ein Erinnern, d.h. während wir glauben, nüchtern ein äußeres Ereignis wahrzunehmen, kontaminieren eigene Erfahrungen und Gefühle unsere Beobachtung, so dass eine Beurteilung der Lage in uns entsteht, die mit dieser meist wenig, mit uns selbst aber viel zu tun hat. Bereits im Talmud wurde diese – von der Hirnforschung jüngst vielfach bestätigte – Wahr*gebungs*-Logik mit der Beschreibung ausgedrückt: „Wir sehen die Welt nicht so, wie sie ist, sondern wie wir sind!"

Für die Lern- und Veränderungsbegleitung ergeben sich aus dieser erkenntnis- sowie beobachtertheoretischen Basis grundlegende Konsequenzen. So misstrauen Systemiker den einheimischen Begriffen der Psychologie, Pädagogik etc., da diese häufig einen diagnostischen – meist defizitorientierten – Blick einspuren (Bespiel: „Lernwiderstand“), der das Gegenüber festlegt und es bloß so in Erscheinung treten lässt, wie es sich im Lichte dieser Diagnose darstellt. Auch Pädagog:innen sind noch immer nicht frei von dem Bild des „Homo Scholastcus“, dem zu belehrenden Menschen. Systemiker wissen um die dabei wirkende Kraft der sich selbst erfüllenden Prophezeiung und sind in der Lage, in ihrer Begleitung die sich selbst erfüllende Logik professionell zu nutzen: Indem sich systemische Pädagog:innen darin üben, grundsätzlich potenzialorientiert auf die Lernenden zu blicken und auch dort Potenziale zu vermuten, wo ihnen zunächst keine zu sein scheinen, schaffen sie die Voraussetzungen dafür, dass ihnen die Lernenden mit ihren Potenzialen überhaupt erst sichtbar werden können. Lehr- und Führungs- sowie Beratungskräfte lassen dabei mehr und mehr ihre problemsprachlichen Beurteilungen hinter sich und lernen die Lösungssprache. Diese erlaubt ihnen nicht bloß ein frisches Denken, sondern auch dessen stärker die Möglichkeiten des Gegenübers stärkende Begleitung zu neuen – unerwarteten – Formen der Kompetenzreifung und des Ich-Ausdrucks.

Beispiel: Der schwierige Schüler – die Green-Card-Übung

Konfrontiert man Lehrer und Lehrerinnen mit der Frage „Wer von Euch hat keinen schwierigen Schüler?“, so erntet man meist erstauntes Schweigen. Alle haben einen Schüler oder eine Schülerin, mit der sie kaum zurechtkommen. Fordert man sie sodann auf, auf roten Kärtchen alles zu notieren, was sie an diesen Schülern oder Schülerinnen stört, so können sie ohne Zögern zahlreiche Punkte aufschreiben. Nachdem man diese Karten eingesammelt und eingesteckt hat und die Lehrkräfte auffordert „Bitte notieren Sie jetzt, alles, was sie an diesen Schülerinnen und Schülern Wert schätzen, worin sie deren besondere Tiefe und Kreativität erkennen“, begegnen einem zunächst Schweigen und ratlose Blicke. „Ja, was soll ich da schreiben – keine Ahnung“ ist eine der häufigsten Reaktionen. Nachdem man sie ermuntert und ihnen die Erlaubnis gibt, auch Vermutungen anzustellen oder wertzuschätzende Aspekte zu erfinden, fangen Lehrkräfte an, einige der grünen Karten auszufüllen. Mit diesen wird weiter gearbeitet, während man die roten Karten verschwinden lässt. Manchmal fällt dies auf und jemand fragt „Was ist eigentlich mit den roten Karten?“, woraufhin der Moderator: fragt:„Welche roten Karten?“, womit er verdeutlicht, dass Potenzialerschließung und –entwicklung mit der Veränderung des eigenen Blicks auf das Gegenüber möglich werden. Zur Verstärkung dieses Verständnisses kann man aus den grünen Karten auch Brillen basten lassen, welche die beteiligten Lehrkräfte die restliche Zeit des Seminars tragen.

1.2 Selbsteinschließende Professionalität

Lehr- und Führungskräfte, die sich darum bemühen, eine systemische Haltung zu entwickeln, haben verstanden, dass Gegenübersysteme (Mitarbeitende, Teams, Organisationen und Gesellschaften) letztlich „selbst bestimmen, wovon sie sich beeindrucken lassen“ – wie der Systemtheoretiker Helmut Willke (vgl. Willke 1987) dies ausdrückte. Solche behutsam agierende Professionals haben gelernt, mit der Unverfügbarkeit von Entwicklungs- und Veränderungsprozessen in anderer Weise umzugehen als der eines entschlossenen Auftritts, einer klaren Zielsetzung und eines engmaschigen Monitorings. Sie agieren in dem Bewusstsein, dass sie zwar für den Erfolg ihrer Führung (im Management oder Unterricht) verantwortlich gemacht werden, diesen Erfolg aber nicht erzwingen und gewährleisten können. Die Sachverhalte, dass Lernende nicht lernen, obgleich der Unterricht gekonnt inszeniert wird, überrascht systemische Lehr- und Führungskräfte eben so wenig wie die Beobachtung, dass Menschen nachhaltig lernen, obgleich nicht gelehrt wurde. Auch Forschungsergebnisse, die besagen, dass Erwachsene die Kompetenzen, über die sie verfügen, zu 80 % und mehr außerhalb und unabhängig von Bildungsinstitutionen erworben haben (z. B. Livingston 2001), können sie nicht irritieren. Vielmehr bestätigen diese die systemische Position, dass jede Veränderung eine Selbstveränderung ist. Als Lehr- oder Führungskraft kann man deshalb nur achtsam beobachten, wie die jeweiligen Systeme ihre Selbstorganisation handhaben, um für diese passende Lernumgebungen zu gestalten und anschlussfähige Aneignungsprozesse wertschätzend und potenzialorientiert zu begleiten.

Diese Haltung beinhaltet zugleich einen Paradigmenbruch von einer überwiegend inputorientierten zu einer outcomeorientierten Didaktik und Führungstheorie. Während fast alle Didaktik- und Führungsmodelle sich auf die Optimierung und Aufbereitung des didaktischen Inputs konzentrieren und z. B. Generationen von Lehrkräften nach dem Konzept der Didaktischen Analyse und Unterrichtsplanung professionalisiert wurden, fokussieren Konzepte eines Selbstorganisierten Lernens stärker auf den Outcome (die tatsächlichen Kompetenzen) und die Individualität der Aneignungsbewegung von Schülerinnen und Schülern. Deren Qualität hängt nicht von der Qualität der Lehre ab, sondern vielmehr von der Qualität des Lernens. Den Outcome dieser Gegenübersysteme kann man nicht „erzwingen“ – man kann aber die Selbstlernkompetenzen der Lernenden stärken – im Bewusstsein, dass der Mensch das lernende Tier ist. Lernfähigkeit ist sein komparativer Vorteil (im Vergleich mit anderen Gattungen): *Der Mensch ist lernfähig, aber unbelehrbar.*

Für Lehr- und Führungskräfte gilt deshalb gleichermaßen: Man kann andere Menschen nicht verändern, da Veränderung stets ein Selbstlernen ist. Man kann aber die *eigenen* Ansichten und Deutungsmuster verändern, die uns in dem

Glauben lassen, dass wirksame Interventionen sowie Vermitteln möglich und nachhaltig wirksam seien.

Beispiel: Die epistemische Unternehmenskultur

Vereinzelt gehen Unternehmen dazu über, ihre Führungskräfte dabei zu begleiten, die Mechanismen ihrer eigenen Wahrnehmung – besser: Wahr*gebung* – zu erkennen und sich darin zu üben, das, was ihnen jeweils der Fall zu sein scheint, nicht länger mithilfe ihrer eigenen Erinnerungen zu konstruieren, sondern diese für ein „frisches Denken", wie die Führungsforscher aus dem MIT dies nennen, zu dispensieren. Im Kern geht es diesen epistemischen Unternehmen darum, von Führungskräften geleitet zu werden, die in ihrem Denken, Fühlen und Handeln selbst einer disruptiven Logik folgen. Dies bedeutet, dass sie darin geübt sind, im Neuen nicht stets das Alte zu sehen bzw. die Zukunft mit den Mitteln der Vergangenheit erschließen zu wollen (vgl. Arnold 2023 b). Viele Firmenzusammenbrüche der letzten Jahrzehnte (z.B. KODAK, NOKIA, Pfaff) sind auch auf solche hilflosen Versuche der Verantwortlichen zurückzuführen, neue Anforderungen und Entwicklungen mit den Deutungsmustern der Vergangenheit angemessen zu verstehen und dabei zu verpassen.

Systemische Professionals (Lehr-, Führungs- und Beratungskräfte) gehen in anderer Weise mit ihrer eigenen Wahrnehmung sowie wissenschaftlichen Ergebnissen und Beschreibungen um. Sie wissen darum, dass zahlreiche Begriffe, Konzepte und Theorien bloß das zutage fördern können, was die Lehrenden, Beratenden oder Begleitenden bereits „wissen" (bzw. studiert haben), weshalb sie meist nicht zu dem vordringen können, was auch der Fall sein könnte oder bereits ist (Frage: Was können die SchülerInnen dafür, dass ihr Lehrer bei Klafki oder Mitarbeitende dafür, dass ihr Chef in St. Gallen studiert hat?). Sie bemühen sich um Selbstreflexion (Motto: „Seit wann habe ich das?" – gemeint: dies Art der Beobachtung und Interpretation) und um die Vermeidung einer Problemsprache zugunsten einer „Lösungssprache" (vgl de Shazer 2022) im Kontakt mit denen, deren Entwicklung sie anleiten und begleiten wollen. Sie sind sich der Tatsache bewusst, dass im jeweiligen Außen auch nur das Gestalt gewinnen und Lösungskraft entfalten kann, was auch bereits im Inneren (der Person) angebahnt und als Möglichkeit grundgelegt ist.

Hatte bereits die Kompetenzdebatte die bildungspolitisch interessierte Öffentlichkeit mit dem Hinweis, dass Wissen keine Kompetenz sei (vgl. Arnold/ Erpenbeck 2014) – gleichwohl Kompetenzen ohne Wissen nicht möglich sind – grundlegend verunsichert, so hält das systemische Haltungsargument (vgl. Bathelmess 2016) eine weitere Desillusionierung bereit:

Wissen und hochgezüchtete Expertenschaft können die Resonanz mit dem Gegenüber beeinträchtigen, weil sie die zuständigen Professionals (Lehrende, Beratende, Führungskräfte etc.) in der Illusion einer Besserwisserei sozialisieren, die Anschlüsse verpasst. Die Begleitung von Transformationsprozessen – seien dies Lehr-Lern- oder Führungsprozesse – benötigt Expertinnen und Experten des Nichtwissens (vgl. Arnold 2019a), will sie wirklich tiefgreifende und nachhaltige Wirkungen auf der Outcome-Ebene unterstützen.

Lehr- und Führungskräfte, die in diesem Sinne ihrer – erinnerten! – Gewissheiten „gewahr“ sind, wissen darum, dass ihre Eindrücke lediglich durchschaubare Aktivitäten ihres Geistes sind, und sind deshalb in der Lage, gegen den eigenen inneren Gewissheits-Strom zu schwimmen. Sie verfügen über ein „Metabewusstsein“, d. h. über ein „Bewusstsein des Bewusstseins“, welches sie aus den Festlegungen und Beschränkungen einer spontan anspringenden Wahr*gebung* befreien kann und ihre Achtsamkeit erhöht.

Dieser Weg zur selbsteinschließenden Professionalität folgt einer vierstufigen Strategie, deren einzelne Stufen unterschiedlichen Entwicklungsaufgaben gewidmet sind:

Die BEST-Strategie der Selbsttransformation				Beschreibung (Entwicklungsaufgabe)
			Transformation – oder: Selbstveränderung üben	… sich in regelmäßiger Fokus- und Meditationsarbeit um eine wirksame synaptische Verankerung und Automatisierung der neuen Ausdrucksformen des Gewollten Ich bemühen
		Selfdirection – oder: das „Gewollte Ich“		… ein klares Bild von den eigenen Formen des Sich-in-der-Welt-Fühlens und -Zeigens entwickeln und dieses in klaren Bildern imaginieren können
	Emanzipation – oder: die Befreiung 2. Ordnung			… sich von übernommenen – mitgebrachten – Formen des Umgangs mit sich selbst und anderen lösen und andere Möglichkeiten zulassen können
Brain – oder: die „Kleine Hirnkunde)				… die durchschaubaren Mechanismen und Arbeitsweisen unserer Emotion und Kognition kennen und durchschauen lernen, wie diese unsere Hier-und-Jetzt-Interpretationen und -reaktionen beeinflussen

Abb.2: Stufen der Selbsttransformation (Arnold 2022, S. 81; Arnold 2023 b, S. 93)

Die Bewegung über die vier Stufen der BEST-Strategie beschreibt einen reflexiven Bildungsprozess. In dessen Verlauf werden Selbstbeobachtungs- und Selbstreflexionsformen eingeübt, durch welche die Lernenden zu einer veränderten Haltung sich selbst und der Welt gegenüber gelangen können. Lehr- und Führungskräfte erwerben in einem solchen Lernprozess zwar einige Tools, mit deren Hilfe sie innezuhalten, zurück zu rudern und neu zu konstruieren lernen, die entscheidende Wirkung ist jedoch eine Kompetenz zur Relativierung eigener Gewissheiten und zur Dekonstruktion vertrauter Wahrheiten. Sie verändern ihre Form, die Gegebenheiten zu beobachten, indem sie nicht nur diese (z. B. betriebliche Abläufe, Entscheidungslagen, Konflikte o. ä.) beobachten, sondern zugleich beobachten, wie sie diese beobachten. Nach einiger Übung gelangen sie mehr und mehr in die Lage, sich selbst dabei zu ertappen, wenn sie mal wieder in Wiederholungsschleifen zu geraten drohen, in denen sie die Welt routinemäßig deuten und anderen möglichen Sicht- und Bewertungsweisen keinen Raum geben. Ihnen wird bewusst, dass sie gerade wieder dabei sind, „von der Vergangenheit her zu führen" (Scharmer 2009) und dadurch daran mitzuwirken, dass auch die Zukunft bleiben wird, wie die Vergangenheit bereits gewesen ist.

Genau um diese kontinuierliche Transformation in Richtung auf eine weniger vergangenheits- und erfahrungsbestimmte Wahrnehmung der Welt ist es einer sytemischen Lehr- und Führungskräftebildung zu tun. Diese stärkt vielmehr die Beobachtungskompetenz sowie die Achtsamkeit der Lehr- und Führungskräfte und befähigt sie mehr und mehr dazu, aus dem geistigen Zustand einer Präsenz heraus – achtsam und in Resonanz mit den aktuellen Möglichkeiten des jeweiligen Gegenübersystemen – zu führen.

1.3 Systemische Haltung

Eine tragfähige systemische Haltung herauszubilden gelingt bloß im Kontext eines Erlebens, welches die Möglichkeit eröffnet, sich die eigenen Motive und Beweggründe für die Lehr-, Begleitungs- oder Beratungstätigkeit, die man anstrebt, genauer zu betrachten. Erst, wenn sich pädagogisch Handelnde einer kritischen Selbstbetrachtung ihrer Motive entschlossen widmen, können sie auch aufdecken, ob und inwieweit diese für das Gegenüber hilfreich und resonanzstiftend sind oder nicht sind.

Dem jeweiligen Gegenüber auch mit der Haltung des „Nichtwissens" zu begegnen, drückt eine Haltung aus, die es dem Gegenübersystem zutraut, prinzipiell selbst neue Einsichten und neues Wissen zu (er)schaffen. Schließlich bewegt sich ein pädagogischer Professional auch nicht länger „in Distanz" und im „Misstrauen" gegenüber den Lernenden, sondern weiß um die eigene Eingebundenheit in eine kooperative Lehr-Lern-Beziehung und ist in der Lage, diese Beziehung vertrauensvoll und energiestiftend zu gestalten.

Im Zentrum einer selbsteinschließenden Professionalität steht somit eine spezifische Haltung, die durch die Werte bzw. Kriterien eines humanistischen Menschenbildes sowie einer dialogischen Bezogenheit einerseits und einer selbsteinschließenden Reflexion sowie einer nüchternen Wirkungsorientierung andererseits getragen wird.

Kerndimensionen einer solchen professionellen Haltung sind:

- „Ich verstehe, wie berechenbar und durchschaubar ich Erkennen, Verstehen und Für-wahr-Halten fabriziere“:

  Dies bedeutet:

  - *Ich verfüge über die Fähigkeit zu verstehen, wie Gewissheit in mir / aus mir kognitiv-emotional entsteht und mich in Resonanz mit mir selbst hält.*
  - *Ich bemerke diese wissende Versteifung und bin in der Lage, in Dialog zu bleiben.*
  - *Ich kann die wirkende Banalität der sich einmischenden Muster, Wiederholungen und Erfahrungen in mir „durchbrechen“ und mich auf Neues einlassen.*

- „Ich bin achtsam und präsent für das, was neu entstehen kann“

  Dies bedeutet:

  - *Ich richte meine Beobachtung auf die Unterschiede in und zwischen Personen aus, um in den Systemen sich ereignende Veränderungen und Transformationen zu erkennen, auszulösen und mit ihnen gestaltend umgehen zu können.*
  - *Ich verbünde mich mit dem Unerwarteten, Eigenartigen und Fremden, um die Zahl meiner eigenen Möglichkeiten zu erhöhen (sensu von Foerster).*
  - *Ich verabschiede alte Gewohnheiten und wende mich energiestiftenden und Verbundenheit schaffenden Bildern zu.*

- „Ich weiß, dass ich als Individuum sowohl besonders als auch typisch bin. Ich bin das Produkt meiner Lebenswelten – in diachroner und synchroner Hinsicht“

  Dies bedeutet:

  - *Ich weiß, dass ich nicht weiß, sondern nur aus meinem eigenen lebensweltlichen Wissen und Können heraus, das Denken, Fühlen und Handeln anderer beobachte, beurteile und zu verändern trachte.*

Ein wesentliches Element einer in diesem Sinne sichtbar gelebten professionellen Haltung ist die Fähigkeit immer und immer wieder zurückrudern zu können, eigene Gewissheiten zu hinterfragen und nach den Begründungen „erwiesener" Evidenzen zu suchen, auch „anerkanntes Wissen" immer wieder zu testen. Auch Lehrkräfte sind Führungskräfte. „Nichtwissendess Beraten" setzt mithin auch für pädagogisch Handelnde eine spezifische Kommunikationsfähigkeit voraus, die gezielt geübt und entwickelt werden will. In den Kontexten einer fachspezifischen Sozialisation hingegen geht es allzu häufig um Bescheidwissen („Wissen, was ist"), Rechthaben („Wissen, was nicht sein kann") sowie Widerlegung („Korrektur von Fehlern") – Formen des Umgangs mit sich selbst, der Sache und anderen, deren vertrauensauflösende und energieraubende Substanzen viel zu häufig noch nicht wirklich durchdrungen und verstanden worden sind.

2 Grundfragen einer Systemischen Pädagogik

Der Zugang, den ich im Folgenden zu den Grundfragen einer Systemischen Pädagogik entwickeln werde, erfolgt selbst aus einer systemisch-konstruktivistischen Perspektive heraus – dies ist nicht wirklich überraschend –, er bedient sich aber zugleich stärker sprachphilosophisch-semiotischer Argumentationen – dies die vielleicht doch noch immer etwas überraschende, wenn auch nicht völlig neue Herangehensweise. Ziel ist es dabei auch, die Rolle einer Systemischen bzw. Intransitiven Pädagogik als Veränderungswissenschaft genauer auszuloten, um schließlich auch zu einigen pragmatischen Hinweisen für eine wirksame Gestaltung von Kompetenz- und Organisationsentwicklungsprozessen zu gelangen.

2.1 Die Macht der Einflüsterungen und der uns anfallenden Interpretationen: zwei dekonstruktivistische Übungen

Systemische bzw. Intransitive Pädagogik tritt bei einem solchen dekonstruktivistischen Zugang zunächst als eine Beschäftigung mit semiotischen Systemen auf, denn es sind Begriffe, mit denen wir unsere Welt unterscheiden und die Systeme letztlich im gedachten „Außen" konstruieren, denen sich unser Denken dann widmet. In diesem Sinne wendet sich Albrecht Wimmer in seinem Buch „Sprachphilosophie. Wie Worte Sinn machen" gegen das „in der philosophischen Tradition tief verankerte >objektivistische< Missverständnis der Seinsweise des sprachlichen Sinns" (Wimmer 2007, S. 8) und plädiert für eine „Radikalisierung der hermeneutischen Reflexion" (ebd.), die für ihn mit einer Dekonstruktion des Begrifflichen identisch ist.

Beispiel: ***Widerstand gegen Bildung***

So gesehen können die frühen Hinweise auf eine andere Lesart des Lern- bzw. Bildungswiderstandes auf eine Dekonstruktion zurückgeführt werden (vgl. Schäffter 2000[1]), und auch die Anmerkungen, Hinterfragungen und Ergänzungen zum pädagogischen Alltagsdiskurs über die Notwendigkeiten, Möglichkeiten und Grenzen der Erziehung sind in vielem dekonstruktiv – etwa wenn den Disziplinaposteln neuerer Art die historischen Kontaminierungen, welche der Begriff der Disziplin unablösbar mit sich bringt, vorgehalten werden, wobei die oft zitierte Mahnung, Disziplin sei eine deutsche Tugend, mit der man ein Konzentrationslager leiten könne, wohl die zugespitzteste Dekonstruktion darstellt.

[1] Dies gilt auch für den „Widerstand" in Teams. In einem Beitrag des von Zwingmann u. a. herausgegebenen Bandes findet sich ein Kapitel mit dem schönen Titel „Krieg spielen oder: Kuscheln in der Truppe", in dem festgestellt wird: „Für die Beratungsarbeit generiert sich in der Idee des Widerstandes ein Irrtum. Menschen handeln in Übereinstimmung mit ihrer inneren Logik; diese erschließt sich dem Berater nicht immer" (Zwingmann u. a. 1998, S. 164) – auch dies eine Dekonstruktion durch einen Gang in den Unterschied.

Semiotik und Systemik sind – so gesehen – zwei Seiten derselben Medaille: *Die Systemik unterscheidet das Bezeichnete, und die Semiotik bezeichnet das Unterschiedene* – wobei ich es zunächst einmal offen lassen werde, ob diese Doppelgesichtigkeit nur für die beobachtende Konstruktion der pädagogischen Wirklichkeit oder auch für den handelnden Umgang mit derselben gilt.

Sicherlich wäre es auch zu weit gegriffen, die These aufzustellen, dass die Semiotik (die Lehre von den Zeichen) eigentlich die erste Systemik (die Lehre vom Lebendigen und seinen Wirkungszusammenhängen) sei, doch kann man Sprachtheoretiker, wie z. B. den frühen Chomsky mit seinen Auslotungen des Verhältnisses von Sprache und Geist durchaus so lesen, wie ich meine – ein Hinweis, der hier allerdings nicht weiter verfolgt werden kann. Es sind in jedem Fall die „hereinkommenden Texte" – so der Moskauer Literaturwissenschaftler und Kultursemiotiker Jurij M. Lotmann – die uns dialogfähig werden lassen. Er schreibt:

„Denn auch ein ganz normaler menschlicher Intellekt bleibt, wenn er von Geburt an von hereinkommenden Texten und von jedem Dialog abgeschnitten ist, eine zwar normale, aber nicht in Gang gesetzte Maschine. Er kann sich nicht selbst einschalten. Zum Funktionieren des Intellektes braucht es einen anderen Intellekt. (…) Der Intellekt steht immer im Dialog" (Lotmann 2010, S. 11).

Sicherlich: Wir wissen seit den Hospitalismusstudien, dass es viel dramatischer ist: Ohne jegliche dialogische und soziale Einbettung stirbt der Mensch, weshalb das beschriebene Zusammenwirken zwischen Dialog und Entwicklung nicht nur ein beobachtungstheoretisch relevantes Zusammenwirken, sondern auch eine existenzielle Dimension menschlicher Reifung markiert, deren Auslotung nicht unser Thema darstellt, aber einen wichtiger Background-Akkord für die Annäherung an die Grundfragen einer systemischen Pädagogik in den Blick rückt:
Wir sind nie allein wir selbst, sondern von Anbeginn auch stets durch die Resonanz in den Anderen.

Auch für die Intransitive Pädagogik gilt, dass das Dialogische, wie Martin Buber uns zeigte, sich als „Auslese der wirkenden Welt durch den Menschen" (Buber 1986, S. 24) Ausdruck verschafft, wobei es diese Auslese selbst ist, welche nicht nur unsere Denk- und Handlungsmöglichkeiten (gegen)über der Welt bestimmt, sondern auch die Rolle des Pädagogischen vom Nichtpädagogischen unterscheidet, d. h. darüber Auskunft gibt, wo nach unserer Unterscheidungsroutine das Pädagogische beginnt und das Nichtpädagogische aufhört – eine Unterscheidung, die noch nicht wirklich überzeugend gelungen ist, wie wir noch sehen werden.

„Reflexivität" und mithin der Weg zur Bildung wird in dem Moment eröffnet, in welchem zu den „hereinkommenden Texten" (sensu Lotmann) auch solche gehören, die sich damit beschäftigen, wie die „Maschine" Intellekt sich in der Auseinandersetzung entwickelt und welche Möglichkeiten unterschiedliche

Gestaltungen des Textlichen (monologisch oder dialogisch überliefert, selbst geschaffen) für diese Entwicklung selbst bereithalten. So produziert auch die Pädagogik als Wissenschaft letztlich Texte zu der Frage, wie Texte wirken (können), und nicht von ungefähr hat deshalb der theologische Vermittlungsbegriff (im Sinne von Verkündigung) auch in der Didaktik lange Zeit reüssieren können.

Dabei hat es die *pädagogische* Konstruktion der Wirklichkeit mit überlieferten Semiotiken zu tun, die als grundlegende „Einflüsterungen" wirken – eine Formulierung, die ich mir von Jaques Derrida geliehen habe (vgl. Derrida 1976), mit der aber auch deutlich wird, dass es die poststrukturalistische Textanalyse der Dekonstruktivisten sein könnte, die unserem pädagogischen Denken neue Orientierungen und dem erlahmten „linguistic turn" der Bildungs- und Erziehungstheorien neuen Schwung verleihen könnte. Vielleicht würde uns eine solche Erstarkung der sprachphilosophischen Reflexion auch in Debatten über Bildungsstandards, curriculare Normwerte oder gar irgendwelche Tigermom-Praktiken helfen, dem bekannten Ratschlag eines Steve de Shazer zu folgen, von welchem die Empfehlung überliefert ist, „wenn einem eine Interpretation einfalle, möge man doch ein Aspirin nehmen, sich in die nächste Ecke hocken und warten, bis der Anfall vorbei ist" (Varga von Kibéd 2008, S. 16).

Erster Übung:

Dekonstruktion von Bildung

Folgen wir dem Ratschlag der Dekonstruktivisten, so gilt es, wie Anderson und Goolishian schreiben,

„die Interpretationsannahmen des untersuchten Bedeutungssystems zu zerlegen, das Interpretationssystem so in Frage zu stellen, dass die Annahmen, auf denen das Modell basiert, aufgedeckt werden. Während diese aufgedeckt werden, öffnet man den Raum für ein alternatives Verständnis" (Anderson/Goolishian 1989, S. 11; zit. nach de Shazer 2006, S. 70).

Versucht man den Bildungsbegriff in dieser Weise zu dekonstruieren, so führen einen die etymologischen Klärungen bis zu den religiös-metaphysischen Traditionen des 14. Jahrhunderts sowie in die Imago-Dei-Lehre zurück, nach der Gott den Menschen zu seinem Ebenbilde geschaffen habe (vgl. Dohmen 1964, S. 30). Die Worte „bilden" und „Bildung" bezeichnen somit eine Entwicklungsdimension des Menschen, in der dieser an etwas Größerem teilhat. Dieses spätmittelalterlich-mythische Denken kontaminiert bis heute den Bildungsbegriff durch eine den Menschen über sich selbst hinausweisende Such- und Aneignungsbewegung, um sich – wie Jörg Zirfas es ausdrückte – „von Menschlichem zu ›entbilden‹, damit man sich das Göttliche ›ein-„ und ›überbilden‹ (könne)" (Zirfas 2011, S. 15).

Eine Dekonstruktion der pädagogischen Begriffe[2] ist das Bemühen, sich aus solchen Kontaminierungen zu lösen und dabei deren letztlich ideologischen Festlegungen hinter sich zu lassen. Gelingt uns dies? Was bleibt uns, wenn wir den Begriff der Bildung von dieser Vorstellung einer Verbundenheit mit einem in ihr Gestalt gewinnenden größeren Ganzen befreien? Würden wir uns dabei nicht gerade von *der* Dimension des Bildungsdenkens verabschieden, in der sich auch ein systemischer Blick auf die Menschwerdung Ausdruck verschafft. Und landen wir dann in der orientierungslosen Nüchternheit einer empiristischen Bildungswissenschaft, die misst, ohne über einen wirklichen Maßstab zu verfügen?

Fragen über Fragen, die an dieser Stelle nicht sämtlich ausgelotet und systemisch-konstruktivistisch ausgedeutet werden können (vgl. Arnold 2013 a). Vielmehr müssen wir uns in diesem Zusammenhang mit drei – eher thesenartig daherkommenden – systemischen Argumentationen begnügen, die da lauten:

(1) Systemische bzw. Intransitive Pädagogik fasst Begriffe mit spitzen Fingern an – wissend, dass wir nur diese Begriffe haben, um zu begreifen. Sie ist gleichwohl darum bemüht, stärker die Unterscheidungen, die diese Begriffe stiften, zu betrachten als die Begriffe selbst. Dies ist die erste wichtige Bewegung eines systemisch-pädagogischen Denkens (die Klärung der Frage: „Welche Unterscheidungen werden – unbemerkt bzw. routinisiert – getroffen?“), die zweite Bewegung ist die Aufdeckung historischer Kontaminierungen (Frage: „Woher kommt das Wort und durch welche historischen Vorstellungen ist es aufgeladen oder gar kontaminiert?“). Dies ist die sprachtheoretische Dimension einer Systemischen bzw. Intransitiven Pädagogik.

(2) Systemische bzw. Intransitive Pädagogik achtet auf den Ausdruck des Subjektiven, und geht davon aus, dass der Mensch die Fülle seiner Möglichkeiten in sich trägt. Diese Möglichkeiten können sich entwickeln, wenn man

   a) viel weiß über die Ich-Suche und Kompetenzentwicklung im Lebenslauf und

   b) dieses didaktische und erzieherische Knowhow in einer Weise zu bündeln versteht, die zum subjektiven Ausdruck einladen – durch wertschätzende Begleitung, Beziehungsgestaltung und Selbstwirksamkeitserleben. Dies ist die reformpädagogische Dimension einer Systemischen bzw. Intransitive Pädagogik.

[2] „Dekonstruktion“ ist, so schreibt Steve de Shazer sybilinisch „nicht das Gegenteil von ›Konstruktion‹, dessen Gegenteil ›Dekonstruktion‹ ist“ (de Shazer 2006, S. 70), womit er vielleicht darauf verweisen möchte, dass es den Dekonstruktivisten um mehr ging als nur um die Fabriziertheit des Textlichen. So plädierte insbesondere Deridda dafür, den Texten möglichst wenig Gewalt anzutun, indem wir sie auf eigene Begriffe reduzierten. Vielmehr gelte es, den Kontext, in welchem jeder Text historisch und aktuell steht, mitzulesen (Engelmann 1993, S. 31).

(3) Schließlich sind wir alle zu jedem Augenblick unseres Lebens ein Ausdruck unserer biographischen Erfahrungen, die uns orientieren und unser Denken, Fühlen und Handeln leiten. In diesen Erfahrungen sind wir nicht „unter uns“, in ihnen artikulieren sich vielmehr die Anderen bzw. das Andere. Es ist dieses Andere, um dessen reflexive Aneignung es einer Systemischen bzw. Intransitiven Pädagogik in besonderer Weise zu tun ist. „Bildung“ ist für sie wahrhaft die Befreiung des Menschen „zu sich selbst“ (sensu Humboldt), in einem allerdings sehr viel konkreteren Sinne, indem sie den einzelnen bei dem Bemühen begleitet, sich von den Festlegungen seiner frühen Bindungserlebnisse sowie Kränkungserfahrungen, inneren Bilder und Antreiberbotschaften zu befreien. Auch die Systemische bzw. Intransitive Pädagogik seufzt „Oh, meine Ahnen!“ (Schützenberger 2021) und blickt dabei in dieselbe Richtung, wie die Antipädagogik oder die Psychoanalytische Pädagogik, sie ist allerdings sehr viel pragmatischer darauf aus, Wiederholungen und Rekonstellierungen vermeiden zu helfen – durch systemische Methoden sowie Selbstführungs- oder gar Selbstcoachingstechniken. Dies ist die innere Bilddimension einer Systemischen Pädagogik (vgl. u. a. Arnold 2019b; 2023 b).

Es sind jedoch nicht nur die Ahnen und unsere frühen Bindungserfahrungen, die uns in dem festlegen, was wir zu erkennen und auszuhalten vermögen. Wir sind auch – wie es der Mainzer Philosoph Thomas Metzinger provozierend ausdrückt – „Genkopierer mit der Fähigkeit, bewusste Selbstmodelle zu entwickeln und große Gesellschaften zu bilden“ (Metzinger 2009, S. 293), und darüber hinaus in der Lage – wie er sagt –

„kulturelle Umgebungen von phantastischer Komplexität zu erzeugen, die ihrerseits unsere Selbstmodelle vom Moment der Geburt an formen und ihnen neue Schichten und Inhalte hinzufügen“ (ebd.),

aus denen wir dann unsere Bilder und Begründungen für die Bildung und Erziehung unserer Kinder ableiten, weshalb sich die Frage stellt: Wissen wir eigentlich, was wir da tun, wenn wir mit Entschiedenheit, Streitlust und Verve zu Werke gehen – nicht nur in unserer angewandten Pädagogik selbst, sondern auch im Streit über dieselbe? Systemisch anregend ist dieses Bemühen um eine philosophisch-neurobiologisch tragfähige Theorie des Selbst schon – etwa indem sie dazu vorzudringen versucht, „schrittweise das Rätsel der Erste-Person-Perspektive (zu lösen)“ (ebd., S. 296 f), womit sie mitten hinein tritt in die unhintergehbare normative Dimension jeglicher Pädagogik, eine Dimension, die hier nur angedeutet, aber nicht wirklich ausgelotet werden kann, denn *das Normativ-Ethische ist ein Unterscheidungsmotiv der Pädagogik* als der Wissenschaft von der Bildung und Erziehung des Menschen, d. h. es ist diese Motivierung, aus der heraus sie Unterscheidungen trifft und nicht in erster Linie die nüchterne erkenntnistheoretische Erwägung.

Zweite Übung:
Dekonstruktion von Erziehung

Eine Dekonstruktion pädagogischer Begriffe sieht sich auch mit dem Sachverhalt konfrontiert, dass zahlreiche Termini nicht bloß recht entschlossen (um nicht zu sagen: gewaltsam) klingen, sondern auch eine Gestaltungs- bzw. Gestaltbarkeitsperspektive in sich tragen, wie „Unter-richten" oder „Er-ziehen", es sind alles Worte, die transitiver Art sind: Sie unterstellen ein Subjekt, welches da mit einem anderen Subjekt etwas bewirkt, initiiert oder gar erzwingt, ohne der „Tücke des Subjekts" (Zizek 2010) im Begriff selbst bereits einen ausreichenden Platz einzuräumen. Aus diesem „Gefängnis" transitiver Begrifflichkeiten blicken wir auf unsere Heranwachsenden und erzeugen deren Wirklichkeit mehr oder weniger „treffend", wie Wittgenstein es aufzuzeigen wusste (Wittgenstein 1984b, S. 22). Das Hören oder Denken eines Wortes folgt der Erfahrung. „Es ist" – so Wittgenstein – „als äußere man eine Erfahrung, könne sich dann aber nicht besinnen, was die Erfahrung eigentlich war" (ebd., S. 28).

So ist dies auch mit der Erziehung – einer zum Begriff geronnenen persönlichen Erfahrung, die uns die Substanz eines Wortes („*die* Erziehung") stiftet, ohne dass wir uns des damit verbundenen Schöpfungsaktes auch wirklich bewusst sind: Meine Erziehung ist nicht Deine Erziehung; es sind nicht nur persönliche, sondern auch sprachlich-kulturelle und gesellschaftliche Unterscheidungen, die sich in dieser Konstitution des Erzieherischen ausdrücken, und es entsteht dann das Bild, welches schon immer in uns angebahnt gewesen ist. Folgt man so noch einige Schritte dem „linguistic turn", so fällt auf, dass unser Weg in die transitive Welt des Erziehungsdenkens nicht nur mit guten Vorsätzen, sondern vor allem mit unausgesprochenen Wirkungshoffnungen gepflastert ist. Das dem Begriff der Erziehung innewohnende Gewaltsame wird in seinen Derivaten Zucht, Aufzucht, Erzogenheit deutlich spürbar – Zuspitzungen, welche das englische Education oder das spanische Educación nicht kennen. Begriffe drücken so Erziehungsmentalitäten aus und stiften sie zugleich.

Wie können wir diesem Kreislauf zwischen Erfahrung und Begriff entkommen? Können wir ihm entkommen? Was sehen wir, wenn wir das Verhalten von Kindern und Jugendlichen beobachten? Was regt sich in uns, wenn sie dabei Regeln verletzen, uns provozieren oder ignorieren? Ist unser Begriff von Erziehung frei von unseren Umgangsformen mit den Kindern und dem Kindlichen?

Erfahrungen lassen sich auch durch andere Begriffe – wie z. B. den Begriff der Sozialisation – nicht wirklich transformieren, es bedarf eines veränderten Erlebens – so eine der Einsichten aus der systemischen Veränderungsforschung und auch eine weitere These der Intransitiven bzw. Systemischen Pädagogik.

Diese lautet:

(4) „Der Mensch ist ein Erfahrungstier" (Foucault 1996). Diese Formel von Michele Foucault (1926-1984) bedeutet aber auch, dass das, was Erfahrung zusammengefügt hat, die Einsicht allein oft nicht trennen kann. Aus diesem

Grunde ist die Pädagogik als eine Veränderungswissenschaft auf die gezielte Nutzung der Kraft des Erlebens verwiesen. Wir müssen in uns spüren können, was uns selbst erzieherisch geprägt und bewegt hat, um diese in uns wirksamen Festlegungen zu prüfen und ggf. wirklich hinter uns lassen zu können. Nachhaltige Erziehung ist deshalb ohne eine Transformation der tief verankerten Erziehungsbilder von Eltern, Lehrenden oder Ratgebern als gesellschaftliche Praxis kaum möglich. Dies ist die Erfahrungs- bzw. Erlebensdimension einer Intransitiven bzw. Systemischen Pädagogik.

2.2 Von der Beobachtung zum ethischen Umgang: Maßgaben einer Intransitiven Pädagogik

Intransitive bzw. Systemische Pädagogik ist eine „zulassende Pädagogik", wie sie bereits Dieter Lenzen (Lenzen 1997) oder auch Müller-Commichau (Müller-Commichau 2007) in Umrissen skizzierten. Was beiden Entwürfen m. E. jedoch fehlt, ist der *mutige Schritt in ein intransitives Denken.*

Systemisches Denken ist ein intransitives Denken: Es beobachtet und beschreibt Formen des Selbstausdrucks sowie Wirkungen, keine kausal-linearen Interventionen.

Systemisches Denken ist ein Denken, welches sich nicht nur um neue Sicht-, sondern auch um neue Ausdrucksweisen bemüht – Ausdrucksweisen, welche die bereits in der Subjekt-Objekt-Unterscheidung der üblichen Rede enthaltene Gestaltbarkeitsanmassung hinter sich zu lassen vermag. Kann sich uns das Selbst des Gegenübers wirklich in seinen eigenen Potenzialen zeigen, wenn wir es bereits in unserer Ansprache, ganz zu schweigen von der Rede „über das fremde Subjekt" (in Entwicklungsberichten, Versetzungsempfehlungen oder Kompetenzzertifizierungen) „verdinglichen"? Solche sprachbezogenen Skrupel haben Systemiker immer wieder befallen, und es war Heinz von Foerster (1911 – 2002), der auf die Frage, was er sich noch von sich selbst wünsche, sagte:

„Ich möchte lernen, meine Sprache so zu beherrschen, dass (…) es mir gelingt, meine eigene Person stets als Bezugsquelle meiner jeweiligen Beobachtungen sichtbar zu machen" (von Foerster, in: Pörksen 2008, S. 26) –

ein Wunsch, den sich eine Systemische Pädagogik unbedingt zu Eigen machen sollte. Es geht dabei darum, in einer Art Sprachkurs („Systemisch für Anfänger") die *„Kunst der behutsamen Rede"* zu lernen. Diese Kunst findet u. a. ihren Ausdruck in der Fähigkeit, in Gleichnissen sprechen zu können, wie dies Hans-Peter Dürr u. a. in dem Potsdamer Manifest mit dem programmatischen Titel „We have to learn to think in a new way"[3] vorschlagen. Dort heiß es:

[3] Vgl. www.gcn.de sowie Dürr 2009.

„Aus unserer Sicht stellt sich die Wirklichkeit nicht mehr als ein theoretisch geschlossenes System heraus. Dies führt zu einer einprägsamen Unschärfe, die aus der fundamentalen Unauftrennbarkeit resultiert und in einer prinzipiellen Beschränkung des ›Wissbaren‹ zum Ausdruck kommt. Wir sind dadurch gezwungen über die Wirklichkeit, streng genommen, nur noch in Gleichnissen sprechen zu können" (Dürr u. a. 2005, S. 2).

Hieraus ergeben sich einige Lektionen eines systemischen Sprechens, die hier nur genannt, nicht ausgeführt seien:

- Erste Lektion: Von der Gewissheits- zur Möglichkeitsunterstellung (Von „es ist" zu „mir scheint!").
- Zweite Lektion: Vermeidung faktischer Rede („Objektivität" stets in Anführungszeichen!)
- Dritte Lektion: Vermeidung der linearen Kausalität („wenn – dann"-Hypothesen und Ursachenbenennung aufgeben!)
- Vierte Lektion: Vermeide Generalisierungen (Vor allem das Wörtschen „immer" macht meistens alles schlimmer!)
- Fünfte Lektion: Vermeide Du-Botschaften.

Der handelnde Umgang mit pädagogischen Systemiken in Bildungs- und Erziehungskontexten ist jedoch auch ein normgetragenes und normgebundenes Verhalten – ein Faktum, welches auch die Kritik an den normativen Pädagogiken der Vergangenheit nicht völlig aus der Welt schaffen konnte. Gleichwohl hat die Pädagogik so ihre liebe Mühe mit einer normativen Begründung ihres Tuns – auch weil sie sich dadurch in erkenntnis- und erziehungstheoretische Widersprüchlichkeiten verheddert, die hier weder referiert, noch aufgelöst werden können. Festzustellen bleibt lediglich:

- Pädagogisches Handeln ist ebenso wenig ein nüchternes Tun, wie die Heilungsbemühungen eines Arztes. Was für den Arzt Gesundheit und Widererlangung der körperlichen Autonomie ist, ist für den Pädagogen bzw. die Pädagogin Bildung als Bewusstwerdung und die Ermöglichung einer autonomen Lebensgestaltung.
- Wir alle (auch Pädagoginnen und Pädagogen) handeln normgebundenen und wissen uns einer professionellen Ethik verpflichtet, die mehr unsere eigene ist, als wir vielleicht zugeben können. Gleichwohl sind nicht alle Werte beliebig gültig, weshalb wir uns unserer Werthaftigkeit auch nicht schämen müssen, wir müssen sie nur vertreten und nach außen sichtbar leben.
- Werte werden durch Erfahrungen und Erleben gestiftet, wobei Reflexion und Selbstreflexion Wertebildung zu vertiefen vermag, wie wir aus den moralpädagogischen Studien wissen.

Das Intransitive markiert m. E. eine professionelle Wertebasis, wie sie in den pädagogischen Texten der Vergangenheit bereits vielfach beschrieben wurde. Es geht dieser Wertebasis um eine schonende, schützende und öffnende Geste gegenüber dem Lebendigen, d. h. dem nach Neuem drängenden Denken, Fühlen und Handeln der Menschen, aber auch der Gruppen und Gesellschaften. Dieser professionellen Wertorientierung ist alles Kontrollierende oder gar Disziplinierende fremd, denn es spürt, dass die Energien in Wahrheit von der Öffnung und dem Erleben, nicht von der Einschränkung und Eingrenzung ausgehen – dies die wohl grundlegendste Konsequenz eines „kybernethischen" Denkens, wie es Heinz von Foerster anregte (vgl. von Foerster 2008).

Sicherlich: Auch Werte sind Konstrukte, doch nicht solche der individuellen Beliebigkeit, sondern solche einer *sozialen Konstruktion unter Maßgabe ihrer Viabilität.* Diese folgt dem kantschen Imperativ, stets so zu handeln, dass die eigene Entscheidung jederzeit zur allgemeinen Gesetzgebung dienen könnte. Es ist diese berufsethische Maßgabe, die zugleich verdeutlicht, dass systemisch-konstruktivistisches Denken die Pädagogik nicht zu einem solipsistischen Kurzschluß verführt, sondern zu einer wahrhaft *sozial*wissenschaftlichen Begründung: Denn pädagogische Situationen sind stets sozial konstruiert, ebenso wie die Begriffe, mit denen wir sie bezeichnen. Neben der individuellen Viabilität ist deshalb die soziale Viabilität ihrer Beschreibungen, Inszenierungen und Wirkungen sowie Wirkungsbeobachtungen von grundlegender Bedeutung.

2.3 Veränderung durch Selbstveränderung: Systemische Bildungstheorie ist reflexiv, nicht präskriptiv

Das systemisch-konstruktivistische Denken hat in den letzten Jahren vor allem für *die Erwartungsgemäßheit unserer Wirklichkeitskonstrukte* sensibilisiert – in der eine Starrheit und nicht selten eine Rigidität der eigenen Deutungs- und Emotionsmuster zum Ausdruck kommt, wie sie vor allem die Erwachsenenbildungsforschung seit den 1985er Jahren deutlich herausgearbeitet hat (vgl. Arnold 1985; 2005):

> Menschen möchten in der Regel so bleiben, wie sie sind, und sie folgen wohl nur in Phasen einer krisenhaften Neuorientierung sogenannten „besseren Einsichten", nämlich dann, wenn ihre Gewissheiten und Plausibilitäten ohnehin erschüttert sind und Neuorientierungen notwendig werden.

Dann deuten sie neu, und es können neue Bedeutungen und eine neue Lebenspraxis entstehen. Das wirklich innovative Potenzial einer Systemischen Pädagogik ergibt sich nun aus der Frage, ob solche Neudeutungen auch bewusst herbeigeführt werden können, indem wir zu einem „frischen Denken" (vgl. Arnold 2023 b) vorstoßen und „Schule neu (zu) denken" vermögen, ohne dass sie dafür grundlegende Krisen heraufbeschwören, inszenieren und durchschreiten müssten.

Meine Thesen in diesem Zusammenhang ist die These von der *Kraft einer angewandten Erkenntnistheorie.* Sie lautet:

(5) Es sind die Mechanismen unseres Denkens und Deutens sowie Fühlen und Handelns, die wir erkennen und denen wir nicht weiter zur Verfügung stehen müssen, denn indem wir uns treu bleiben, sorgen wir dafür, dass unsere Zukunft so wird, wie unsere Vergangenheit gewesen ist – zumindest gehen wir mit den alten Begrifflichkeiten, Techniken und Bemühungen bei dem Fabrizieren unserer Lösungen zu Werke. Ein – systemisch – frisches pädagogisches Denken hingegen bemüht sich um eine Entschleunigung des Unterscheidens und Bezeichnens, spürt den Festlegungen nach, die in unsere „einheimischen Begriffe" eingewebt sind und übt sich im intransitiven Umgang mit dem Vertrauten.

Dadurch kann das Vertraute in einen neuen Blick rücken und so neu auf uns wirken – dies ist die Veränderung der Wirklichkeit, um die es in pädagogischen Kontexten geht. Wir fokussieren dann nicht mehr die Lernbehinderung, sondern fragen uns, wie wir uns – und dem Gegenüber – eine solche konstruieren (vgl. Balgo 2005) und wie sich unser pädagogisches Bescheidwissen in dem ausdrückt, womit wir uns konfrontiert sehen. Indem wir uns bei diesem wirkmächtigen Blicken selbst auf die Schliche kommen, öffnen wir auch allmählich die Türen für eine neue Praxis. Dieser Prozess kann durch ein „frisches Denken" (Arnold 2023 b) sowie ein gezieltes, Erwartungen enttäuschendes „Irritationslernen" angebahnt werden, welches zunächst aus der eigenen Gewissheitsfalle befreit, um dadurch auch den Weg zur Gestaltung einer anderen gemeinsamen Praxis zu beschreiten.

In diesem Zusammenhang arbeiten wir mit wahr*gebungs*analytischen Zugängen, die sich u. a. folgender Fragen bedienen:

	Fragen zur Wahrgebungsanalyse
1	Wie ist diese Interpretation der Situation in mir entstanden? Welche Rolle spielten dabei die Tatsache, dass vielen KollegInnen auch so denken und ich selbst diese bestimmten Erfahrungen mit dem Gegenüber gesammelt habe?
2	Welche alternative (z. B. entschuldigende oder wertschätzende) Erklärung wäre auch denkbar? Wie würde diese das Bild vom Gegenüber verändern?
3	Habe ich genau so viel Energie in die Entwicklung einer alternativen Erklärung investiert wie in die Belegsuche für die Problembeschreibung, welche sich jetzt Geltung verschafft?
4	Würde mir etwas fehlen, wenn es das „Problem" nicht (mehr) gäbe? Wenn ja: Habe ich schon einmal versucht, dieses, was mir fehlen würde wenn …, von der Interpretation dieser Situation zu trennen?
5	Was würde sich ändern, wenn ich eine Woche lang dem Gegenüber versuche, auf der Grundlage einer alternativen Erklärung (seines Verhaltens) zu begegnen?

Abb. 3: Fragen zur Wahrgebungsanalyse

Die Erfahrung lehrt, dass bereits dieser entschleunigte Umgang mit den eigenen Deutungsmustern und Deutungsroutinen wichtige Effekte im Sinne einer Veränderung durch Selbstveränderung bewirken kann: Plötzlich werden den Akteuren die Risiken und Nebenwirkungen ihrer so hochgeschätzten Erfahrungen bewusst und sie erkennen, dass diese sie blind werden lassen – blind gegenüber dem, was sonst noch der Fall sein könnte beim Gegenüber, seinem Verhalten und seinen – oftmals ihm selbst auch aus dem Blick geratenen Potenzialen und Möglichkeiten.

Sicherlich, es gibt sie die häufig beklagten *Rahmenbedingungen*. Aber diese haben die unangenehme Eigenschaft, dass auch sie sich uns auch nur zu unseren eigenen Bedingungen zu zeigen vermögen: als einengende, jegliche eigene Gestaltung erstickende Nötigung des Außen oder als zu interpretierender, auslegbarer und z. B. durch Schulentwicklungsmaßnahmen erweiterbarer Rahmen. Wir können die Potenziale und Selbstbewegung eines „schwierigen" Jugendlichen in den Blick nehmen, ohne dass das Schulgesetz geändert wird, und wir können die Selbstlern- und Selbstführungskompetenzen von Schülerinnen und Schülern stärken, ohne dass wir dies zuvor in Bildungsstandards festlegen. Auch die sogenannte empirische Wende der Schul- und Unterrichtsforschung – die wir übrigens schon einmal (in den 1970er Jahren) hatten – wird sicherlich auch diesmal zu keinen anderen Ergebnissen führen als denen, dass es offensichtlich die *inneren Faktoren* eines Systems sind, welche dessen Qualität und didaktische Leistungsfähigkeit ausmachen, mithin die Unterschiede *in* einem System (z. B. Gesamtschule) größer sind als die *zwischen* – vergleichend in den Blick genommenen – Systemen (z. B. Gesamtschule versus Gymnasium). Ähnlich könnten sich auch die internen Unterschiede innerhalb des deutschen Bildungssystems als größer erweisen als die zwischen finnischen und deutschen Schulen, weshalb auch diesmal die Fragen bleiben: Welche Risiken und Nebenwirkungen haben Vergleichsblicke? Seit wann haben wir diese? Wem verdanken wir sie? Und: Was bringen sie für die Unterrichts- und Schulentwicklung?

Weiterführender sind demgegenüber Bemühungen, die Pädagogik selbst stärker als eine *intransitive Wissenschaft* zu gestalten und zu begreifen. Das Intransitive ist das, was sich der Intervention und Vermittlung entzieht, im Intransitiven sind wir zugleich das Objekt der Veränderung – dies die Spur, welche eine systemische Veränderungstheorie, aber auch eine semiotische Grammatiktheorie zu legen vermag. In diesem Sinne schrieb Fritz Mauthner (1849–1923), der Schüler von Ernst Mach, der als Freigeist, Philosoph und Schriftsteller in seiner Zeit eine gewisse Bekanntheit erlangt hatte, bereits im Jahre 1913:

„Der sprechende Mensch ist das gemeinsame Objekt aller intransitiven Verben. Deutlich ist das an denjenigen zu erkennen, die eine unmittelbare Beziehung zu unseren Sinnen haben. Wir haben dieses Verhältnis nur darum nicht in einer Sprachgewohnheit auszudrücken begonnen, weil das gemeinsame Objekt aller

Sinneseindrücke der Welt uns gar zu wohl bekannt ist. Aber in Wahrheit bin ich es, den der Baum grünt.

Eine genaue Beobachtung, die sich allerdings über unsere Sprachgewohnheiten hinwegsetzen muss, wird uns lehren, dass der Unterschied zwischen intransitiven und transitiven Verben nur auf ungenauer Psychologie beruht und überdies keine bestimmten Grenzen hat" (Mauthner 1913).

Wir können Bildung und Erziehung verändern, doch ist diese Veränderung eine Selbstveränderung, eine Veränderung unserer Unterscheidungs- und Bezeichnungsroutinen, bei der wir uns von allem lösen, was nicht zu halten vermag, was wir uns von ihm versprechen. Dabei entsteht das Bild einer *Intransitiven Pädagogik*, die sich als *Lebenslauf- und Veränderungswissenschaft* versteht und mit Such- statt mit Findebegriffen zu Werke geht. Das Intransitive bezeichnet dabei einen Gegenstand, der sich – zu großen Teilen – ohne die Einwirkungen eines direkten Agenten entwickelt. Das Profil einer solchen Wissenschaft sei in folgender Abbildung kurz angedeutet:

Pädagogik ist eine Lebenslauf- und Veränderungswissenschaft	
Ebenen des Gegenstandsbereiches	***Fragen einer intransitiven Perspektive***
Ebene 4: Bildungspolitik	Rahmen *Gibt es Zusammenhänge zwischen den bildungspolitisch-gesellschaftlichen Rahmenbedingungen und Ausdrucksformen der möglichen Selbst- und Kompetenzentwicklung?* Vergleichen *Welche systemischen Maßgaben und Funktionen drücken sich in den unterschiedlichen Formen bildungspolitischen Handelns aus?* Innovieren *Unter welchen Bedingungen erhöhen sich Vielfalt und Durchlässigkeit in einem Bildungssystem sowie Nachhaltigkeit und Qualität der Kompetenzentwicklung?*
Ebene 3: Schule als Organisation	Führen *Wie gelingt Moderation der Selbstorganisation bzw. Führung zur Selbstführung (Subsidiäre Führung)?* Kooperieren *Wie entwickeln sich Kollegien zu Teams? Welche Rolle spielen Steuerungsgruppen, Professional Communities etc.?* Integrieren *Wie reifen Kultur, Profil und gelebte Energie einer Bildungsorganisation?*

Ebene 2: Unterricht als Kommunikation	Aneignen *Wie geschieht und gelingt nachhaltige Aneignung von neuen Kenntnissen, Fähigkeiten und Fertigkeiten?* Interagieren *Welche Formen einer unterrichtlichen oder lernbegleitenden Kommunikation stärken die Lernbewegung der Lernenden?* Arrangieren *Wie nutzen Lernende unterschiedliche Arrangements, um fachliche sowie außerfachliche Kompetenzen zu entwickeln?*
Ebene 1: Individuation und Lernen	Erproben *Bieten die Kontexte des Erlebens ausreichende Möglichkeiten, um Potenziale zu entfalten und Kompetenzen zu entwickeln?* Suchen *Wie entfalten sich eigene Suchstrategien und Lösungskompetenzen?* Spüren *Wie stärken Kinder, Heranwachsende, Erwachsene ihr Selbstwirksamkeits- und Identitätserleben?*

Abb. 4: Profil einer Intransitiven Pädagogik

Diese Hinweise helfen uns, das Programm einer Intransitiven bzw. Systemischen Pädagogik genauer zu vermessen und zu gestalten. Hierfür hat uns Reinhard Voss bereits vor Jahren wesentliche Anregungen durch seinen Verweis auf den Eigensinn gegeben. Eigensinn kann sich nur in einer Welt des intransitiven Umgangs entfalten, wie Reinhard Voss zeigt. Er schreibt:

„Den eigensinnigen Menschen, der seine Sinne, seine Wahrnehmung wie seinen Körper, seine Sexualität, aber auch seinen Lebens- und Zeitsinn, sein eigen nennen konnte, der selbständig dachte und handelte (auch gegenüber den sogenannten Mächtigen in dieser Welt), der seinem Leben einen eigenen Sinn gab, diesen Menschen gilt es in der heutigen Welt wieder zu entdecken" (Voss 2006, S. 15).

Mit diesen Hinweisen wird der eigentliche Fokus einer Intransitiven bzw. Systemischen Pädagogik deutlich markiert: Das Selbst mit seinen Strukturbesonderheiten einerseits und seinen Entwicklungspotenzialen andererseits.

3 Das Selbst: Homunculus oder Ausdruck der Evolution – Oder: Welche Akteure steuern die Persönlichkeitsentwicklung?

„Die Evolution ist einfach passiert –
ohne Vorausschau in die Zukunft,
zufällig, ohne Plan, ohne Richtung und ohne Ziel.
Es gibt niemanden, den man verachten oder
gegen den man rebellieren könnte –
noch nicht einmal uns selbst"
(Metzinger 2009, S. 296)

Dieses Kapitel tastet nach den Akteuren des Selbst bzw. hinter dem Selbst – und findet keine. Eine ergebnislose Suche? Nein, sondern vielmehr eine Auslotung der die menschliche Evolution offensichtlich treibenden Kräfte in Richtung einer gesteigerten Komplexität und Reflexivität, deren Sinn und Ziel wir nicht kennen, deren Ausdrucksformen und Entwürfe wir gleichwohl beobachten, erforschen, beschreiben und sogar nutzen können. Dabei erkennen wir die Vorannahmen, Begrenzungen und Vereinseitigungen der verschiedenen Beobachtungsformen, die uns zwar nicht zu einer Lösung des Rätsels, wohl aber zu einer achtsameren Betrachtung der durch uns hindurchwirkenden Kräfte der Evolution führen. Offen bleibt, wie wir mit den Ernüchterungen, die uns dabei zugleich widerfahren, in unserer eigenen Lebenspraxis umzugehen vermögen, welche Wege sich als Sackgassen erweisen, die uns nicht zum Ziel zu führen vermögen, und welche Konsequenzen aus dem allmählichen Verschwinden des substanzialistischen Selbst im Prozess seiner Entwicklung gezogen werden können.

Der Soziologe Michael Brater warf mir im Blick auf die aktuellen Debatten um die Persönlichkeits- und Bewusstseinsbildung die Frage zu:

„Wer ist aber dieses Selbst, das sich hier bildet, als das Subjekt der Selbstbildung? Das Selbst entsteht und ist nachträglich rekonstruierbar aus biografischen Erfahrungs- und Transformationsprozessen, die etwas darüber aussagen, wie dieses ›psychische System‹ seine Erfahrungen verarbeitet bzw. diesen ganzen Prozess gestaltet hat. Wie ist aber dieser Akteur selbst beschaffen? Hat er personale Qualität, handelt es sich um einen Systemprozess, agiert er zufällig, gesetzmäßig oder gar frei aus sich? Gibt es hier Raum für ›Sinn‹, für Kreativität, für ein ›Ich‹, also von Kompetenz und die Grundlage von Persönlichkeitsbildung?" (Brater 2022, S. 31).

Michael Brater kennt natürlich selbst die Konzepte, Modelle und Erklärungsansätze, die Philosophie und Sozialwissenschaft in den zurückliegenden Jahrzehnten zur Ichwerdung und Persönlichkeitsentwicklung (vgl. Brater 2020), zur Erkenntnistheorie und zum Körper-Geistthema sowie zur Spracheinbettung unseres Denkens erarbeitet haben und diese ganzen Einsichten in ihren Studiengängen auch den späteren Professionals als differenzierte Orientierungsgrundlage an die Hand gaben. Nicht alle diese Überlieferungen hatten eine lange Laufzeit, vielen fehlte sowohl die sichere Basis einer Evidenzbasierung als auch eine tragfähige, weil vernünftige Begründung des Verhältnisses zwischen Außen und Innen. Gleichwohl konnten diese Konzepte, Modelle und Erklärungsansätze Wirkungen entfalten, indem sie das Denken und Handeln von Professionals differenzierten und deren Gefühle von Gewissheit und Berechtigung einspurten oder auch zur Bestätigung oder Veränderung eingespurter Deutungsmuster genutzt wurden. Viele dieser Konzepte sind immer noch wirksam, nicht, weil sie „wahr", sondern weil sie vertraut sind und über die Jahre auch zu einem Bestandteil unserer Selbstkonzepte und in Teilen auch unserer Alltagssprache und Identitätsdarstellungen geworden sind.

Die Fragen aller Fragen zum Selbst zielt darauf ab, das komplexe Zusammenspiel von Wissen, Erfahrung und Selbstwirksamkeit des „sprachbegabte(n) Tier(s)" (Taylor 2017) Mensch – im Wechselspiel zwischen Kontinuität und Wandel, Rigidität und Plastizität sowie Assimilation und Akkomodation[4] – zu verstehen. Zu dieser Frage gibt es Erklärungen der Sozialisationsforschung, die überwiegend Prägungsmodelle sind, während die Kreativitätsforschung eher die „Unverfügbarkeit" (Rosa 2019) der Reifungsprozesse zur Persönlichkeit auslotet. Die Hirnforschung schließlich beobachtet nüchtern die Entstehung, Entwicklung und Veränderung des „Synaptischen Selbst" (Le Doux 2003) und wählt damit einen Weg, der bisweilen als unzulässige und auch nichtssagende Naturalisierung der Suchen nach dem Selbst kritisiert wird, da – so die These –

„(…) weder die Kopenhagener Deutung der Quantenphysik, noch die Position und Funktion des Hippocampus (…) als pädagogische Argumente irgendwie verwertbar (scheinen)" (Pätzold 2022, S. 94).

Die meisten dieser Debatten um das Selbst klammern die bereits angesprochene sprachphilosophische Problematisierung des Narrativen (der eigenen Rede, wie das der Archive[5]) aus – eine schwerwiegende Verkürzung. Die dabei jeweils privilegierten Konzepte enthüllen nämlich selbst keine Wahrheiten, sondern liefern bloß Beschreibungen im Abbildsystem der jeweiligen sprachlichen Möglichkeiten und Routinen. Würden deren Protagonisten sich den dabei verwendeten Begriffen wirklich zuwenden, müsste ihnen auch die Relativität ihrer Erzählungen bewusst werden, und sie würden einen Zugang zu der Paradoxie finden, dass auch die Beschreibung der Grenzen des Beschreibens nichts anderes zutage zu fördern vermag als neue Beschreibungen. In dieser mit wechselseitiger Voraus-

[4] Die beiden Begriffe gehen auf Jean Piaget zurück (Piaget 1983). Piaget beschrieb zwei Formen des Erkennens, nämlich die Assilimation (neue Ereignisse werden durch die Brille des vorhandenen Wissens gedeutet) und die Akkomodation (neue Ereignisse bewirken eine Veränderung der bisherigen Sichtweisen und eine Erweiterung des eigenen Wissens).

[5] Dieser Begriff ist den dekonstruktivistischen Positionierung von Jaques Derrida entlehnt, der von einer „radikalen Zerstörung des Archivs, in der Asche ohne Verdrängung und ohne Vorratshaltung" spricht, um seine Methode einer „verschärfte(n) Aufmerksamkeit" zu charakterisieren (Derrida 1998, S. 3).

gesetztheit und geistesgeschichtlichen „Einflüsterungen" einhergehenden Suchbewegung droht auch die von Michael Brater angemahnte Suche nach dem Akteur des Selbst zu verdampfen.

Dieser Akteur des Selbst erscheint in unterschiedlichem Gewande – je nachdem, welchen der genannten Blickwinkel man bevorzugt. Der Akteur ist zudem wahrscheinlich keine innere Instanz, sondern vielmehr eine Auswirkung des evolutionären Prinzips, immer neue Stufen der Komplexität und Reflexivität auch im Umgang mit der sozialen und natürlichen Umwelt hervorzubringen. Die allgemeine Verunsicherung gipfelt dabei bisweilen in einem Erkenntnis-Skeptizismus, da Begriffe nicht „wirklich" sind, sondern bloß das, was auf uns zu wirken scheint, in der Zwischenwelt eines vom Menschen geschaffenen Laut- und Zeichensystems abbilden. Unreflektiert bleiben häufig die Wirkungszusammenhänge zwischen Sprache und Bewusstsein – eine Zurückhaltung, mit der wir uns unterhalb einer evolutionären Erkenntnistheorie (vgl. Vollmer 1998) oder der systemischen Beobachtertheorie bewegen. Skeptizistische Positionen verschließen sich sowohl gegenüber den Hinweisen von Humberto Maturana, dass jede Beobachtung lediglich die Beobachtung eines Beobachters sei (Maturana 1996[6]; 2001) als auch gegenüber den sprachphilosophischen Klärungen von Ludwig Wittgenstein, dass sich die Beobachterinnen und Beobachter mit ihren Beschreibungen stehts in einem „Gefängnis der Sprache" bewegen (vgl. Wittgenstein 1984; b).

3.1 Das sozialisierte Selbst: Identität

Der Sozialphilosoph Jürgen Habermas ist einer der wenigen Denker, die ihre Beobachtungen auch auf eine sprachphilosophisch sichere Basis zu stellen versuchten. Er wandte sich gegen die unversöhnliche Positionierung der Geisteswissenschaft gegen jegliche Naturalisierung des Geistes (vgl. Habermas 2004) und warf die Frage auf, „worin die richtige Weise einer solchen Naturalisierung bestehe", wie Wolfgang Welsch diese Position charakterisierte (Welsch 2009). In der Tat: Jürgen Habermas relativiert in seinen Beiträgen zu den Herausforderungen und Möglichkeiten der Biowissenschaften die solipsistischen Konzepte zerebraler Reifung, indem er die Plastizität des Gehirns auch im Kontext des Kulturellen deutet. So besteht die naturwissenschaftlich erklärbare Logik des Zerebralen keineswegs in einem bloßen Vor-sich-hin-Reifen, sondern in einer kontinuierlichen Transformation im Kontext kultureller Überlieferungen und Gegebenheiten; das Gehirn braucht somit das Geistige, um seiner natürlichen

[6] Was etwas ungenau ist, da jede Beobachtung lediglich die „Mitteilung" eines Beobachters ist – an die Beobachtung eines Gegenübersystems selbst reichen wir niemals heran, wie bereits Niklas Luhmann zu sagen wusste. Nach seiner „Beobachtung" kann man auch das, „(…) was ein anderer wahrgenommen hat, nicht bestätigen und nicht widerlegen, nicht befragen und nicht beantworten. Es bleibt im Bewusstsein verschlossen und (…) für jedes andere Bewusstsein intransparent (Luhmann 2005, S. 116).

Funktionslogik überhaupt folgen zu können. Es gehört – so Wolfgang Welsch in seiner zusammenfassenden Lesart – „schon in seinen naturwissenschaftlichen Aspekten zur Ordnung nicht bloß der Natur, sondern ebenso des Geistes. Der Dualismus besteht allenfalls vordergründig“ (ebd.). Und im Kern gilt: „Geist steckt an!“, wie Bauer dieses Zusammenwirken zwischen Geist und Natur in der kognitiv-emotionalen Reifung charakterisiert (Bauer 2019, S. 82) und damit zu ähnlichen Schlussfolgerungen gelangt, wie der Primatenforscher Michael Tomasello neuerdings in seiner Theorie der Ontogenese (Tomasello 2024).

Das Selbst – so die grundlegende These der Sozialisationstheorien – ist somit ein Produkt seiner Resonanz im Kontext lebensweltlicher und gesellschaftlicher Erfahrungen.

Diese Erfahrungen verhelfen ihm zum einen, sich in überlieferte Gespräche, Deutungen und Narrative einzufädeln und dadurch eine soziale Identität im Modus der Zugehörigkeit auszubilden; zum anderen verhilft ihm das dabei mögliche innere Wachstum zu einer personalen – „uniquen“ – Identität, welche es dem/der Einzelnen erlaubt, sich abzugrenzen und sich selbst „treu“ zu bleiben, selbst, wenn er/sie sich durch wechselnde Kontexterwartungen zur immer neuen Konstruktion einer „sozialen Identität“ gedrängt sieht. Es spricht viel dafür, dass in dieser „Uniqueness“ (vgl. Habermas 1968) ein Akteur des Selbst die Regie führt und sich über die Schiene Ich-Erleben, Ich-Beschreibung und Ich-Entwurf immer neu vergewissert. Selbstaufschreibungen, Tagebücher sowie Biografien sind wichtige Ausdrucksformen dieses uniquen Akteurs, der sich seines Eigenseins und seiner Möglichkeiten zur Selbstveränderung bewusst ist und nach einer aktiven Gestaltung seiner Selbstbewegung durch die Zeit tastet.

Sicherlich, dieser Akteur verbleibt im „Gefängnis der Sprache“, über deren anthropozentrische Begrenzungen auch Wittgenstein niemals hinauskam, doch stellt dieses Gefängnis dem Akteur des Selbst immerhin Mittel zur Verfügung, um gegen seine Reduzierung auf eine zeitgemäße – erwartete – soziale Identität anzuleben und zumindest für sich selbst an einem Gegenentwurf festzuhalten – und sei dieser bloß der eines peniblen Selbstbeobachters und phantasievollen Konstrukteurs seines „eigentlichen Selbst“ (vgl. Arnold 2022). In diesem Sinne sind die Erzählungen von Grimmelshausen aus dem 17. Jahrhundert Kommentare eines Akteurs seines Selbst, und auch zahlreiche Schriften im Umfeld der Kritischen Theorie fußen auf einem reflexiven Denken, welches die eigene Ich-Entwicklung im Kontext einer vernünftig gestalteten Gesellschaft und ihrer Anforderungen vorwegdenkt und (mit)zugestalten versucht. In diesem Sinne geben die Biographien zentraler Vertreter der Kritischen Theorie ebenso Aufschluss über die Akteure ihres Selbst, wie dies bei den frühen Vordenkern des Konstruktivismus der Fall ist.

Halten wir fest:

In sozialisationstheoretischer Perspektive erscheint der Akteur des Selbst als diejenige Kraft, mit der das Subjekt die Wechselbezüge zwischen sozialer und personaler Identität in spezifischer Weise balanciert. Mit dieser spezifischen Weise sichert es sich eine Einzigartigkeit auf seinem Weg durch die wechselnden Kontexte seines Lebens. Diese finden oft ihren Ausdruck in Selbstbeschreibungen, geteilten Narrativen oder einzigartigen – z. B. künstlerischen – Kompetenzen, die nicht nur Mainstream sind.

Aber sind wir dabei wirklich bereits bei einem der Akteure unseres Selbst angelangt, oder bedienen wir uns in unserer Identitätsarbeit nicht immer noch der zeit- und milieutypischen Formen einer Inszenierung, mit der wir die Geschichten, die wir über uns erzählen, für unser Ich halten, ohne zu erkennen, welcher menschengemachten Vorlagen wir uns dabei bedienen?

3.2 Das synaptische Selbst: Strukturbesonderheiten

Die Frage nach dem Akteur des Selbst kann von dem, was wir heute über das Bewusstsein zu wissen meinen, nicht abstrahieren. Diese Suche bezieht sich auf die aus dem Inneren des/ der Einzelnen wirkenden Kraft sich in den eigenen Geschichten zwischen Anpassung und Widerstand sowie zwischen Ja und Nein (zum eigenen Leben, zum Arbeitsplatz, zum Partner bzw. zur Partnerin usw.) zu positionieren. Dabei verdichtet sich der Eindruck, dass die Menschen bei dieser Suchbewegung keineswegs „Herr (oder Frau) im eigenen Haus" sind, wie Freud sagte; in starkem Maße sind es vielmehr die „Strukturbesonderheiten" ihrer emotionalen Ausstattung, die darüber entscheiden „wovon sie sich beeindrucken lassen (können)" (nach: Willke 1987). Der Hirnforscher Christof Koch ist sich der Schwierigkeiten bewusst, die es mit sich bringt, dass man naturwissenschaftliche Einsichten dazu benutzt, um die geistes- oder sozialwissenschaftliche Suche nach den Funktionsmechanismen unseres Bewusstseins zu (er)klären. Er schreibt:

„In den letzten Jahren wurde mir klar, wie sehr meine persönlichen Stärken und Schwächen mein Leben und meine Arbeit bestimmen" (Koch 2013, S. XII).

Dabei weiß Koch um die bisherige Unlösbarkeit des klassischen Körper-Geist-Problems, wenn er feststellt:

„Es wird niemals eine reduktionistische, mechanische Lösung dafür geben, wie die objektive und die subjektive Welt miteinander verbunden sind" (ebd., S. 5).

Und doch können wird nicht darüber hinwegsehen, dass die Strukturbesonderheiten unserer Wahrnehmung auch durch die körperlichen – insbesondere hirnphysiologischen Prozesse der Verankerung von Rigidität und Plastizität – mitbestimmt werden. Koch lenkt den Blick auf die Freiheit des eigenen Willens und fasst die Ergebnisse seiner Suche nach den Mechanismen des Bewusstseins wie folgt zusammen:

„Was ich aus meiner Lektüre gelernt habe, ist, dass ich weniger frei bin, als ich mich fühle, Unzählige Einflüsse und Prädispositionen beeinflussen mich. Aber ich kann mich nicht hinter biologischen Trieben und anonymen sozialen Kräften verstecken. Ich muss so handeln, als wäre ›ich‹ völlig verantwortlich, denn ansonsten würde das Wort jede Bedeutung verlieren. Ebenso die Vorstellung von guten und schlechten Handlungen" (ebd., S. 294).

Ist dies eine Kapitulation? Nein, es ist eher eine selbstreflexive Wende, welche die Akteure auch dazu ermuntert, sich nüchtern den sich im eigenen Denken, Fühlen und Handeln immer wieder manifestierenden Strukturbesonderheiten zu stellen. Diese Bewegung ist eine Suchbewegung eigener Art. Mit ihr nähert sich das Selbst den eigenen biographischen Wiederholungsmechanismen und vermag mit einiger Übung zu erkennen, welchen scheinbar unverfügbaren Impulsen es insbesondere in Schlüsselsituationen immer wieder zu folgen geneigt ist. Dabei löst sich die unwillkürliche Beobachtungsroutine – „the voice of judgement", wie P. Senge u. a. dies nennen (vgl. Senge u. a. 2008) – von linear-kausalen bzw. projektiven Schuld- und Ursachenzuschreibungen (Motto: „Warum tut man mir das an?"). Stattdessen wird die Beobachtungsroutine in einer Art „Schubumkehr" (Arnold 2020) nach innen gerichtet (Motto: „Worin erinnert mich das Erlebte an mich selbst?"). Als Beobachter und Beobachterinnen des Selbst „verstecken" wir uns dabei nicht, wie Koch befürchtet (s. o.), sondern stellen uns der Verantwortung, *die unser Selbst „beherrschenden" Beobachtungsroutinen durch Selbstreflexion aufzudecken und durch Übung aufzulösen.* Der amerikanische Hirnforscher und Bestsellerautor Joe Dispenza hat zu dieser Bewegung einer verantwortlichen Selbsttransformation die selbstgeführte Meditation als das Mittel der Wahl vorgeschlagen. In dieser werden zunächst Eigentümlichkeiten des Selbst fokussiert, um sich sodann in Bilder eines „idealen Selbst" zu vertiefen. Diese werden durch Wiederholung synaptisch verankert. Allmählich beginnen – so Dispenza (vgl. Dispenza 2016) – diese neuen inneren Bilder das alte, Denken, Fühlen und Handeln zu überlagern und das – gewohnte – Selbst zu verändern. Der Meditation „geht (es) um Erkenntnis", wie Thomas Metzinger 2023 in einem Artikel in der Wochenzeitschrift „Die Zeit" feststellte. Meditation sei:

„Die Aufmerksamkeit ganz sanft, aber sehr präzise immer wieder in den Moment zurückbringen. Dann Loslassen und im Erleben der Bewusstheit selbst verweilen. Nach ein paar Sekunden von neuen Gedanken weggetragen werden. Sie erinnern, zurückkehren in den Moment. (…) Sie kehren mit der Aufmerksamkeit immer zu ihrer Atemempfindung zurück. Wenn etwas Ruhe da ist, die 'Einsichts-Meditation': einfach nur die Gedanken beobachten, wie sie entstehen und vergehen. Die richtige Art, wie man die Aufmerksamkeit lenkt, ist: sanft, und präzise,

mit einer fast zärtlichen Einstellung. Nicht: Ich richte den Laserstrahl meiner Aufmerksamkeit dahin und brenne diese Gedanken weg. Ganz sanft, so anstrengungslos und unperfektionistisch wie möglich. Aber genau! (...) Der Trick besteht sozusagen darin, ganz einfach den Geist sich selbst wahrnehmnen zu lassen und nicht an den immer von Neuem entstehenden Inhalten zu kleben" (Metzinger 2023 b, S. 58).

Halten wir fest:

Aus hirnphysiologischer Perspektive ist der Akteur des Selbst diejenige Kraft, welche den inneren Klärungsprozess einzuleiten, durchzuhalten und zu führen vermag. Dadurch ist das Selbst nicht länger nur Subjekt, vielmehr wird es sich selbst zugleich zum Objekt dessen, was geschieht. Der Akteur, der diese Selbsttransformation will, antreibt und leitet, verfügt über eine Reflexionskompetenz der besonderen Art. Diese richtet einen nüchternen Blick auf sich selbst und hält kontinuierlich an dem Projekt der Selbst(auf)-klärung sowie Selbstveränderung und Selbstvertiefung fest – „wissend", dass, wer einmal begonnen hat, sich mit den ihn steuernden Elementen seines Bewusstseins auseinanderzusetzen, niemals mehr zur Unschuld des eigenen Spontanausdrucks zurückfindet. Alfred Adler schreibt, dass diese irreversible Klärung so wirke, „wie jemandem in die Suppe (zu) spucken – er kann dann zwar noch weiter essen, aber es schmeckt nicht mehr so gut" (zit. nach: Pfeifer-Schaupp 2015), wobei – um im Bild zu bleiben – das Selbst es ist, dass sich in einer solchen Suchbewegung beständig selbst in die Suppe spuckt.

Diese Hinweise für die Suche nach den das Selbst steuernden Akteuren spürt immerhin den inneren Festlegungen (emotionalen Mustern) nach, indem es unsere Strukturbesonderheiten hinterfragt, denen auch – meistens ohne, dass uns das bewusst ist – die Geschichten über uns selbst folgen. Indem wir uns darin üben, hinter diese Geschichten zu blicken, erkennen wir auch mehr und mehr die Heteronomie unseres emotionalen Selbstausdrucks.

3.3 Das unverfügbare Selbst: Autonomie

„Autonomie" markiert den Anspruch einer aufklärungsorientierten Praxis in der Philosophie und der Pädagogik, die sich mit den Fallen und Sackgassen der – unverfügbaren – autopoietischen Geschlossenheit der menschlichen Emotion und Kognition nur wenig befasst hat. Autonomes Denken und Handeln („Motto: „Die Gedanken sind frei") ist zudem im historischen Gedächtnis unauflösbar mit dem Wagemut und den Errungenschaften der Befreiungsbewegungen (seit der französischen Revolution) verbunden, weshalb es leicht „anstößig" wirkt, den – sakrosankten – Autonomieanspruch selbst kritisch zu hinterfragen oder diesen gar aufzugeben oder durch das Konzept der Autopoiesis zu erweitern. Dabei würde man sich mit dem ärgerlichen Sachverhalt befassen können, dass es zwar vielerorts gelungen ist, die äußere Fremdherrschaft im Zuge der Demokratisierung zu reduzieren, das Projekt einer Überwindung der inneren Fremdherrschaft aber weiterhin hintangestellt bleibt. Eine solche Hinterfragung würde möglicherweise auch Licht in die Anfälligkeit auch demokratischer Gesellschaften für das Wiedererstarken autoritärer Bewegungen liefern – eine Tendenz, die bereits Erich Fromm als „Escape from freedom“ analysiert hat (vgl. Fromm 1947/1999).

Für eine selbstreflexive Wendung zur inneren Autonomie ist eine Beobachtung des zweiten oder gar dritten Blicks auf das äußere und innere Geschehen erforderlich. Dass durch eine solche Beobachterhaltung auch das Identitätsgefühl des Einzelnen grundlegend berührt wird, ist ein Gedanke, welchen Varela u. a. aus den buddhistischen Achtsamkeitslehren übernahmen, mit denen sie sich kognitionstheoretisch auseinandergesetzt haben. Wirkliche Autonomie durch Achtsamkeit oder „Gewahrsein“ (vgl. Metzinger 2023 a) korrespondiert dabei mit dem Nicht-Anhaften an überlieferten und bewährten Ich-Zuständen bzw. Mustern des Denkens, Fühlens und Handelns – so eine der wesentlichen Thesen in diesem Zusammenhang. Hieraus ergibt sich eine – autonome – Selbst-Konzeption, die sich tief bewusst ist, dass eine Beobachtung der Beobachtung nur dann mehr und mehr gelingt, wenn man um die bevorzugten Verzerrer in der eigenen Wahrnehmung weiß und darin geübt ist, die Deutungs- und Emotionsmuster, die die eigene Identität mit ihren Narrativen konstituieren, nicht nur zu erkennen, sondern sich von diesen auch mehr und mehr zu lösen. Dabei wird das Selbst zu der Beobachtungsinstanz, die sich auch beobachtet, wie sie beobachtet sowie bevorzugt fühlt, deutet und handelt. *Diese innere Instanz verbindet sich mit den kontinuierlich wirkenden selbstreflexiven und volitiven Kräften der Evolution, die dabei im Selbst die Regie übernehmen. Sie werden zu einem wesentlichen Akteur seiner Entwicklung.*

„Erwachsensein“ ist deshalb zu Unrecht ein biographisch abschließender Begriff, als solcher ragt er vielmehr aus Zeiten herüber, in denen „erwachsen“ bedeutete: aus der kindlichen Abhängigkeit in die gesellschaftlichen Erwartungspositionen herausgewachsen zu sein. Wenn „Herauswachsen“ aber – wie in dynamischen Sozialkontexten – zum lebenslaufbegleitenden Phänomen wird, dann wandelt auch dieses Moment des „Erwachsens“ seine konstitutive Bedeutung in dem Sinne, dass es nicht mehr um eine einmalige Passage geht, sondern um die Kompetenzen zur kontinuierlichen Gestaltung des Herauswachsens aus Festlegungen. Nach jeder erfolgreich gemeisterten Krise, Neuorientierung und Neubindung ist der moderne Mensch aufs Neue „erwachsen“. Er wird zwar älter, doch hat dieses Älterwerden beides gleichzeitig: die Kontinuität von erfahrungsgesättigtem Wissen, Fühlen und Handeln einerseits, und die stets aufs Neue aufbrechende Unsicherheit und Ungesichertheit andererseits. Diese Uneinholbarkeit des Erwachsenwerdens stellt gerade die Persönlichkeitsbildung vor neue Anforderungen. Sie wandelt sich zu einer lebenslaufbegleitenden Praxis, deren Ziel undeutlich wird. Und auch die Erwachsenenpädagogik ist durch die Schwierigkeiten verunsichert, den Begriff des Erwachsenen wirklich substanziell neu zu bestimmen.

Persönlichkeitsbildung ist somit die Entwicklung fortschreitender Kompetenzen zur Gestaltung einer inneren Autonomie. Es ist ein Unterschied, ob ich in meinem Leben beständig Situationen auf der Basis eingespurter Deutungs- und Emotionsmuster rekonstelliere[7], oder ob ich weiß, dass ich in dieser Weise vorgehe und mich sogar – leidenschaftslos – dabei beobachten kann. Dieses Beobachten befreit zwar nicht unmittelbar aus den „bewährten“ Logiken der eigenen Lebensführung, es nimmt diesen jedoch einiges von ihrer So-und-nicht-anders-Gewissheit.

Halten wir fest:

> Autonomie ist nicht bloß die Befreiung von äußeren, sondern auch von inneren Festlegungen. Indem sich die Beobachtung immer wieder fokussiert nach Innen richtet, wird die achtsame Beobachtung der eigenen Beobachtung zu einer Schlüsselkompetenz. Der Akteur, der dabei die Regie übernimmt, konstituiert sich aus den kontinuierlich wirkenden selbstreflexiven und volitiven sowie kreativen Kräften des Selbst; er ist ganz offensichtlich der innere Agent der die die Evolution durchdringenden Wirkprinzipien der Natur, nämlich, „ständig Neues hervorzubringen, also kreativ (zu sein; R. A.)“ – wie dies der Physik-Nobelpreisträger Gerd Binning bereits in seinem Buch „Aus dem Nichts“ beschrieb (Binning 1992, S. 7) – beständig ins Spiel bringt. Bewusstwerdung, Selbstreflexion sowie Bewusstseins-Transformation und -Erweiterung sind Ausdrucksformen dieser kreativen Erweiterung des Selbst.

3.4 Das narrative Selbst: Texte und Archive[8]

Die sprachanalytische Wende der Philosophie zu Beginn des 20. Jahrhunderts steifte die Pädagogik erst spät und berührte deren Begriffsarbeit kaum. Die mit dieser Wende verbundene grundlegende Skepsis gegenüber der Tauglichkeit der Sprache als Medium, um ein mehr oder weniger zutreffendes Bild der Wirklichkeit wiederzugeben und zu vermitteln, erschütterte die Pädagogik wenig. Entsprechend ontologisch aufgeladen wirken viele ihrer Texte und Debatten. Auch

[7] „Rekonstellieren“ bezeichnet die projektive Tendenz der Wahrnehmung, in neue Situationen das hineinzulegen, was dem Akteur aus früheren ähnlichen Konstellationen der Fall zu sein scheint.

[8] Vgl. Fußnote 2.

die Grundlagenliteratur und einschlägige Wörterbücher sowie die Enzyklopädie Erziehungswissenschaft kommen ohne Sprachkritik aus[9]. Dadurch tendieren zahlreiche ihrer Begriffe und Konzepte ungewollt zu einem naiven Realismus, und viele Debatten wirken wie ein Streit um die Wirklichkeit. Die Einsicht, dass in Texten und Debatten lediglich Repräsentationen behandelt werden ist dieser Sprachvergessenheit ebenso fremd, wie auch die Versuche, gezielt durch andere – z. B. lösungssprachliche – Lesarten nicht nur das Denken, sondern auch die Praxis der Menschen zu verändern.

Erst der pädagogische Konstruktivismus und die Systemische Pädagogik rückten m. E. die Erkenntnis- und Sprachkritik wieder stärker in das Zentrum erziehungswissenschaftlicher Konzepte und (Er)Klärungen. Dabei folgten sie der von Humberto Maturana und Francisco Varela in ihrem Kern „evolutionären" Erkenntnistheorie, ohne *explizit* an die wichtigen Vorarbeiten von Donald T. Chambell (1916–1996), Gerhard Volmer (geb. 1943; vgl. Volmer 1975), Rupert Riedel (1925–2005), Konrad Lorenz (1903–1989) oder Karl Popper (1902–1994) anzuschließen.[10] Für diese ist die Frage nach dem Verhältnis der sprachlichen Kategorien, mit deren Hilfe wir die Welt abbilden und über diese kommunizieren, zu der „eigentlichen" Welt grundlegend. Dabei gehen die VertreterInnen der Evolutionären Erkenntnistheorie nicht davon aus, dass es möglich und sinnvoll sei, den „eigentlichen" Strukturen und Wirkungsmechanismus des Lebendigen auf den Grund zu gehen, um gewissermaßen auf „Die Rückseite des Spiegels" (Lorenz 1987) gelangen zu können. Vielmehr beschränkt sich die Evolutionäre Erkenntnistheorie darauf, der überlebenssichernden Bewährung der Formen menschlichen Erkennens und Bezeichnens nachzuspüren – wissend, dass

„unser Erkenntnisapparat ein Ergebnis der Evolution (...) ist. Die subjektiven Erkenntnisstrukturen passen auf die Welt, weil sie sich im Lauf der Evolution in Anpassung an diese reale Welt herausgebildet haben. Und sie stimmen mit den realen Strukturen (teilweise) überein, weil nur eine solche Übereinstimmung das Überleben ermöglichte" (Vollmer 1998, S. 102).

Vergleicht man den ältesten, vor etwas 145 Millionen Jahren – zu Zeiten der Dinosaurier auf der Erde lebenden Vorläufer des heutigen Menschen – ein in den Baumwipfeln lebendes rattenähnliches, behaartes und nachtaktives Wesen (vgl.

[9] So findet sich im Register der elfbändigen Enzyklopädie Erziehungswissenschaft aus dem Jahr 1984 lediglich ein Hinweis auf den Begriff „Sprachkritik", wobei es sich um einen Beitrag des Linguisten Dieter Wunderlich (geb. 1937) handelt, in dem „Sprachkritik" sich als „Sachverwalter des literarisch Sprachstandards gegenüber Neuerungen oder ›Verlodderungen‹" (Wunderlich 1984, S. 448), nicht als das Denken, Erkennen und das Bewusstsein überhaupt erst ermöglichende Kategorie verstanden wird.

[10] Diese Namen werden in Wikipedia dem Stichwort „Evolutionäre Erkenntnistheorie" zugeordnet. Die historisch frühen Vorläufer zu einem evolutionären Konzept von Erkennen und menschlicher Sprachentwicklung Willard van Orman Quine oder George Gaylord Simpson werden ebenfalls erwähnt, aber bloß exkursorisch gestreift.

Sweetman et al. 2017) – mit dem heutigen Menschen und dessen vielfältigen sprachlichen und kulturellen Ausdrucksformen, so kann man in etwa ermessen, welch ungeheure Veränderungsdynamik der Evolution zugrunde liegt. Auch die Entstehung der Sprache vor ca. 50.000-100.000 Jahren (vgl. Chomsky 2017, S. 38) ist letztlich auf die ungebremste Kraft der sich über die Jahrtausende steigernden *Ausdrucksvielfalt des Lebendigen* zurückzuführen. Aus zunächst nachahmenden Lauten bzw. Ausrufen und symbolischen Gesten entwickelte sich dabei erst vergleichsweise spät die systematische, durch Ausdrucksvielfalt und grammatikalische Strukturen gekennzeichnete Sprache. Diese ermöglichte – nach allem, was wir heute wissen[11] –

- Formen immer komplexeren Denkens[12] und immer differenzierterer Kommunikation,
- Möglichkeiten der Beschreibung und Teilung emotionaler Zustände, indem Gefühle zu Gedanken werden,
- vertextete Dokumentation und Überlieferung von Einsichten, Vermutungen, Hoffnungen und Utopien,
- die Entstehung größerer, auf Absprache und „geteilter Intentionalität" (Tomasello 2014, S. 13 ff) gründender sozialer Einheiten, in denen Gespräch, Auseinandersetzung und Verständigung sowie schließlich Reflexion und Selbstreflexion möglich wurden,
- „Geist" im Sinne einer immer bereits vorausgesetzten Gegebenheit für das Aufwachsen und Erwachsenwerden in zivilisatorischen Kontexten und deren Gestaltung,
- Die Fähigkeit zur Innovation der Kooperationsformen, „indem man Mythen verändert und neue Geschichten erzählt" (Harari 2013, S. 48)[13] sowie
- die Unhintergehbarkeit von Evidenz, Kausalität und Humanität sowie verstehender sowie erklärender Diskursformen.

Bei einer Suche nach den Akteuren des Selbst kann nicht übersehen werden, dass die Frage selbst sich einer fortgeschrittenen Stufe der menschlichen Sprachentwicklung verdankt. Diese begann die Sprachverwendung nicht allein für die Assimilation an das Gegebenen, sondern zunehmend auch für die Akkommodation, d.h. die Veränderung der eigenen Wahrnehmung und Beurteilung, zu nutzen, wodurch die Sprache selbst ihre Abbildfunktion erweiterte und sich

---

[11] Es gibt keine Möglichkeit zur empirischen Überprüfung der Gültigkeit der unterscheidlichen Sprachursprungstheorien, weshalb die Société de Linguistique de Paris 1866 eine Art Bann gegen alle auftretenden Sprachursprungstheorien aussprach.

[12] „Das menschliche Denken ist eine individuelle Improvisation, die in eine soziokulturelle Matrix verwoben ist" (Tomasello 2014, S. 14) –

[13] „Unter den richtigen Umständen" – so der Universalgeschichte-Forscher Yuval Harari – können sich solche Mythen sogar schnell verändern. Im Jahre 1789 schalteten die Franzosen beispielsweise quasi über Nacht vom Mythos ›Gottesgnadentum der Könige‹ auf den Mythos der ›Herrschaft des Volkes‹ um" (Harari 2013, S. 48 f).

durch kreative und kritische Sinnerzeugung in einer Eigenlogik zur innovativen Kraft verselbständigte. Mit der Sprache schaffen die Menschen somit nicht allein ein beeindruckend viables Abbild der Wirklichkeit, Sprache verlieh ihnen auch die Mittel des Denkens und Gefühlsausdrucks sowie des Nachfragens, Phantasierens und Entwerfens neuer Möglichkeiten für sich selbst und andere. Der Linguist Noam Chomsky (geb. 1928) geht davon aus, dass die Sprache, wie wir sie heute nutzen, Ausdruck einer schöpferischen Wende sei (vgl. Chomsky 2017). Die Kulturphilosophin Susanne Guski schreibt zu Chomskys neuerer Argumentation:

„Mittels der Struktur der Sprache werden wir der Welt gewahr, erforschen sie und dichten wir. Wie das geschieht, bleibt uns meistenteils unzugänglich, wie ein erheblicher Teil von dem, was wir denken – und noch mehr; ein Großteil der Welt. (…) Chomsky vermutet, dass die Fähigkeit zur Sprache sich mit einem Schlag durch eine geringe Veränderung im Gehirn herausgebildet und nicht allmählich durch Anpassung. Plötzlich war sie da. Die Fähigkeit aus wenigen Lauten eine unendliche Zahl von Welten zu erfinden (…).

Die Möglichkeit wurde jedoch auch zur Pflicht – des Einzelnen, seine Möglichkeiten zu entfalten, und der Gesellschaft, die freie Entfaltung der Individuen zu garantieren“ (Guski o. J.).

Halten wir fest:

Der Akteur des Selbst entstammt der Ausdrucksvielfalt des Lebendigen. Diese eröffnet sich mithilfe der Sprache Räume der Artikulation und Reflexion, deren Nutzung über die Assimilation hinaus weisen. Der Akteur des Selbst wohnt in „Accommodations“. In diesen erzeugt er Bilder, die nicht bloß Abbilder sind, sondern Entwürfe einer möglichen Wirklichkeit für das eigene Selbst einerseits und für die Lebenswelt, Kultur und Gesellschaft, in denen dieses Selbst zu leben wünscht, andererseits. Konstruktivismus und Kritische Theorie sind Brutstätten eines solchen „Möglichkeitssinnes“, um einen Begriff von Robert Musil (1880–1942) zu verwenden[14].

3.5 Exkurs 1: Linguistic Return

Zwar entstammt die Sprache letztlich wohl einer willkürlichen – arbiträren – Kombination von Laut und Sinn, doch entwickelte sich aus diesen Anfängen heraus eine komplexe Sprachform, die das differenzierte Denken und die „gemeinsame Intentionalität“ (Tomasello 2014, S. 55 ff.) überhaupt erst ermög-

[14] Interessant ist in diesem Zusammenhang der Hinweis von Elena Esposito zum Wesen reflexiver Theorien. Diese sind Beobachtungen dritter Ordnung und eröffnen eine „andere Beobachtungsmodalität“ (Esposito 2011, S. 136), welche letztlich die Möglichkeit neuer Möglichkeitsräume des Denkens und Gestaltens in den Blick treten lassen kann – eine reflexive Bewegung, die auch die Suche nach dem Selbst und seinen Akteuren neu zu orientieren vermag.

lichte. Beides entstand in wechselseitiger Vorausgesetztheit: Beide sind sowohl Produkt als auch Agens der menschlichen Sprach- und Kulturentwicklung im Zusammenspiel von Assimilation und Akkomodation der begrifflichen Repräsentationen. Die erwähnte Hypothese der „geteilten Intentionalität" besagt,

„(...) daß das, was diesen einzigartigen Typus des Denkens erzeugte – seine Repräsentations-, Schlußfolgerungs- und Selbstbeobachtungsprozesse –, Anpassungen für den Umgang mit Problemen der sozialen Koordination waren, insbesondere mit Problemen, die sich durch die Versuche der Individuen ergaben, miteinander zusammenzuwirken und zu kommunizieren (mit anderen zu ko-operieren)" (ebd., S. 19).

Diese ursprünglich der Verbesserung der Kooperation geschuldeten Entwicklungsschritte blieben gleichwohl nicht darauf beschränkt, die Sprache als bloßes Instrument zur Erzeugung von – geteilten – Abbildern zu nutzen. Vielmehr ermöglichte die Fülle sowie das Ineinanderwirken der von Tomasello erwähnten Repräsentations-, Schlussfolgerungs- und Selbstbeobachtungsformen des menschlichen Denkens auch die Phantasie, die Kreativität sowie den Veränderungswillen und die Selbstreflexion. Sprache, Hirnentwicklung und Denken scheinen dabei aufs engste miteinander verwoben. Im Kontext ihrer evolutionären Wechselwirkungen konnte die Menschheit Geist erschaffen, der das Nachwachsen zu einer Phase der Enkulturation werden ließ. In dieser lernen wir, insbesondere solche Schilderungen als Realitäten wahrzunehmen, die mit Plausibilität, Berechtigung und/oder der Evidenz des überlebenssichernden Fortschritts aufwarten. Gleichzeitig betreten wir Räume, in denen wir vertraute Muster des Denkens, Fühlens und Handelns selbst in Frage stellen und nach Neuem tasten können – Neuem, für dessen Beschreibung uns oft noch die Begriffe fehlen und aus denen wir in dem Moment entfliehen, wenn wir sie mit unserer Assimilationssprache zu beschreiben versuchen. In diesen Räumen („Accomodations") ist ein Akteur des Selbst zuhause – meist still beobachtend, spürend und oft schweigend oder im inneren Selbstgespräch.

So gesehen sind wir mit Abbildern des Wirklichen unterwegs. Diese mischen sich unmittelbar in unser Denken und unsere Wahrnehmung ein. Wir fühlen die Wirklichkeit nicht – mehr – bloß, sondern denken diese gleichzeitig, indem wir dem Erspürten eine Beschreibung zuordnen. Damit verändert sich die ursprüngliche – wohl intuitive – Substanz des Gewahrwerdens und wandelt sich zu Gedanken, welche den Vorteil der (Mit-)Teilbarkeit mit dem Nachteil einer abnehmenden Erlebensdichte verbinden. Denn indem wir Gefühle denken, nehmen diese Sprachform an, denn bereits das Denken selbst ist ein inneres Sprechen. Dieses erscheint zunächst ohne Adressat – es ist ein Selbstgespräch der besonderen Art: ein *Suchgespräch.* Dieses macht uns selbst zum Adressaten unseres eigenen Ausdrucks. Mit dieser Selbstadressierung entsteht Bewusstsein als die Möglichkeit, sich aus der „vorbewussten" Seinsweise zu lösen und mit der inneren und äußeren Wirklichkeit in einen Dialog einzutreten.

Die Paradoxie, in die wir dabei geraten, ist die, dass das Denken und Sprechen über das Selbst zur Flucht vor dem Selbst zu werden scheint. Dies liegt daran, dass uns die Sprache zwar auch dazu befähigt, uns über das Selbst und dessen Akteure auszutauschen, bei dieser Verbundenheit im Dialog uns aber unter der Hand die erlebensdichte Sättigung des unmittelbaren Eindrucks zerrinnt, der uns unserem Selbst und dessen Akteuren näher zu bringen vermag.

Beim Denken und Sprechen vergessen wir zudem deren Ursprung, bei dem alles bloß Repräsentation und Symbolisierung gewesen ist. Auch die wirklichkeitsschaffenden Kräfte der Grammatik, die die Fülle unserer Repräsentationen einander zuordnet, in Wenn-dann- oder Vorher-nachher-Strukturen „zwingt", wirken aus diesem Hintergrund selektiv, wie Noam Chomsky schreibt:

„Unsere angeborenen Strukturen machen uns eine reiche Vielfalt formulierbarer Fragen zugänglich, während sie andere ausschließen, die ein anders gearteter Geist vielleicht als genau diejenigen erkennen würde, die man stellen sollte" (Chomsky 2017, S. 81).

Was wäre, wenn wir uns unserer Gefangenschaft in Repräsentationen nachdrücklich bewusst werden würden und wir die Festlegungen durch die in die Sprache eingelagerte Selektion hinter uns lassen könnten? Gibt es eine Rückkehr zum ursprünglichen Gewahrsein? Und gibt es eine vorsprachliche Form[15] der Selbstreflexion im Sinne eines Gewahrseins der eigenen Identität und ihrer Strukturbesonderheiten, der eingeschränkten Autonomie sowie der bevorzugten Narrative des Selbstausdrucks? Und: Wohin führt uns eine Rückkehr hinter das

[15] Die Vieldeutigkeit sowie „lange Kette von Anknüpfungen", die von „jeder der Silben des Wortklumpens (ausgeht)" (Freud, zit. n. Kämpfer 2002, S. 241) ermöglicht geradezu erst den gelingenden Dialog sowie die Zustimmung, da alle Beteiligten, auf der sprachlichen Oberfläche übereinstimmen können, ohne dass die im inneren Untergrund der Assoziationen lauernden Eigenarten, eigentlichen Anliegen und Dissonanzen zutage treten müssen. Dieses Übereinkommen verdankt sich dabei geradezu der Uneindeutigkeit des Sprachlichen, während Selbstreflexion, Selbstbildung oder gar Selbstheilung durch eine „Versprachlichung des Inneren" (Kämpfer 2002, S. 244) nach einer Eindeutigkeit und Echtheit greifen, die im Sprachhandeln selbst nicht zu haben sind. Letztlich – so die Quintessenz dieser Überlegungen – bleiben alle Suchen nach dem Eigentlichen, dem Zugrundeliegenden oder auch einem letztlich treibenden Akteur in der Paradoxie stecken, dass Sprache nicht bloß verbindet, sondern die substanziellen Differenzen zwischen den sich Ausdrückenden einebnet, erfolglos. Es muss diese Einsicht von Sigmund Freud gewesen sein, dass er in seiner Assoziationsmethode nach den Abweichungen und Fehlern suchte, in denen sich diese substanziellen Besonderheiten „zu Wort meldeten", wenn man nach ihnen Ausschau hielt und sich nicht mit einem Verstehen zufriedengab, das zu gelingen scheint, weil das Wirken der sich vor allem Sprachgebrauch einmischenden emotionalen Vernunft systematisch ausgeblendet bleibt bzw. bleiben „muss". In diesem Sinne folgen die Dekonstruktivisten durchaus der freudschen Spur, durch Sprachgebrauch eine „Erfahrung des Unmöglichen" (Derrida 1998, S. 38) zu gewinnen.

sprachverwurzelte Denken, wenn wir für die Beschreibung der Bilder, die dabei aufscheinen, wiederum auf sprachlichen Ausdruck verwiesen sind?

Halten wir fest:

Wir können nur denken und bezeichnen, wofür wir Begriffe haben. Dabei folgen wir auch – im Deutschen – den Ausdrucksmöglichkeiten einer Akkusativsprache, die dem Geschehen eine objektivierende Logik unterlegt – eine Logik des Transitiven, d. h. der Ursache-Wirkungs-Gewissheit, der Verfügbarkeit und Gestaltbarkeit von Welt. Anders können wir nur schwer ausdrücken, was wir sehen und spüren.

Die Emergenz, Eigenart und die Unverfügbarkeit des Erlebens bedarf jedoch einer anderen Grammatik, d. h. einer Sprache, die das (noch) unbekannte, Neue und überraschend Andere auszudrücken vermag. Das spontane Aufpoppen der sprachlichen Erfassung und die – ungewollte – Beurteilung, die unsere Wahrnehmung und unser Denken durchdringt, ermöglicht zwar „schnelles Denken" (Kahneman 2011) und unmittelbare Reaktion, sie verstellt uns aber auch den Zugang zum einspurenden Erleben, das einer emotionalen Logik zu folgen scheint, d. h. Begriffe sind zwar in der gefühlten Welt konnotativ tief verankert, ihre (Mit-)Teilbarkeit begrenzt aber zugleich ihren Wert beim Versuch, die eigentlichen – emotionalen – Akteure des Selbst zu erfassen. Begriffe halten uns in dem Vertrauten und Mitteilbaren. Sie entrücken uns damit der Eigentlichkeit unseres Selbst, wenn Sprache den emotionalen Eindruck sowie das vorsprachliche Gewahrsein des Selbst überformt.

3.6 Das gespürte Selbst: Suche

Auch die Entscheidung für eine „Selbstarchäologie", um der Wirksamkeit und Persistenz der inneren Bilder und emotionalen Muster des bevorzugten Selbstausdrucks nachzuspüren, ist zumeist das Ergebnis eines Denkens, das sich selbst zum Thema hat. Am Anfang dieses Denkens steht häufig das Spüren eigenartiger Wiederholungserlebnisse in der eigenen Biographie, denen der/ die Einzelne gerne auf die Spur kommen möchte, um sich ihrer subtilen Steuerungswirkung nachhaltig entziehen zu lernen. Letztlich geht es dabei um eine Aufdeckung der Rekonstellierungen – eine Form der Lebensgestaltung, die das Neue bloß nach Maßgabe vertrauter Erfahrungen wahrzunehmen vermag, weshalb die Akteure meist dazu neigen, alten Deutungen zu folgen und so zu agieren, dass auch die neuen Lagen nur so in Erscheinung treten, wie es die Akteure zu befürchten gelernt haben.

Der Mainzer Bewusstseinsphilosoph Thomas Metzinger spricht deshalb von einem „Ego-Tunnel", in dem wir unterwegs sind, wenn wir meinen, die Welt und uns selbst nüchtern zu beobachten. Er weißt darauf hin, dass auch die menschlichen Vorfahren im Tierbereich Empfindungen und Gefühle eines Gewahrseins haben, wir uns aber fragen müssen,

„(…) wie Homo sapiens es geschafft hat (…), die faszinierende Eigenschaft zu erwerben, die darin besteht, dass wir unser subjektives Leben erfolgreich innerhalb des Ego-Tunnels leben und uns dieser Tatsache nicht bewusst sind" (Metzinger 2009, S. 87).

Das Ego, welches unser Denken, Fühlen und Handeln dabei „eintunnelt", ist selbst auch nichts anderes als eine Repräsentation. Diese verdankt sich den im Inneren biographisch aufgeschichteten Vorstellungen und Gefühlen zu der Frage, wer wir sind. In diesen erkennen wir uns selbst – nicht bemerkend, wie diese uns auch in Selbstbeschreibungen festlegen, ohne jemals nach dem rettenden Ufer eines Unterschieds bzw. „Andersseins" auch bloß zu tasten.

Die Kohärenz des Ich-Erlebens verblasst so zur bloßen Kontinuität.

Thomas Metzinger verneint das Vorhandensein eines Selbst als eines „Dinges":

„Wir sind Ego-Maschinen, aber wir haben keine Selbste. (…) Das Ego und sein Tunnel sind repräsentationale Phänomene: Sie sind nur eine von vielen Möglichkeiten, in denen bewusste Wesen ein Modell der Wirklichkeit erzeugen können. Letztlich ist subjektives Erleben ein biologisches Datenformat, also eine hochgradig spezifische Weise, Informationen über die Welt darzustellen, eine innere Weise des Gegebenseins, und das Ego ist lediglich ein komplexes physikalisches Ereignis – ein Aktivierungsmuster in unserem zentralen Nervensystem" (ebd., S. 289f).

Indem Metzinger das Selbst naturwissenschaftlich auflöst, um nicht zu sagen: verabschiedet, folgt er einer Gedankenspur, die unbemerkt auch seiner eigenen Argumentation den Boden entzieht. Zwar kann man ihm insoweit folgen, als er schlussfolgert: „Das Selbst ist dann kein Ding, sondern ein Vorgang" (ebd., S. 290), doch bleibt er uns die Antwort auf die Frage schuldig, welche Qualität das Selbst des Thomas Metzinger zum Ausdruck bringt, wenn es zu solchen Schlussfolgerungen gelangt! Bleibt dieses dabei im Ego-Tunnel eines „Selbstens" (ebd.) oder im „Gefängnis der Sprache" (vgl. Wittgenstein 1984a und b) tatsächlich gefangen? Oder verweist die Analyse nicht auf eine Ebene dieses „Selbstens" als

„(…) selbstorganisierendes und selbsterhaltendes physikalisches Prinzip das sich auf der Ebene der globalen Verfügbarkeit noch einmal für sich selbst darstellen kann" (Metzinger 2009, S. 290),

die sich bereits außerhalb seines Ego-Tunnel befindet? Der blinde Fleck dieser neurophilosophischen Auflösung des Subjektes ist die Ungeklärtheit ihrer Beobachterposition außerhalb des Tunnels. Was Metzinger über das Selbst schreibt, gilt augenscheinlich für den Ausdruck seines eigenen Selbst nicht. Es ist ein Selbst, welches aus seinen Betrachtungen zu uns spricht – ein Selbst, das sich der eigenen Vernetztheit im Allgemeinen nicht wirklich bewusst zu sein scheint. Reduziert man auch die Beobachtungen der Tunnelhaftigkeit unseres Erkennens auf den Ausdruck eines selbstorganisierten Prozesses a la Metzinger, so sieht man sich mit der grundlegenden Frage nach der Qualität des Wissens konfrontiert, zu der Wolfgang Neuser schreibt:

„Da Wissen sich in einem historischen Kontext konstituiert, ohne durch ein Subjekt als eigenverantwortliche Instanz begründet zu werden, verliert die Erkenntnisgewissheit des sich selbst als denkend erkennenden Subjekts die die Wirklichkeit begründende Funktion. Vielmehr tritt an die Stelle der Letztbegründung von Erkenntnis im Subjekt die Konstitution eines Kontextes von Erklärungen, die dazu dienen, Erfahrungen in einen planbaren Handlungskontext zu verwandeln" (Neuser 2013, S. 134).

Indem Beobachtung sich zur Selbstbeobachtung wandelt und das Selbst zu „planbaren Handlungen" (ebd.) zu führen vermag, folgt es einem Impuls in seinem Denken, Fühlen und Handeln, der den Tunnel zu durchschauen vermag. Dieser Impuls transzendiert die bisherigen Begrenzungen der Ich-Entwicklung und kann sich für einen Umbau oder Wechsel des eigenen Tunnels entscheiden – vorausgesetzt, die Ichreifung kann bloß in Tunneln erfolgen. Diese Selbstbeobachtung ist reflexiv und innovativ. Sie verabschiedet nicht *das Selbst als die Summe der evolutionären Impulse in der Suchbewegung des Menschen,* vielmehr weiß dieses selbstreflexive Selbst um die eigene Tunnelhaftigkeit und die möglichen Sackgassen und Begrenzungen der eigenen Ich-Entwicklung. Es muss sich dabei nicht zu einer neuen Ego-Substanz entwickeln, sondern kann sich *als schwebende Suche* neu positionieren. Dieses Selbst ist ein Suchprozess. Es ist Ausdruck einer Bewegung durch die Vielfalt und die Möglichkeiten des (eigenen) Lebens. Und: Es gestaltet eine Lebensbewegung, die von Reflexion und Flexibilität getragen wird.

Vielleicht meint Thomas Metzinger diese Suchbewegung, wenn er resümiert:

„Heute lautet der Schlüsselbegriff ›dynamische Selbstorganisation‹. Streng genommen gibt es in uns keine Essenz, die über die Zeit hinweg immer dieselbe bleibt, nichts, was man im Prinzip nicht in Teile zerlegen könnte, kein substanzielles Selbst, das unabhängig vom Körper existieren könnte. Im Moment sieht es so aus, als ob es so etwas wie ein ›Selbst‹ in irgendeinem stärkeren oder metaphysisch interessanten Sinn des Wortes schlichtweg nicht gibt. Es scheint, als müssten wir der Tatsache ins Angesicht schauen: Wir sind selbstlose Ego-Maschinen" (Metzinger 2009, S. 291).

Die Frage, die im Raum steht, ist: Lassen sich „selbstlose Ego-Maschinen" wirklich „antisubstanzialistisch" (Löwenstein 2021, S. 38) – im Sinne: „es gibt sie nicht" – konzeptionalisieren, oder drückt nicht bereits diese Kennzeichnung eine

– neue – Substanz aus? Insbesondere Relationstheorien versuchen bislang ebenfalls vergebens[16], substanzlose Konzepte des Selbst zu beschreiben, bloß um schließlich im Anschluss an Riceur zu einer widersprüchlichen Definition einer „narrative Identität" zu gelangen, der zufolge

„Identität in diesem Sinne keine Substanz, kein/e dem Sozialen vorgängige/r Akteur:in ›aus Fleisch und Blut‹ (ist); sie ist auch mehr als bloße Illusion. Identität als biographische Erzählung ist Praxis, ist Prozess, ist Relation. (...) In der Relationierung von Vergangenheit, Gegenwart und Zukunft werden vielfältige Erfahrungen als kohärenter Sinn vermeint und ein historisches Bewusstsein emergiert, das sich seiner selbst bewusst ist" (ebd. S. 43) –

eine Formulierung, die unserer Akteurssuche keine wirklich neue Perspektive stiftet. Sie rückt zwar ebenfalls die Prozesshaftigkeit des Selbst in den Blick, nur um diesem eine gewisse substanzielle Aufladung zu stiften („biographische Erzählung"). Ein prozesshaftes Selbstmodell benötigt aber keine solche Aufladung; es fragt nicht nach dem, was es selbst ausmacht, sondern fragt nach dem Wie im Umgang mit dem Was.

Halten wir fest:

> Das Selbst kann als die Summe der evolutionären Impulse in der Suchbewegung des Menschen neu definiert werden. Dabei löst sich die Vorstellung auf, das Selbst sei eine steuernde Substanz. An ihre Stelle tritt die Vorstellung eines Prozesses der permanenten Ich-Entwicklung, die sich aus überlieferten Substanzen zu befreien vermag und reflexiv sowie flexibel nach neuen Formen des Gewahrseins tastet, Vielfalt begrüßt und Wandel gestaltet. Dieses prozessuale Selbst beobachtet neu. Es beobachtet auch die neurophilosophischen Beobachter bei ihrem Tun und lässt diese mit der Frage zurück, welchem Tunnel ihre Beobachtungen wohl entstammen mögen.

3.7 Exkurs 2: Die neue Freiheit des bewussten Selbst

In diesem Sinn ist das Selbst das sich selbst beständig transzendierende Bewusstsein in seiner Bewegung von der Beobachtung erster Ordnung zu Formen der Beobachtung zweiter und dritter Ordnung[17]. Es rückt die Unterscheidungs-

[16] Die relationstheoretischen Vorschläge zur Frage nach dem Selbst, dem Ich oder der Identität eröffnen keine wirklich neuen Perspektiven. Eine genauere Prüfung dieser Vorschläge zeigt: Diese versuchen eine substanzlose Neu(er)fassung des Selbst zu beschreiben, die nicht nur die vorliegenden Identitätskonzepte überformt, sondern auch ältere Debatten um das Ich und seine Entwicklung – in häufig unverständlichen – Formulierungen repliziert. So gesehen handelt es sich m. E. nicht um eigenständige Theorien, sondern lediglich um einen Sprachgebrauch.

[17] Detlef Krause definiert in seinem Luhmann-Lexikon: „Eine Beobachtung dritter Ordnung ist eine reflexionstheoretische Beobachtung der zweiten Ordnung (= Beobachter beobachtet Beobachtungen und stellt sich die Frage, wie der Beobachter zu seiner Bezeichnung gekommen ist). Hier werden Beobachtungen von Beobachtung beobachtet" (Krause 2005, S. 129 f).

routinen mit dem, was es für wahr nimmt, in den selbstreflexiven Blick, überprüft Zusammenhänge (Relationen) und entschlüpft den durch die eigenen Strukturbesonderheit sowie die verwendete Grammatik stets nahegelegten oder gar aufgedrängten Wahr*gebungen* (vgl. Arnold 2023 b). Dieses Selbst ist durch und durch Bewegung, keine Substanz. Es präsentiert sich nicht durch typische Attitüden, sondern durch die Vervielfältigung der Annahmen und Ausdrucksformen. Es hat sich nicht allein der äußeren, sondern auch der inneren Fremdorganisation entzogen; *es ist frei*. Auch die Konzepte von Bildung und Persönlichkeitsentwicklung für das 21. Jahrhundert finden in diesem Selbst einen neuen Ankerpunkt, der nicht das Was („Was sollen Menschen lernen?"), sondern das Wie („Wie können sie werden, wer sie sein können"?) in den Fokus rückt.

Auch Metzinger geht an dem Thema der Bewusstseinserweiterung durch die Einnahme von Substanzen, die in therapeutischen Settings seit einiger Zeit wieder eine Renaissance erleben (vgl. Jungaberle u. a. 2008) und selbst in der Führungskräfteentwicklung neuerdings Thema sind, nicht achtlos vorbei. Er erkennt in einem solchen Vorgehen durchaus einen Weg, um sich „des Potenzials und der Tiefe unseres Erlebnisraumes" (Metzinger 2009, S. 303) bewusst zu werden. Metzinger zitiert Erfahrungsberichte aus klinischen Studien zu dem Einsatz von Psilocybin. Dabei berichten die Teilnehmenden das Auftreten von Gefühlen „von absoluter Ehrfurcht, Verehrung und Heiligkeit" (ebd., S. 316) und bezeichnen ihr Erleben auch als „die bedeutungsvollste Erfahrung oder als eine der fünf bedeutungsvollsten Erfahrungen ihres gesamten Lebens" (ebd.). Diese Wirkungen bewusstseinserweiternder Substanzen zeigen, dass auch das Fragen nach den Akteuren[18] des Selbst an einen Punkt gelangt, an dem die Gesellschaft vor der Entscheidung steht, welche – möglichen – Bewusstseinszustände sie zulässt und welche sie verbietet. Die tiefen spirituellen Erfahrungen, die die Einnahme von Substanzen ermöglichen kann, markieren auch eine Entwicklungsdimension für das Selbst, die dessen Blick auf sich selbst und die Welt nachhaltig verändern kann. Dabei wäre die Chemie bloß der Schlüssel, mit der sich eine Tür zu den tiefen Gewissheitsdimensionen des Selbst öffnen lässt, ohne die mit dem sprachlichen Austausch notwendig einhergehende Verarmung des Erlebensausdrucks in Kauf zu nehmen; ist doch – wie wir gesehen haben – der Preis für dieses kommunikative Verstehen, dass wir einander das Eigentliche, den Quellcode unseres Denken, Fühlen und Handelns, nicht mitteilen können. Zahlreiche Studien belegen, dass die Nutzung von Substanzen in gesicherten Settings – ebenso,

[18] Christian Scharfetter schreibt in seinem Geleitwort zu dem Sammelwerk „Therapie mit psychoaktiven Substanzen" (Jungaberle u. a. 2008) zur „Vielfalt des Selbst": „Welches sind die expliziten oder (schlechter, weil diffuser und nicht prüfbar) die impliziten Vorstellungen von der menschlichen Psyche? (…) Wie einheitlich integriert, wie vielfältig komponiert aus Facetten, Aspekten, Teilselbsten, Subselves, Subpersonalities von Zentren von Erlebens- und Verhaltenssteuerung, von Stimmungen, Gefühlen, Trieben, von höheren ethischen, moralischen Werten, von Gewissen, Empathie, Rücksicht, Toleranz dürfen wir sie uns vorstellen?" (Scharfetter 2008, S. 13).

wie Formen der Gewahrsamkeits-Meditation (vgl. Metzinger 2023 a) – Zugänge zu den heimlichen – meist im vorsprachlichen Erleben ankernden – Akteuren des Selbst eröffnet, die auf anderem Wege nicht oder nur schwer zu enttarnen sind.

Die entscheidende Dimension einer Bewusstseinserweiterung scheint dabei eine emotionale Aufweichung und Verdichtung bzw. bzw. ein vorsprachliches Spüren zu sein, bei der kognitiv eingespurte Sackgassen und Tunnel der Identitätspräsentation vermieden und die – eigentlichen – Akteure des Selbst bei ihrem Tun gewissermaßen beobachtet werden können. Diese eigentlichen Akteure sind die Kräfte, die uns bevorzugt „im Repeatmodus" (Arnold 2022) festhalten. Sie sind Ausdruck unserer frühen Lektionen, in denen wir gelernt haben, uns selbst in der Welt und in Resonanz mit der natürlichen und sozialen Umgebung zu spüren. Das Selbst, welches seinen Ausdruck in diesen Resonanzfeldern entwickelt, folgt früh internalisierten und wohl auch überlieferten Mustern (vgl. Schützenberger 2021; Couvert 2024), deren letztlich wirksame Spur in dem Moment zu verblassen beginnt, in dem sich Sprache und Denken ihnen nähern, aber dabei in den Dunstkreis der „nie enden wollenden Signifikantenketten" (Hofer 2018) geraten – ein Sachverhalt, der von Jaques Lacan (1901 – 1981) grundlegend ausgedeutet wurde und auch für spirituelle bzw. transzendent-religiöse Erfahrungen zu gelten scheint. Für Lacan ist psychische Klärung bzw. Selbst(er)klärung – anders als bei Freud – nicht durch therapeutisches Verstehen und Sprechen zu erreichen, da es ihr „am ursprünglichen oder fundamentalen Signifikanten (mangelt), der verschollen und unauffindbar ist" (ebd., S. 65). Er ist dem Selbst sprachlich nicht zugänglich. Dies bewirkt: Menschen können sich zwar auf der Ebene der Signifikanten (Begriffe, Bilder etc.) „verstehen", während sie gleichzeitig auf der Signifikatsenebene – der Ebene der Bedeutungen – aneinander vorbeireden und sich auch selbst nicht verstehen[19]. So lässt das Eigentliche, d. h. die Erlebensdichte, einer spirituellen oder transzendentell-religiösen Erfahrung, das Selbst ebenso „sprachlos" zurück, wie die einer bewusstseinserweiternden Selbsterfahrung. Ebenso scheint zu gelten: Wir beginnen die prägende Signifikate unseres Selbst umso tiefer zu verstehen, je weniger wir uns mit anderen über sie zu verständigen meinen.

[19] Dieses Nicht-Verstehen ist dadurch verursacht, „(…) dass im Diskurs eines Subjekts ein Signifikant insistieren kann, ohne mit der Bedeutung verbunden zu sein, die für das Subjekt relevant ist" (Chemama, nach: von Nemiz 2012).

Arrangements einer emotionalen Labilisierung	**Überwindung des Schismas zwischen Signifikant und Signifikat**	**Bezug zur Beobachtung dritter Ordnung**
Offenheit	„Nichtwissend" begleiten (vgl. Arnold 2019a), d.h. der inneren Welt des Suchenden lauschen.	Fokussierung auf die Beobachtung der Form, in der ein Gegenübersystem sich dabei beobachtet, wie es beobachtet.
Präsenz	Ein OK-Klima des Achtsamkeit („Ich achte auf Dich und das, was Du ausdrückst!"), Akzeptanz (Alles ist willkommen!") sowie Zugewandtheit („Du bist mir wichtig!") und Wertschätzung („Ich achte Deinen Schmerz!") entstehen lassen.	
Einfühlen	Anteil nehmen, an dem, was sich im Gegenüber Ausdruck verleiht.	Lösung aus den Formen der ersten Beobachtung („Ich beobachten, wie es ist!") und der zweiten Beobachtung („Ich beobachte, wie ich dabei beobachte!")
Nichturteilen	Schweigend und nachfragend die Manifestationen des Suchenden ans Licht treten lassen – ohne Kommentierung sowie Vor- oder Ratschläge.	

Abb. 5: Emotionale Labilisierung und Beobachtung 3. Ordnung

3.8 Das reflexible Selbst: Emotion und Entwurf

Die Frage nach den Akteuren des Selbst ist auch deshalb nicht zu klären, weil der Frage bereits ein suchender Blick inhärent ist, der eine Entität bzw. letzte Ebene der Selbstreflexion anvisiert und nicht findet, was er sucht. Das Selbst scheint vielmehr

- eine Multiplität statt Entität,
- auf Kontinuität angelegt, für Veränderung offen,
- eher Prozess als Substanz sowie
- in vorbewusst-emotionalen Mustern ankernd,
- statt begrifflich repräsentiert und
- mehr Signifikant als Signifikat

zu sein. Um die Wirkungsweisen sowie die Reflexionsformen dieses Selbst zu verstehen, zu verändern oder weiterzuentwickeln sind persönliche Flexibilität und Reflexität in eigener Sache gleichermaßen von Nöten: the „Reflexible Person" (vgl. Arnold/ Schön 2021). In beiden Fähigkeiten – Reflexivität undFlexibilität – findet eine persönliche Meisterschaft Ausdruck, die mit den äußeren und inneren Gegebenheiten zukunftserschließend und -gestaltend umzugehen weiß. Diese Meisterschaft lebt von Kräften, die das Selbst in die Lage versetzen, seine Einzigartigkeit durch eine Balance von sozialer und personaler Identität immer wieder neu darzustellen – nicht den Schablonen von Zeitgeist und Milieu, sondern einem autonomen, sich selbst reflektierenden Entwurf folgend. Ein solches Selbst verfügt über eine Art „Echolot" (Heisig/ Savory-Deerman 2001), mit dem es beständig die eigenen emotionalen Untiefen abscannt, um nicht länger inneren Festlegungen sowie Wiederholungsimpulsen zu folgen, sondern vielmehr lernt, sich für frische Formen des Denkens, Fühlens und Handelns zu entscheiden.

Das in diesem Sinne „reflexible" Selbst (Arnold/ Schön 2021) verfügt auch über eine andere Sprache für das eigene Denken und Sprechen. Diese ist eine Sprache intransitiver Repräsentationen.

Intransitives Sprechen hilft der reflexiven Bewegung, die Emergenz, Eigenart sowie Unverfügbarkeit der evolutionären Formen des Lebendigen in einer Weise auszudrücken, der die konnotative Verankerung des Sprachlichen in der gefühlten Welt nicht zum Opfer fällt. Das Selbst ist gleichwohl mehr als die Summe seiner Sätze über sich selbst. Es markiert den Prozess eines Zu-sich-Kommens in der Fülle der Möglichkeiten – außerhalb der sprachlichen Engführungen des Denkens und des Selbstausdrucks. Diese Bewegung kommt nirgends an, wohl aber voran. Das reflexible Selbst nutzt in seinem Prozess bevorzugt die Beobachtung 3. Ordnung, indem es die eigene Selbstbeobachtung beim Beobachten beobachtet, und sich beständig darum bemüht, Muster der „Wahr*gebung*" zu entdecken, um diese zu brechen und sich selbst und die Welt nicht bloß „frisch" zu denken, sondern diese auch neu zu gestalten.

4 Zukunftsbilder der Pädagogik zwischen Kontinuität, Aufbruch und Kontemplation

Zukunft markiert den grundlegendsten Fokus des pädagogischen Nachdenkens; sie steht aber ebenso für dessen blinde Flecken. Zumeist nämlich richtet sich die Argumentation auf die Steigerung des Menschlichen in der Zeit, sei es als Fortschreiten der Kompetenz- und Identitätsentwicklung des Einzelnen oder sei es als Gattungsprojekt, genannt: Zivilisation. Letztere wird durch den historisch erreichten Grad des rechten Vernunftgebrauchs definiert. Nur im Kontext dieses Vernunftgebrauchs ist auch begründbar, welche Persönlichkeitsbildung als erreichbar und nötig erscheint. Ihre Ausdrucksformen bemessen sich auch an der erreichbaren Selbstdistanzierung durch die Entwicklung der Fähigkeiten, sich selbst und die Welt nüchtern zu analysieren und das eigene Handeln entsprechend zu begründen.

Von John Maynard Keynes ist die Äußerung überliefert: „Wenn sich die Fakten ändern, ändere ich meine Meinung. Und Sie, was machen Sie?" (zit. n. Chamberland 2015, S. 191) – eine Frage, die uns mit unserer eigene Praxis des Denkens und Beurteilens konfrontiert, aber auch mit unserem Sprachgebrauch und der geschichtlichen Erfahrung, die sich in diesem niedergeschlagen hat. „Gebildet" ist in diesem Sinne jemand, der zu einem „problematisierenden Vernunftgebrauch" (Ruhloff 1996) in der Lage ist. Diese Lesart distanziert sich von jeglicher Bildungspraxis, die einseitig Wissen, Wahrheit und Fürwahrhalten stärkt, ohne für Formen des Scheinwissens, Nichtwissens oder des Irrens zu sensibilisieren.

Problematisieren will gelernt und geübt sein – insbesondere das Problematisieren eigener bevorzugter Sprechweisen, deren Deutungen nicht deshalb wahr sind, weil wir sie haben oder weil wir sie in einer Sprache ausdrücken, in der wir zufällig zu denken gelernt haben.

4.1 Wir beobachten und denken im „Gefängnis unserer Sprache" (Wittgenstein)

Gerade unsere Sprache hält uns mit ihren Begriffen gefangen – ein Sachverhalt, der im Deutschen insbesondere im Begriff der Bildung deutlich wird. Dieses kaum in andere Sprachen übersetzbare Wort geht mit Konnotationen einher, deren Ursprung letztlich religiöser Art ist: Gott schuf den Menschen nach seinem Eben-Bild. Deshalb war Bildung auch immer gedacht als eine Transformation der Individualität, durch welchen das von Gott Gemeinte – das Göttliche in jeder Person – zum Ausdruck gelangt. Es wäre reizvoll, dieser Einspurung der deutschen Bildungsdebatte im Folgenden weiter nachzuspüren, zumal ich sicher bin, dass man auch in anderen Sprachen mit konnotativ – spezifisch – aufgeladenen Begriffen unterwegs ist. Ein solcher *linguistic turn* würde aber im Spezifischen verbleiben, wo es doch darum geht sich über die Sprachen hinweg zu verständigen.

Im Folgenden möchte ich bloß kurz auf den Lernbegriff blicken, welcher auch in der europäischen Bildungsdebatte mehr und mehr in den Vordergrund rückt. „Learning – the Treasur within" lautete bereits der Titel des 1996er UNESCO-Reports. Unterzieht man den deutschen Begriff *Lernen* einer etymologischen Analyse, so stellt man fest, dass dieser zu der indogermanischen Wortgruppe von „leisten" gehört und u. a. mit den Worten „lehren" und „List" verwandt ist.

„›Lais‹ war die gotische Bezeichnung für ›ich weiß‹. ›Lis‹ ist das indogermanische Wort für ›gehen‹. Es deutet also vieles darauf hin, dass bereits früh Lernen als ein Prozess verstanden worden ist, bei dem der Lernende einen Weg zurücklegen muss und dabei Wissen erlangt".[20]

Auffällig ist im Deutschen die Nähe der beiden Worte für *Lernen* und *Lehre*; in anderen Sprachen gar gibt es für beide Aktivitäten bloß ein und dasselbe Wort: z. B. im Altgriechischen steht ›didaskein‹ für beides: lehren und lernen:

„Der ursprüngliche Grieche vereinigte also den causativen Sinn lehren mit dem immediativen lernen in einer Form (...), wie im Deutschen sonst und beym einfachen Volke noch, lernen auch lehren heißt" (Riemer 1819, S. 385) –

ist in einem Griechisch-Deutschen Handwörterbuch aus dem Jahre 1819 zu lesen. Es wäre nun interessant, der Frage nachzugehen, wie aus dem Lernen als einer selbstverständlichen Lebensaktivität (wie das Atmen) mehr und mehr ein durch Lehren bestimmtes Tun hat werden können – bis hin zu der Vorstellung, dass Lehren und Lernen in einen unauflösbaren Zusammenhang rückten und aus der Didaktik eine Lehr- und Vermittlungswissenschaft, keine Subjektwissenschaft (vgl. Holzkamp 1993) haben werden lassen. Interessant wäre es auch, dem Lernbegriff in anderen Sprachen nachzuspüren und zu erforschen, welche didaktischen Weltbilder z. B. die rumänischen Worte „invat(z)are" (Lernen) und „predare" (lehren) erzeugen. „Predare" und „Predigen" gehen auf den gleichen Wortstamm zurück und haben vermutlich auch etwas mit dem lateinischen Wort für „Beute" zu tun. Indem ich lerne, erbeute ich etwas, wobei Beute immer auch eine Art widerrechtliche Inbesitznahme markiert, das man sich sozusagen ohne Recht aneignet – auch dies eine Konnotation, die auf Macht und Berechtigung hinweist und im didaktischen Weltbild fortwirkt.

War es die gesellschaftliche Macht, welche das selbstbestimmte Lernen kontrollieren und begrenzen wollte? Waren es die Überwachungsmotive von Kirche und Obrigkeit, die durch Disziplin den „gelehrigen Körper" zu schaffen versuchten, wie Michel Foucault sagte? Sind es solche Motive, welche letztlich aus dem Begriff des Lernens heraus den des Lehrens erzeugten und das pädagogische

[20] Vgl. www.h-age.net/hinter-den-kulissen/144-was-ist-lernen-etymologische-wurzeln-definitionen.html (Aufruf am 13.4.2017).

Verhältnis zu einem „pädagogischen Unverhältnis“ werden ließen, wie Nora Sternfeld, Österreicherin und Professorin an der Aalto-Universität in Helsinki, im Anschluss an Rancière, Gramski und Foucault feststellt. Zu Foucault schreibt sie:

„In der Genealogie der Disziplinarmechanismen scheinen die Mitglieder der Gesellschaft nichts als bloß konditionierte Wesen zu sein. Inwieweit handelt es sich bei ›Überwachen und Strafen‹ um eine rein deterministische Perspektive auf Gesellschaft?“ (Sternfeld 2009, S. 97).

Doch ist dieser deterministische Blick, wie er durch die Dualität von Lernen und Lehren überhaupt erst denkbar wurde, realistisch? Oder entstammt er einer Beherrschbarkeitsillusion zu einem Sachverhalt, wo – bei nüchterner Betrachtung – nichts zu beherrschen ist?

Erinnern wir uns: „Wenn sich die Fakten ändern, ändere ich meine Meinung. Und Sie, was machen Sie?“ (zit. n. Chamberland 2015, S. 191) – so die Frage von Keynes. Diese Frage ist direkt an uns gerichtet, die wir selbst in Lehr- und Lern-Kontexten sozialisiert worden sind, und uns selbst gar als Lehrende verstehen und auch weiterhin verstehen wollen. Sind wir wirklich in der Lage, lieb gewonnene Einschätzungen aufzugeben, wenn nüchterne Analysen uns eines Besseren belehren? Welche Gefühle beschleichen uns, wenn wir erkennen müssen, dass wir uns geirrt haben? Korrigieren wir uns, oder insistieren wir, indem wir uns darum bemühen, einen Teil unserer bisherigen Überzeugungen beizubehalten, vorzubereiten, ohne zu wissen worauf, und zu lehren, wo doch bloß gelernt werden kann?

4.2 Zukunft als Kontinuität: Die Antizipation späterer Anwendungssituationen

Bis zum heutigen Tag ist die Vorstellung der *Antizipierbarkeit* kommender Herausforderungen für das pädagogische Denken tragend. Zwar ist man sich bewusst, dass kein Mensch tatsächlich die Zukunft voraussehen kann, doch behilft man sich mit der Generalisierungsannahme, dass es schon nicht so ganz anders kommen werde, wie es heute ist. Diese Annahme mag lange Zeit zugetroffen haben, in Zeiten der disruptiven Innovationen verliert sie jedoch nahezu vollständig ihre Berechtigung (vgl. Christensen 2011). Das Wesen dieser Innovationen ist es nämlich geradezu, dass sie sich nicht aus der bisherigen Praxis ergeben, sondern häufig durch Quereinwirkungen aus anderen Bereichen infiltrieren. Dann ist es kein leistungsstärkerer – analoger – Fotoproduzent, der die in diesem Bereich bevorzugte Technologie revolutioniert und den bisherigen Markführer verdrängt, sondern eine andernorts (z. B. im Silicon Valley) genutzte und perfektionierte digitale Technologie, die sich unvorbereitet und rücksichtslos als unerwartete und extrem leistungsfähige Alternative durchsetzt. Dies das Schicksal der Firma Kodak – dereinst das weltweit größte Fototechnik-Unternehmen, das durch die digitale Fototechnik fast vollständig überrollt und abgewickelt wurde. Auch im Taxi- und Transportbereich hat Google schon längst damit begonnen, sich zwischen die bisherigen Markführer und deren Kunden zu schieben und dadurch den ersten Schritt zur Übernahme ihres Stammgeschäfts zu tätigen.

Wie kann eine Antizipation späterer Verwendungssituationen aussehen, wenn die Disruption die Innovation ablöst? Wie bereitet man Auszubildende, Studierende und Erwachsene auf die Disruptionen auf den Arbeitsmärkten der Zukunft vor?

Solche Fragen bringen überlieferte Vorstellungen ins Wanken. Wir können uns nicht länger auf dem – vermeintlich – sicheren Terrain des Fachlichen und Berechenbaren bewegen, sondern müssen lernen, aus der Unsicherheit und Offenheit der Zukunft die richtigen bildungspolitischen, curricularen und vor allem didaktischen Konsequenzen zu ziehen. Dies ist alles andere als leicht, zumal das erreichbare fachliche Niveau der Produkte und Dienstleistungen auch weiterhin der wohl zentrale Wettbewerbspunkt bleiben wird: Wir kaufen alle das besser designte und benutzerfreundlicher gestaltete Handy, ohne nach den Produktions- und Qualifikationsverhältnissen, denen wir diese Vorzüge im Marktvergleich verdanken, zu fragen. Nur ergibt sich die fachliche Überlegenheit nicht mehr allein aus der Professionalität der beteiligten Akteure, sondern aus der weltweiten Vernetzung bei der Produktgestaltung. Einfach ausgedrückt ließe sich sagen:

> Die Konzentration aller Fachkompetenz in ein und derselben Person – dem oder der Professional – wird in der digital-vernetzten Welt durch die vernetzte Kombination und Nutzung verteilter Spezialisierungen und Wettbewerbsvorteile abgelöst.

Nicht die Fortdauer des „Fachmenschentums" (Max Weber), sondern dessen Fragmentierung, Entgrenzung und Entberuflichung scheinen die Zeichen der Zukunft zu sein. Zudem droht uns allen die „Kontinuitätsfalle". Diese Falle (ver)führt uns zu einem ungewollten Konservatismus, der letztlich an der Annahme festhält, dass auch die Zukunft im Großen und Ganzen so bleiben kann, wie schon die Vergangenheit gewesen ist. Dieser Effekt trägt allerdings auch dazu bei, dass wir uns immer wieder in der Lage finden, die Probleme mit den „Denkweisen" lösen zu wollen, mit denen wir auch die Probleme verursacht haben – eine Selbstbeschränkung der folgenreichen Art, von der bereits Albert Einstein (1879-1955) zu sagen wusste, dass diese niemals wirklich funktionieren könne (vgl. Stahlbaum 2014).

4.3 Zukunft als Aufbruch: Die Antizipation des Noch-Nicht

Anregungen für ein Neudenken der Zukunft findet man demgegenüber auch und gerade bei denjenigen, die an den gegebenen Bildungsformen versagt haben und für sich selbst neue – meist informelle – Wege zur eigenen Lernfähigkeit entdecken mussten – man findet diese in den unterstützenden Angeboten der integrativen oder gar therapeutischen Bildung (vgl. Kreszmeier 1994), in den auf Persönlichkeitsstärkung bezogenen Ansätzen der Beruflichen Bildung sowie in europäischen Konzepten zum Lebenslangen Lernen. Zu erwähnen ist dabei insbesondere der Sachverhalt, dass das Lernen Erwachsener sich über viele Jahrzehnte bloß im Schatten eines Zeitgeistes entwickeln konnte, der durch die Formel geprägt war: „Was Hänschen nicht lernt, lernt Hans nimmermehr!“ Nur allmählich öffnete sich der Blick auf den lebenslangen Kampf der Erwachsenen um Identität und Kompetenz und machte einer Sichtweise Platz, welche die Schweizer Kognitionsforscherin Elsbeth Stern zu der Gegenformel verdichtete: „Was Hännschen nicht lernt, lernt Hans hinterher“ (Stern 2011, S. 93 ff).

Gleichzeitig rückten auch die Lebensweltorientierung sowie der Identitätsbezug und die Informalität des Lernens der Menschen deutlicher in den Blick. Das Lernen Erwachsener wurde schon den den 1980er Jahren als „lebensweltbezogener Erkenntnisprozesses“ neu gedacht (Schmitz 1984), und man übte sich in Formen eines *Lernens vom Anderen her*. Diese Perspektive – seit den 1990er Jahren zu konstruktivistischen und systemischen Konzepten des Erwachsenenlernens erweitert (vgl. Arnold/Siebert 2006; Arnold 2013 b) und neuerdings um innenweltorientierte Ansätze ergänzt (vgl Arnold 2023 a) – nahm vorweg, was die Hirnforschungen zur Aneignung von Neuem seit der Jahrhundertwende zunehmend und in unausweichlicher Deutlichkeit auf den Punkt brachte. Ein Hirnforscher fasst diese Ergebnisse 2016 mit den Worten zusammen:

„Immer hängt das Ausmaß der im Inneren ausgelösten Veränderungen davon ab, über welche Reaktions- und Antwortmuster das betreffende Lebewesen bereits verfügt und wie effizient es diese Muster aktivieren und einsetzen kann. Und das wiederum ist abhängig von den jeweiligen Vorerfahrungen, die es bereits bei der Lösung ähnlicher Probleme und Herausforderungen machen und in seinem Inneren als geeignete Antwort- und Reaktionsmuster verankern konnte.

Die Vorerfahrungen sind also entscheidend dafür, ob eine bestimmte in seiner äußeren Welt oder in seinem Inneren auftretende Veränderung von einem Lebewesen als bedeutsam erlebt und bewertet wird – und ob dadurch ein eigener Lernprozess ausgelöst wird. (…) Alle Lebewesen entwickeln ihre jeweiligen strukturell verankerten Reaktions- und Antwortmuster anhand der von ihnen im Verlauf ihrer bisherigen Entwicklung gefundenen Lösungen. Diese von ihnen gefundenen Lösungen sind bedeutsam. Nicht objektiv und gleichermaßen wichtig für alle, sondern immer nur für das betreffende Lebewesen. Deshalb sind alle Lernprozesse durch die subjektive Zuschreibung von Bedeutsamkeit gekenn-

zeichnet. Und deshalb kann auch nichts gelernt werden, was für ein Lebewesen bedeutungslos ist" (Hüther 2016, S. 45).

Diese durch naturwissenschaftliche Forschung gewonnen Einsichten stärken einen anderen Blick auf Lehr-Lernprozesse. Sie rücken die Logiken der Aneignung als tragende Bewegungen von subjektiven Veränderungsprozessen in den Fokus und teilen damit eine Sichtweise, wie sie der Erwachsenenbildungspraxis und ihrer Theorie seit jeher vertraut gewesen ist. *Das lebensweltliche Selbst findet gewissermaßen seine naturwissenschaftliche Verankerung im „Synaptischen Selbst"* (LeDoux 2002). Beiden gemeinsam ist die unvermeidbare Einsicht, dass das Lehren und die Konzepte der Steuerung über Inputs überwunden werden müssen, um Lernen und Kompetenzentwicklung in ihrer Inside-Out-Logik wirksamer anregen, begleiten und unterstützen zu können. Für die Kompetenzentwicklung und die EU-Bildungspolitik ist gleichermaßen das didaktische Programm leitend: Wo Input war, muss Outcome sein.

Dieses Noch-Nicht der Zukunft der Bildung ist erst in Umrissen zu greifen. Verfolgt man den bildungswissenschaftlichen Diskurs in Europa aufmerksam, so kann man nicht umhin festzustellen, dass der Vorbereitungsanspruch der Bildungsinstitutionen bereits stark ins Wanken geraten ist. Wenn etwas an den Prognosen eines Ray Kurzweil dran ist, denen zufolge wir im 21. Jahrhundert eine Veränderung der Lebensbedingungen, Anforderungen und Möglichkeiten des Menschen erleben werden, die in ihrer Intensität in etwa dem Wandel der zurückliegenden 20 000 Jahre Menschheitsgeschichte entsprechen (vgl. Kurzweil 2014), dann müssen wir das unser Bildungswesen tragende Konzept „Learning from the Past" dringend modifizieren. Dabei werden wir uns von der Fixierung auf curricularisierte Inhalte lösen müssen, um die Nachwachsenden als Persönlichkeiten so zu stärken, dass sie tatsächlich in der Lage sind, „neuartige Situationen selbstgesteuert und sachgemäß zu bewältigen" – so in etwa die Definition des Kompetenzbegriffs des Europäischen Qualifikationsrahmens. Herausragende Bildungstheoretiker haben bereits früh erkannt, dass dieses Anliegen dem Konzept einer *formalen* Bildungstheorie entspricht, die sich gründlicher um die Klärung der Frage bemüht, wie solche Fähigkeiten in den Subjekten tatsächlich angebahnt und gefördert werden können. Wer in solchen Entwicklungen nur den Untergang bewährter Konzepte zu erkennen vermag (Liessmann 2016; Türcke 2016), ignoriert und banalisiert diese nicht nur, sondern verweigert auch den von Keynes geforderten Evidenzbezug: „Wenn sich die Fakten ändern, ändere ich meine Meinung. Und Sie, was machen Sie?" (zit. n. Chamberland 2015, S. 191). Das Ignorieren von Evidenzen lässt die Bildungspolitik in einem „Weiter-so-wie-bisher" zurück, welches auf Dauer keinen mehr zu überzeugen vermag und die Zukunft so, wie diese in Erwscheinung treten will, verpasst.

4.4 Zukunft als Auflösung: Die Kontemplation des Biographischen

Was wissen wir über die Förderung und Herausbildung von Fähigkeiten zur selbstgesteuerten Gestaltung neuer – noch nicht absehbarer – Anforderungssituationen? Auch zu dieser Frage findet sich im Diskurs der europäischen Pädagogik bislang nur wenig Orientierung, die über ein „Weiter-so" hinausweist. Es ist erschreckend, wie wenig kritisch in den Debatten auf die faktischen Wirkungen der bisherigen Bildungspraxis geblickt wird. So setzt man sich weder mit der skandalös geringen Nachhaltigkeit des bisherigen Lernens in curricularisierten Bahnen auseinander, in denen die Kenntnisse mehrerer Schuljahre oft fast vollständig verblassen, noch erfolgt eine wirkliche Auseinandersetzung mit den Ergebnissen der Hirnforscher, die uns unisono zurufen:

Vermitteln von Inhalten oder gar Kompetenzen geht nicht, selbst wenn wir uns das vorstellen und daran festhalten, statt unsere etablierten Muster aufzulösen!

Ihre Fakten verweisen auf die *notwendige Gestaltung von Kontexten für die selbstorganisierte Aneignung von Inhalten*, bei denen weniger die Steuerung oder Belehrung durch eine Lehrperson als vielmehr die Begleitung und Beratung von Suchprozessen im Zentrum stehen. Es wird deutlich: Wir müssen das Konzept einer „mehrdimensionalen Bildung" stärken, wie dies bereits vor fast 10 Jahren (!) eine Denkschrift mit dem programmatischen Titel „Bildung. Mehr als Fachlichkeit" forderte (Vereinigung 2015). Einer solchen „mehrdimensionalen Bildung" muss es neben Fachkompetenzen darum gehen, „Persönlichkeitsstruktur, Verhaltenssicherheit und Charakterbildung der Heranwachsenden zu stärken". Hierfür bedarf es einer Professionalität bei den Verantwortlichen, die mit dem Begriff der „Lernbegleitung" (vgl. Arnold/ Schön 2022b) treffender beschrieben ist als mit den eindimensionalen und rückwärtsgewandten Vorschlägen derjenigen, die dem Keynsschen Aufruf ausweichen.

Welche Anforderungen sind mit solchen Musterbrüchen für die Rolle der Lehrenden, aber auch für Eltern, Erzieher oder WeiterbildnerInnen im Prozess des Lebenslangen Lernens, verbunden? Es wird deutlich: Wir benötigen einen zeitgemäßen Lernbegriff. Lernen kann nicht länger vornehmlich als Folge von Lehren begründet werden. Hirnforscher und Pädagogen fokussieren demgegenüber in den letzten Jahren auf das sich entwickelnde Subjekt und sprechen von dem Menschen als dem „lernfähigen Tier", welches immer schon in der Lage war, mit den Hinweisen seiner Umgebung selbstorganisiert und kreativ umzugehen – seit übrigens mindestens 400.000 Jahren und nicht erst seit es Lehrpersonen gibt (erstes vereinzeltes Auftreten etwa 2.000 vor Christus).

Die Frage nach der Zukunft kann die eigene zeitliche Begrenzung und die Frage „Was ist der Mensch?" nicht dauerhaft ausblenden – ein tiefer und traditionsreicher Gedanke der Pädagogik, der aber auch unpopulär geworden ist. Erst aus dem Nicht-Selbst bzw. der Selbstlosigkeit oder Ichlosigkeit jedoch eröffnet sich uns ein Zugang zu einem Erklärungsansatz, der uns über uns selbst hinauszuführen vermag. Wir sind nicht, was wir denken, und wir müssen auch nicht so bleiben, wie wir haben werden können – so die Hinweise dieser „kontemplativen Wende“, wie sie von Francisco Varela und einzelnen Vertretern der amerikanischen Pädagogik angestrebt wird. Dabei skizzieren sie auch eine Form des erkennenden und gestaltenden Umgangs mit der Wirklichkeit – der eigenen inneren und der vermeintlich äußeren -, und markieren auch ein weiteres Zukunftsbild des pädagogischen Diskurses. Letztlich zielt ihr „Contemplative Approach“ auf das Ziel:

„Developing the ability to be able to clearly observe and utilize one's own subjectivity in an unbiased fashion“ (Roth 2014, S. 102).

Dieser Ansatz lässt den Dritte-Person-Ansatz des alltäglichen, aber auch wissenschaftlichen Beobachtens, mit dem wir objektzentriert auf die Welt blicken und in unseren zufälligen Sprachen über sie reden, hinter sich. Stattdessen gewinnt der Erste-Person-Ansatz des achtsamen Beobachtens an Bedeutung, wie er u. a. durch die Phänomenologie Husserls und Merleau-Pontys angeregt wurde, wie ihn aber auch buddhistische oder ökologische Konzepte nahelegen (vgl. Karafilidis 2016, S. 227 f). In dieser Form des Beobachtens, Redens und Handelns bleibt der Sprachgebrauch in einer reflexiven Logik verankert, welche den Selbstbezug als Selbstkritik beständig mitlaufen lässt. Der vielfach zitierte Satz von Ludwig Wittgenstein „Dass es mir – oder Allen – so *scheint*, daraus folgt nicht, dass es so ist“ (Wittgenstein 1984b, S. 119) ist den solchermaßen kontemplativ Suchenden stets bewusst, weshalb sie mehr und mehr in der Lage sind, die Mechanismen ihrer Kognition und ihrer sprachgebundenen Wahrnehmung zu „handhaben“. In diesem Sinne sprechen Francisco Varela u. a. von einem bewussten und geübten „Handle of Cognition“, bei dem die Akteure beständig in dem Bewusstsein wahrnehmen, urteilen und interagieren, wie – letztlich banal und durchschaubar – Wahrnehmung, Urteilen und Sprache in uns funktionieren (vgl. Depraz/ Varela/ Vermersch 2002, S. 155ff). Menschen können erkennen, dass sie hinter ihren Möglichkeiten zurückbleiben und ihr eigenes Leben der Wiederholung unverstandener Muster folgt.

Das „Sapere aude!“ Immanuel Kants ist auch der Aufruf zur Reflexion und Transformation dieser Muster bzw. der Aufruf zum Musterbruch – ein Anliegen zur Vertiefung des eigenen Weltzugangs, der wenig mit den Aufstiegsversprechen der modernen Pädagogik zu tun hat.

In den Vordergrund rücken in den selbstreflexiven und kontemplativen Bildungskonzepten vielmehr *die* Dimensionen einer Persönlichkeits- und

Haltungsbildung, wie sie bereits in Anschluss an Wilhelm von Humboldt den materialen Bildungstheorien entgegengesetzt oder zumindest an die Seite gestellt werden. Einer solchen *Persönlichkeitsbildung* geht es um die

- Stärkung der Ich-Kräfte und Potenziale des einzelnen,
- die Förderung seiner begründeten Positionierung zu dem, was Leben eigentlich bedeutet, und
- die Weiterentwicklung seiner Selbstbildungs- und Selbstlernkompetenzen, wie man heute gerne sagt. Diese benötigen zwar den gesellschaftlichen Zugang zu Unterstützungskontexten, sie benötigen aber auch die emotionale Einbettung in Anerkennungs- und Selbstwirksamkeitserfahrungen und Kontexte des Erlebens.

Einer solchen Bildung geht es weniger um die Ausstattung mit sicherem Wissen, als vielmehr um die Förderung einer inneren Haltung, welche die eigenen Gewissheiten in Frage zu stellen vermag und sich beständig neu um sachgemäße und gangbare Lösungen zu bemühen weiß. Eine solche Art von Haltungs-Bildung setzt auch kontemplative Fähigkeiten des Einzelnen im Umgang mit sich selbst und der Welt voraus, wie z. B. die Fähigkeiten

- zur vollen Achtsamkeit ohne die verzerrenden Einflüsterungen eigener Konzepte,
- um Zurückstellen eigener Annahmen und Beurteilungen sowie zur Einsicht,
- zur tieferen Verbundenheit mit anderen, deren Voraussetzungen und Lagen,
- zum Einfühlen und Mitfühlen sowie Respekt in die Lebens- und Sichtweisen anderer,
- zur Vertrautheit und Intimität,
- zur gesteigerten Wahrnehmung von ganzheitlichen und integrierten Wirkungszusammenhängen sowie
- zur tieferen und engagierten Beteiligung im Miteinander (vgl. Gunnlaugson et al. 2014, S. 5).

Die nachhaltige Herausbildung solcher Fähigkeiten hat mehr mit den eigenen emotionalen Einspurungen der Menschen in ihren biographischen Entwicklungsstationen zu tun als mit den Inhalten von Lehrplan und Curriculum. In späteren Entwicklungsphasen können die biographischen Prägungen durch Selbstreflexion und begleitete Erprobung nachsozialisiert werden, wobei die eigenen ursprünglichen Formen des Umgangs mit sich selbst und der Welt allerdings nur selten vollkommen überwunden werden können. Auf alle Fälle erfordert eine solche Haltungsbildung ein reflexives Lernen, das Suche und Selbsterkenntnis anregt, da beide letztlich auch die Art und Weise, wie mit Wissen umgegangen wird, subtil bestimmen.

So neigt derjenige, der die genannten kontemplativen Fähigkeiten nicht ausbilden konnte, eher zu einem Weltbild, welches die Welt und die anderen Menschen

„objektiv“ beschreiben und entsprechend technisch beherrschen zu können glaubt. Demgegenüber begünstigt eine selbstreflexiv-kontemplative Bildung die Herausbildung eines Bewusstseins, welches in anderen Konzepten und Handlungsmustern auch nur den Ausdruck einer menschlichen Suche zu sehen vermag. Kontemplativ Gebildete fragen nicht danach, wer Recht hat; sie sind lediglich darum bemüht, die Muster des Umgangs mit sich selbst und der Welt bei sich und anderen zu erkennen, um wechselseitige Anschlussfähigkeit zu verbessern. Sie sind deshalb Meister im Suchen, nicht im Finden. Sie taugen auch nicht für einen Streit um das Rechthaben. Vielmehr suchen sie stets in dem Bewusstsein des Sokrates, der sagte: „Ich weiß, dass ich *nicht* weiß“. Nur der vermeintlich Wissende erhofft sich von einem Mehr an Wissen eine Steigerung seiner Möglichkeiten, der Nichtwissende hingegen kennt die Skepsis gegenüber der versteifenden Wirkung seiner Gewissheiten, die ihn in eine Trance zu versetzen vermag, die ihn von weiterer Suche abhält.

Persönlichkeitsbildung ist somit nicht bloß ein Wort, sondern ein Programm – und zwar eines, das es in sich hat. In ihm gewinnt die Vorstellung Ausdruck, dass der Mensch sich selbst auf den Weg machen kann, um zu dem werden, der oder die er sein kann (vgl. Arnold 2016). Diese Formulierung mag noch nebulös und auch ambitioniert klingen und mehr ein ständiges Bemühen als ein Gelingen beschreiben, sie rückt aber immerhin den Aspekt der Selbstbildung deutlicher in den Fokus – einer Bewegung, die von dem lebendigen Interesse getragen ist, zu erfahren, „wie die Welt aus anderen Augen aussieht“ und wie es gelingen kann, „das eigene Blickfeld auf diese Weise zu erweitern“ (Spaemann 1994/95, S. 34). Dieser Perspektivwechsel steht auch im Zentrum des Freiheitsbegriffs, wie ihn Carolin Emcke, die Trägerin des Friedenspreises des Deutschen Buchhandels 2016, in ihrer Rede stark gemacht hat. Dabei wird deutlich: Bildung ist ohne Freiheit nicht zu denken, wie auch Freiheit der Bildung bedarf. Sie sagte:

„Wir dürfen uns nicht nur als frei säkulare, demokratische Gesellschaft behaupten, sondern wir müssen es auch sein. Freiheit ist nichts, das man besitzt, sondern etwas, das man tut. Säkularisierung ist kein fertig Ding, sondern ein unabgeschlossenes Projekt. Demokratie ist keine statische Gewissheit, sondern eine dynamische Übung im Umgang mit Ungewissheiten und Kritik. Eine freie, säkulare, demokratische Gesellschaft ist etwas, das wir lernen müssen. Immer wieder. Im Zuhören aufeinander. Im Nachdenken über einander. Im gemeinsamen Sprechen und Handeln. Im wechselseitigen Respekt vor der Vielfalt der Zugehörigkeiten und individuellen Einzigartigkeiten. Und nicht zuletzt im gegenseitigen Zugestehen von Schwächen und im Verzeihen.

Ist das mühsam? Ja, total. Wird das zu Konflikten zwischen verschiedenen Praktiken und Überzeugungen kommen? Ja, gewiss. Wird es manchmal schwer sein, die jeweiligen religiösen Bezüge und die säkulare Ordnung in eine gerechte Balance zu bringen? Absolut. Aber warum sollte es auch einfach zugehen? Wir können immer wieder anfangen. Was es dazu braucht? Nicht viel: etwas Haltung, etwas lachenden Mut und nicht zuletzt die Bereitschaft, die Blickrichtung zu ändern, damit es häufiger geschieht, dass wir alle sagen: Wow. So sieht es also aus dieser Perspektive aus" (Emcke 2016).

Solch selbstreflexiv-kontemplative Rede ist nicht neu, wohl aber untrainiert. Zwar stimmt es, dass selbstreflexive Theorien sowie das Wissen um die sprachgebundenen Mechanismen unserer Wahrnehmung nicht erst kürzlich erarbeitet wurden, es stimmt aber ebenso, dass wir trotz der zahlreichen Hinweise der Sprachphilosophie sowie der Kognitions- und Hirn- sowie Meditationsforschung in unserem beruflichen und privaten Alltag meist überwiegend so tun, als hätten diese für unsere Denken, Fühlen, Sprechen und Handeln keinerlei Bedeutung. Die Kunst, die durchschaubaren Mechanismen unserer Kognition und Emotion klug zu handhaben, ist noch nicht weit verbreitet. Diese Kunst kann uns dabei helfen, unsere biographischen Möglichkeiten mit *neuen* Begriffen und stärker *gelöst* von unseren Erfahrungen neu zu denken und zu erfahren. Der Erwerb und die Übung dieser Kunst ist ein „Inside-Job". Diesen zu üben, kann uns zu neuen Formen der Reflexion führen, die den eigenen Mechanismen des Umgangs mit dem Lebendigen in uns selbst nachspürt – ein weiterer, erst in Ansätzen greifbarer Aspekt zukünftiger Bildung (vgl. Arnold 2017a). Diese wird Persönlichkeitsbildung in einem reflexiven sowie transformativen Sinne sein – ganz im Sinne einer für die deutsche Erwachsenenbildung grundlegenden Definition, welche die Bildung bereits früh als „das ständige Bemühen, sich selbst und die Welt zu verstehen und diesem Verständnis gemäß zu handeln" (vgl. Arnold/Nuissl/Rohs 2017) definierte.

5 Berufsbildung als Kompetenzentwicklung neu denken

Der Begriff „systemisch“ hat Hochkonjunktur. Er muss für alles Mögliche herhalten. So war die Finanzkrise „systemisch ausgelöst“ und geht in Ihren Auswirkungen mit „systemisch verheerenden Konsequenzen“ einher; gefordert werden auch vereinzelt „systemisch wirksame Interventionen“, worunter man dann solche Eingriffe versteht, die halten, was sie versprechen und nicht am Ende in bester Absicht zu einer Verschlimmerung der Ausgangslage beitragen. Doch genau diese Gefahr besteht, wie u. a. zahlreiche Beispiele aus der Entwicklungshilfe zeigen: Die Menschen in bestimmten Regionen lebten zwar auf einem äußerst armen, doch oft ausbalanciertem Niveau. Erst durch die Eingriffe von außen wurden die eingespielten Abläufe gestört, wodurch mittel- und langfristig die Lebenslage der Menschen vollständig zerstört wurde (Dörner 2008). Das systemische Denken weiß um solche komplexen Wechselwirkungen und die Interdependenzen. Aus diesem Grunde versucht man in der internationalen Kooperation heute meist, zunächst die subtilen Zusammenhänge genau zu verstehen, bevor man zu Vorschlägen, Entscheidungen oder gar Eingriffen gelangt.

Wer systemisch denkt, denkt in mittel- und langfristigen Wirkungsketten. Er ist sich der Tatsache bewusst, dass unser Erfolg stets auch unser Misserfolg ist. So zeichnet Peter Senge, der wohl bekannteste Wissenschaftler, der sich seit Jahrzehnten mit dem Lernen von Organisationen befasst, die krisenhaften Tendenzen unserer globalen Entwicklung nach und stellt die Frage: „Wie sind wir an diesen Punkt gelangt?“ (Senge 2008, S. 14) Seine Antwort ist ernüchternd: „Wegen unseres Erfolges, der unsere wildesten Träume übertroffen hat“ (ebd.). Viel zu lange jedoch haben wir die Nebenwirkungen dieses Erfolges ignoriert; doch heute sind wir gezwungen, das ganze Bild – „the whole picture“ (ebd., S. 25) zu betrachten. „Systemisches Denken“ – so der Wissenschaftler des MIT in Boston –

„bedeutet nicht, Komplexität mit mehr Komplexität zu bekämpfen. Es bedeutet schlicht, zurück zu treten und die Muster zu betrachten, die sich uns deutlich, intuitiv und fassbar zeigen“ (ebd., S. 23).

Die Muster unseres vertrauten berufspädagogischen Denkens sind die Konzepte des Berufes und der Beruflichkeit, unsere Vorstellung von Ausbildung und Weiterbildung, unsere Annahmen über die Wechselwirkungen vom Lehren und Lernen und schließlich auch die Erwartungen, die wir mit dem Handeln von Ausbildern und Ausbilderinnen sowie von Führungskräften verbinden.

5.1 Die Muster der Berufs(aus)bildung wandeln sich, indem ich Beruf und berufliches Lernen in anderer Weise beobachte

Auch die Nebenwirkungen der beruflichen Bildung zeigen sich uns, wenn wir zurück treten und uns nicht durch den Glanz unserer Erfolge blenden lassen.

Sicherlich, auch und gerade die berufliche Bildung in Deutschland hat Erstaunliches hervorgebracht. Wie kaum ein Land auf der Welt haben wir Institutionen und Regeln geschaffen, durch welche das Duale System der beruflichen Ausbildung in der Lage ist, sich an die Wandlungen anzupassen und kontinuierlich Neues – sogenannte Neuordnungen – hervor zu bringen. Ja, und wir werden auch hier und da „beneidet" um das System der Fachkräftequalifikation, welches andere in ihre Länder zu transferieren hoffen – Absichten, die selten wirklich gelungen sind. Doch sehen wir auch, dass wir gar nicht mehr haben, was wir glauben zu besitzen? So ergab bereits vor 15 Jahren eine Studie im Auftrag der Bundesregierung, dass sich die Zahl der Jugendlichen, die in das Duale System eintreten von 77 % (1992) auf 52 % im Jahre 2004 verringert hat, während die Zahl der Jugendlichen, die in das sogenannte Übergangssystem der beruflichen Bildung einmünden um 81 % gestiegen ist (Geldermann / Seidel / Severing 2009, S. 64) – ein Trend, der sich bis 2023 noch verstärkt hat. So reduzierte sich einer OECD-Studie zufolge der Anteil der Jugendlichen mit einer abgeschlossenen Berufsausbildung seit 2015 auf heute 51 % (2022), während sich der Anteil der Jugendlichen mit einem Hochschulabschluss im selben Zeitraum von 30 % auf 37 % (2022) erhöhte und der derjenigen mit nur einem mittleren Bildungsabschlus von13 % auf 16 % anwuchs (vgl. OECD 2022). Das Duale System ist somit schon längst nicht mehr die dominante Jugendschule, vielmehr werden andere Bildungsangebote von der nachwachsenden Generation auf ihrem Weg in die Erwerbswelt zunehmend genutzt. Wir müssen deshalb aufpassen, dass wir uns in unserem Denken und Handeln nicht von Bildern bestimmen lassen, die einst Gültigkeit besaßen, uns in den Möglichkeiten das Neue zu (be)greifen jedoch eher behindern als zu orientieren vermögen. Wer durch die Brille des Dualen Systems auf die sich abzeichnenden Entwicklungen auf den Ausbildungs- und Arbeitsmärkten beobachtet, sieht nur die Abweichungen vom Gewohnten, nicht deren Potenziale. Dieter Euler und Eckart Severing schrieben bereits 2007:

„Die duale Berufsausbildung gleicht einem alten, einstmals schönen Haus, an das nun aber ohne erkennbaren Plan immer neue Anbauten angefügt worden sind: Es ist hinter großen Eingangshallen, lieblos angenagelten Abstellschuppen, Stützpfeilern, Gerüsten und verschnörkelten Erkern versteckt. Die Architekten des alten Hauses schwärmen noch immer von der Klarheit seines Aufbaus; für die Jugendlichen, die es beziehen sollen, ist diese aber kaum noch wahrnehmbar. Lange genug sind Mängel des Hauses mit immer neuen kleinen Ausbesserungen und mit der Pflege der Fassade angegangen worden. Es scheint an der Zeit, das Haus selbst zu renovieren und es so zu renovieren, wie sich das gehört: nach einer Bestandsaufnahme, mit einem Plan und mit vertretbarem Aufwand. Es gilt, das Fundament und die tragenden Mauern zu erhalten, aber es ist nicht viel, zu viel Respekt vor dem Flickwerk angebracht, das mit der Zeit hinzugekommen ist" (Euler / Severing 2007, S. 17).

Ähnliches gilt für die Berufsbrille, mit der wir gewohnt sind, auf die berufliche Bildung zu blicken. Wir selbst sind Berufsmenschen, d.h. wir haben uns selbst dereinst zu einer beruflichen Ausbildung oder einer Laufbahn entschieden und damit nicht nur unsere Identität (z.B. „Ich bin Schlosser!"), sondern auch unsere zukünftigen Möglichkeiten weitgehend weit gehend festgelegt. Kann es sein, dass wir deshalb in der Art, wie wir über Berufsbildung denken, noch immer Vorstellungen eines Lebensberufes anhängen, die mit der Wirklichkeit auf den Arbeitsmärkten kaum noch etwas zu tun haben? So übten bereits 2007 40% der aktuell Beschäftigten in Deutschland eine Tätigkeit aus, die mit dem Beruf, den sie ursprünglich gelernt haben, nichts mehr zu tun hat (BMBF 2007, S. 212) – ein Trend, der sich seitdem weiter verstärkt hat, in anderen europäischen Ländern aber ca. doppelt so hoch ausfällt (z.B. England) (vgl. Roth 2019). Mit solchen Entwicklungen lässt sich die Vorstellung einer Be-Rufung kaum noch überzeugend verbinden. Es ist nicht mehr die lebenslange Bindung an eine einmal getroffene Entscheidung, die das moderne Leben charakterisiert, sondern eine Art „Kompetenzkarriere" (Erpenbeck/Heyse 2007), auf die sich Jugendliche mit dem Beginn ihrer schulischen und beruflichen Ausbildungen einlassen.

Ähnlich wandeln sich auch andere Gewissheiten der beruflichen Bildung, wie die folgende Abbildung zeigt. So ist auch die Ausbildung längst nicht mehr das, was ihre Bezeichnung vorgibt zu sein. Es lassen sich gleichwohl alle möglichen Argumentationen feststellen, die die Veränderung(en) und die sich aus diesen ergebenden Konsequenzen klein reden, wie etwa die: Es ist ganz egal, ob das, was man gelernt hat, später noch benötigt wird. Entscheidend ist, dass man sich mit „Etwas" beschäftigt hat, denn diese Beschäftigung ist es, bei welcher Selbstdisziplin und Schlüsselqualifikationen erworben werden, von denen man dann bei veränderten Anforderungen profitieren kann. Nun, das ist sicherlich nicht ganz falsch, aber es erklärt nicht, wieso man dann die Ausbildung nicht gleich an Inhalten und in Situationen vollzieht, an denen Jugendliche auch lernen, mit Ungewissheit, Problemen, Konflikten etc. umzugehen und sich selbst das Kow-How anzueignen, welches sie benötigen, wenn sie sich Neuem gegenüber sehen.

> Die Selbstlernfähigkeit zu stärken erweist sich so als zentrales Merkmal einer modernen beruflichen Ausbildung.

Mit dem veränderten Blick auf die berufliche Bildung wandeln sich auch die Vorstellungen vom Lernen und Lehren. Dieses verliert sein „Gefälle", d.h. es ist nicht mehr der Lehrende allein, der weiß, wie es geht. Vielmehr ist es der Jugendliche, der als jemand in den Blick genommen wird, der bereits vieles mitbringt, an das es anzuknüpfen gilt. Und es ist *sein* Lernen, welches in das Zentrum aller berufspädagogischen Überlegungen rückt. Dieses gilt es zu fördern und zu begleiten. Moderne Berufsbildung entwickelt sich deshalb mehr und mehr zu einer Lernbegleitung, und Berufspädagogen und Berufspädagoginnen müssen sich zu Fachleuten für das Lernen wandeln, um dieser veränderten Aufgabe gerecht werden zu können.

Wir haben es demnach in der beruflichen Bildung mit einer Situation zu tun, in der die verantwortlichen Akteure mehr und mehr mit einem veränderten Blick auf die Aus- und Weiterbildung von Fachkräften schauen (müssen) und dabei durchaus Neues und auch Anderes erkennen bzw. neue Akzente für ihre eigene Praxis setzen, wie folgende Übersicht zeigt.

	Bisheriger Blick	**Veränderter Blick**
Das Duale System	Das weltweit erfolgreichste Konzept einer praxisbezogenen Vorbereitung auf eine berufliche Fachtätigkeit	Eine historisch gegebene Form, deren Elemente sich wandeln müssen, um das Zukünftige entstehen zu lassen
Beruf	„Be-Rufung", d.h. eine lebenslange Bindung an eine berufliche Laufbahn	„Kompetenzkarriere", d.h. Entwicklung eines eigenen Kompetenzprofils
Ausbildung	„Aus-Bildung" im Sinne einer vollständigen beruflichen Erstausbildung	Lebenslanges Lernen als Notwendigkeit, beständig weiter- und umzulernen
Lernen	Nachvollzug und Aneignung bisheriger Lösungen	Prüfen vorliegender und Finden eigener Lösungen
Lehren	„Beibringen"	Lernbegleitung

Abb. 6: Berufsbildung neu denken (© Arnold/Gonon/Müller 2016)

Beispiel: *Kompetenzorientierung kontrovers*

Auf einer Ausbildertagung konnte man folgendem Dialog lauschen. Ein Ausbilder meldete sich zu Wort und sagte: „Also, ich weiß nicht: Alle diese Neuerungen im Zusammenhang mit der Europäisierung der beruflichen Bildung erwecken bei mir den Eindruck, dass wir dabei sind, unser im weltweiten Vergleich erfolgreiches Duales System Schritt für Schritt zu demontieren. Andere Länder beneiden uns um unsere Berufsbildung, schließlich verdanken wir ihr doch auch unseren wirtschaftlichen Erfolg zu einem ganz erheblichen Teil". Andere Teilnehmer pflichtetem ihm nickend bei. Der Referent, der zuvor die Grundzüge des Systems einer kompetenzorientierten Berufsbildung skizziert hatte, reagierte unerwartet. Er sagte: „Ich verstehe solche Bedenken gut. Mir geht das auch so, dass ich das, was ich selbst erlebt habe und was mir vertraut ist, mir nur sehr schwer anders vorstellen kann. Und ich habe lernen müssen, dass ich mich in einem Streit um die Frage, welches System nun wirklich besser ist, nicht wirklich belehren lassen will, zu tief bin ich selbst in dem verwurzelt, was sich nun ändert. Schließlich habe ich selbst einen Beruf gelernt, warum also sollte ich mich einer Sichtweise gegenüber öffnen, die das in Frage stellt. Es hat mich viel Kraft gekostet zu erkennen, dass ich nicht länger um die Wirklichkeit streiten sollte, sondern mich viel-

mehr aufmerksam dabei beobachten sollte, wie ich mir mit dem, was ich selbst an Erfahrungen in mir trage, das Bild von der Wirklichkeit erzeuge. Und es war für mich eine bittere Lektion zu erkennen, dass ich immer, wenn ich auf Neues reagiere, mehr bei mir und meinen Bemühungen, mir treu zu bleiben, bin als wirklich bei dem, was sich mir zeigen will. Ein wirklicher Durchbruch war in diesem Zusammenhang für mich, als ich in einem Seminar darauf hingewiesen wurde, dass wir, wenn wir der Zukunft zum Durchbruch verhelfen wollen, uns mit unserer „Stimme des Urteils" (Scharmer 2009, S. 397) befassen müssen. Dies war für mich der entscheidende Schritt. Seitdem weiche ich jedem Streit um die Wirklichkeit aus und bemühe mich statt dessen darum, „die Gewohnheit des Urteilens, die auf den Erfahrungen und Mustern der Vergangenheit ruht, abzuschalten, um einen neuen Raum für ein Erforschen, Erkunden und Staunen zu eröffnen" (ebd.).

Doch was sind die ungewollten Nebenwirkungen eines Lehr-Lernens, d. h. eines Lernens, welches sich mit der Zeit immer mehr daran gewöhnt hat, dass man nur dann „richtig" lernt, wenn gelehrt wird? Es geht genau um diesen „Raum für ein Erforschen, Erkunden und Staunen", von welchem C. O. Scharmer spricht. Dieser Raum ist nicht dicht bevölkert. Man trifft in ihm eigentlich nur Kinder und vereinzelt umher streifende Erwachsene. Bei diesen fällt auf, dass sie immer mal wieder inne halten, um die Kinder etwas zu fragen; umgekehrt fragen die Kinder viel häufiger, und die Erwachsenen machen die seltsame Erfahrung, dass sie lernen, während sie erklären, begleiten und gemeinsam suchen. Die Erwachsenen nennen sich selbst „Ent-Wachsene" und meinen damit genau dieses Herausgewachsensein aus dem Erforschen, Erkunden und Staunen. Ihr Ent-Wachsensein beschreibt nicht mehr länger, eine machvollere Position gegenüber dem kindlich und jugendlich aufstrebenden Unterwegssein, sondern auch einen Verlust, gegen den die Ent-Wachsenen ankämpfen. Sie haben längst begriffen, dass ihre Ausbildungsabschlüsse und Diplome ihnen auch den Zugang zu diesen Räumen des „Erforschens, Erkundens und Staunens" verwehren und sind auf der Suche nach Wegen, dieses Lernen neu zu lernen. Dafür müssen sie lernen zurück zu treten, um das ihnen Vertraute neu und ungewohnt sehen zu lernen – eine meist schwierige Zumutung für Menschen, die eigentlich „ausgelernt" haben.

Wenn wir in dieser Weise über Lernen und Lernbegleitung zu denken beginnen, spüren wir, wie das Vertraute sich in uns sträubt. Es fällt uns schwer zu glauben, dass heute gelingen kann, was wir selbst in unserem eigenen Werdegang so nicht erlebt haben. „Aber bei den wesentlichen Dingen ist es doch nach wie vor wichtig, dass der Lehrer vermittelt" bemerkte ein Unternehmensvertreter in einer Diskussion – ein Hinweis, der so viel bedeutet, wie: „Wir verstehen zwar, dass Lernen eine ganz eigene Aktivität des Lernenden ist und sehen auch ein, dass Lehren nicht frei von ungewollten Nebenwirkungen ist und vielfach die Grundlagen zerstört, die für uns heute so wichtig sind, doch trauen wir dem Lernenden bei den eigentlich wichtigen Fragen nicht zu, sich das Wesentliche selbst zu erschließen“. Dem neuen Lernverständnis *muss* misstraut werden, da wir selbst in unserer Bildungsbiographie erfahren haben, dass Lernen einen überwiegend passiven bzw. aufnehmenden Zustand beschreibt. Unser innerer Lernbegriff sträubt sich somit dagegen, uns einen Blick auf das Lernen zu gestatten, der uns auch unser eigenes Lernschicksal anders zu beurteilen lernt. Vielleicht haben wir nicht wegen, sondern trotz des schulisch geführten Lernens etwas gelernt? Vielleicht sind wir selbst erst in Ansatzpunkten wirkliche „Herren im eigenen Haus“ unserer Lernprojekte? Und vielleicht sollten wir deshalb an der Stelle beginnen, das Lernen neu zu denken, an der es um unser eigens Lernen geht?

„Wenn ihr nicht werdet wie die Kinder!“	
Bereiche des Lernen Lernens	**Schritte und Maßgaben**
Erforschen	„Meide Bereiche, in denen Du Dich auskennst, bis auf Weiteres!“
	„Gehe den Fragen und Themen nach, an denen Du bislang gescheitert bist! Erstelle eine Liste zum Thema ›Lessons yet not learned‹
Erkunden	„Stelle alle Versuche, die zu nichts geführt haben, ein (so vertraut, berechtigt und legitim Dir diese auch scheinen mögen)!“
	Versuche etwas ganz Neues, um das Ziel zu erreichen! Nimm Dir ein neues Ziel, ein neues Thema, eine neue Art des Herangehens vor“
Staunen	„Blicke auf ›Probleme‹ staunend, indem Du z. B. siehst, was Dir der oder die ›ProblembringerIn‹ alles schenken!“
	„Freue Dich an dem, was Du selbst geklärt oder bewältigt hast!“
	„Staune über die Klugheit und das Geschick derer, die etwas selbständig versuchen! Mache es ihnen nach!“

Abb. 7: Das eigene Lernen entdecken

***Beispiel:** Jedes Jahr ein neues Lernprojekt*

Ich kenne ein Unternehmen, in welchem von den Menschen, die für die Lernorganisation in der Aus- und Weiterbildung zuständig sind, erwartet wird, dass sie sich immer wieder einer neuen eigenen Lernaufgabe stellen – sei es, dass sie das Erlernen einer Fremdsprache in Angriff nehmen, sich für 2–3 Monate in einen anderen Kontext (eine geschützte Werkstatt, ein Entwicklungsland etc.) begeben, um sich selbst genau dabei zu beobachten, wie sie lernen, mit diesen neuen Herausforderungen umzugehen und die erforderlichen Kompetenzen zu entwickeln. Über diese Erfahrungen fertigen sie Lernberichte an, über die sie mit ihren Kolleginnen und Kollegen diskutieren. Ziel dieser Personalentwicklungsmaßnahme, die den Titel trägt „Sei Dein eigener Lerncoach!“, ist es gezielt

Erfahrungen mit dem eigenen – selbstgesteuerten – Lernen zu sammeln. Die zugrunde liegende Überlegung ist einleuchtend: Nur indem ich mich selbst immer wieder absichtsvoll dem Lernen aussetze und mich dabei beobachte, wie ich lerne, entwickele ich wirklich die Kompetenzen, die ich benötige, um das Lernen anderer Menschen hilfreich zu begleiten.

5.2 Systemisches Denken und Handeln in der Berufsbildung – eine Fallstudie

In den einleitenden Überlegungen sind bereits zahlreiche Merkmale eines systemischen Denkens und Handelns angedeutet worden. Systemisches Denken fragt nach den Musterveränderungen, welche durch eine andere Art der Beobachtung zum Ausdruck kommen können. Wer systemisch denkt, nimmt das, was ihm „gegeben" erscheint, grundsätzlich als das Ergebnis *seiner* Beobachtung wahr. Mehr und mehr begreift er sich selbst als der Beobachter seiner Welt – ein Schritt in die „epistemologische Bescheidenheit"[21], d.h. in die Einsicht, dass „Wahrnehmen" stets ein „Für-wahr-Nehmen" ist. Systemiker sprechen deshalb auch gerne von „Wahrgebung" anstelle von „Wahrnehmung" (vgl. Schmidt 2007). Der Beobachter – so die Quintessenz dieser Beobachtertheorie – ist an der Entstehung des Eindrucks, den er gewinnt, in erheblichem Maße beteiligt. Die Wirklichkeit spricht nicht so und nicht anders zu uns, sie kann sich uns vielmehr nur zu unseren eigenen Bedingungen mitteilen. Wer systemisch zu denken und handeln gelernt hat, der weiß, dass auch er nur – wie sein Gegenüber – eine Biographie, Erfahrungen und Gewohnheiten zur Verfügung hat; er entstammt einer vertrauten Welt: *seiner Welt.* Wer systemisch denkt und handelt ist sich stets der Tatsache bewusst, dass alles, was er sagt, von ihm als Beobachter gesagt wird (vgl. Simon 2008, S. 112).

> Der Systemiker bzw. die Systemikerin weiß: Es sind die eigenen Erfahrungen mit dieser Welt, welche ihn oder sie selbst zu dieser Art von Fokussierung, zu dieser Art ausschnitthafter Beobachtung und unmittelbarer Kommentierung (ver)führen. Und er bzw. sie lernt, die Verantwortung für die bevorzugten Weisen der „Wahr-Gebung" zu übernehmen.

Verantwortung für die eigene „Wahr-Gebung" (vgl. Arnold 2023 b) übernehmen der Systemiker und die Systemikerin, indem sie mehr und mehr lernen, dem Anderen in einer prinzipiell wertschätzenden Weise zu begegnen – unabhängig

[21] „Epistemologie" bedeutet soviel wie „Erkenntnistheorie". Diese untersucht die Frage, wie das Erkennen und die Erkenntnis bzw. das „Für-wahr-Halten" beim Menschen funtionieren, d.h. sie geht nicht länger davon aus, dass wir nur, weil wir die Dinge und Situationen ähnlich bezeichnen, diese auch ähnlich wahrnehmen. Bei unterschiedlichen Beobachtern kommt vielmehr unterschiedliches Eigenes zum Schwingen, welches ihre Wahrnehmung und ihr Verhalten letztlich (mit)bestimmt.

davon, was dessen Verhalten gerade in ihnen auslöst. Was sie darinnen erkennen (oder besser: zu erkennen glauben) ist stets der eigenen inneren Struktur geschuldet, ebenso, wie die dadurch ausgelöste Art des eigenen Verhaltens (welches das Gegenüber bestürzen oder erdrücken kann). Humberto Maturana schreibt: „Das, was Sie hören, von dem, was ich sage, hängt von Ihnen, nicht von mir ab" (Maturana 1996, S. 228), d.h. die Stimmigkeit einer Reaktion, das Berechtigte einer Wahrnehmung oder die Angemessenheit einer Beurteilung beziehen ihren Sinn ausschließlich aus dem wahrnehmenden und regierenden System. Dieses kann bloß zu seinen eigenen – bewährten – Bedingungen bzw. Mustern hören, sehen, verstehen etc.

Systemiker und Systemikerinnen haben verstanden, dass diese ihre Welt nicht die Welt des Gegenübers ist und auch niemals sein wird, und beginnen nach Wegen zu suchen, um zumindest die verzerrenden Wirkungen dieser Gewohnheiten der eigenen „Wahr-Gebung" stets in Rechnung zu stellen und zu minimieren. Sie lernen dabei, der Gültigkeit ihrer unmittelbaren Eindrücke systematisch zu misstrauen und verstehen, dass es genau diese Verunsicherung ist, welche ihnen ein neues Verständnis einer Situation und neue Möglichkeiten des Umgangs mit dieser Situation sowie neue Zugänge zum Gegenüber eröffnen. Allmählich erlernen sie vielleicht sogar die Kunst eines behutsamen und zugewandten Lauschens.

Man kann andere Menschen nur in ihrer eigenen Welt, d.h. zu ihren eigenen Bedingungen wirksam begleiten. Auch angesichts drängender Lagen, in denen alle rufen „Nun tu doch mal was!" und sogleich auch mit Ratschlägen aufwarten, bleiben der Systemiker und die Systemikerin stets ruhig und gelassen: Sie wissen um die subtilen Gleichgewichte und die heimlichen Funktionen, denen ein Verhalten dienen kann, und kennen auch die Risiken der ungewollten Nebenwirkungen jeglichen Tuns. Sie sind stets darum bemüht, eine Gesamtsicht der Lage zu erhalten, bevor sie *ihre* Sicht der Dinge zur Grundlage unmittelbarer Reaktionen oder weit reichender Entscheidungen machen. Wer systemisch bewusst handelt, drückt eine bestimmte Haltung aus (vgl. Arnold/Arnold-Haecky 2009). Diese Haltung ist dem Leben mit seiner ganzen Vielfalt, seinen Überraschungen und dem, was uns Probleme machen kann, zugewandt.

> Den Systemiker bzw. die Systemikerin kann nichts überraschen, da er bzw. sie stets damit rechnet, dass das Leben mit Neuem aufwartet.

5.3 Die Gebote des systemischen Denkens nach Fritz B. Simon

Fritz B. Simon hat diesen Aspekt der prinzipiellen Beobachtergebundenheit des systemischen Denkens sowie andere charakterisierende Aspekte zu „10 Geboten des systemischen Denkens" zusammengefasst, von denen im folgenden die ersten fünf dargestellt und kommentiert werden sollen. Seine Liste beschreibt sehr treffend, wie diszipliniert Systemikerinnen und Systemiker bei der Wahrnehmung, Beurteilung und „Behandlung" einer Situation vorgehen. Dabei wird deutlich, dass diese Disziplinierung sich als Ergebnis eines peniblen Bemühens ergibt, die Dimensionen, die normalerweise bei der Wahrnehmung gleichzeitig aktiviert werden, analytisch zu trennen. Normalerweise erkennen wir „einfach so drauflos", d. h. wir nehmen das, was von einem Beobachter gesagt wird oder was unsere Beobachtungen uns zeigen, sogleich für die Sache selbst, folgen unmittelbar unseren eigenen Bewertungen der Sache – und nur bisweilen wundern wir uns darüber, dass uns das Neue stets in vertrauten Gewändern begegnet, wir es z. B. als Lehrerin oder Ausbilder mit Lernenden zu tun haben, deren Verhalten wir so erleben, wie wir schon früher ähnliches Verhalten erlebt hatten. Dies bedeutet: Unser Eindruck – genauer: unsere Wahrgebung – ist stets ein Ausdruck der eigenen Konstruktion der Wirklichkeit (vgl. Arnold 2023 b). Die Simonschen „Gebote des sytemischen Denkens" dienen dazu, mit dieser selbstgebundenen Form unserer Wahrgebung besser zurecht zu kommen. Sie sind auch geeignet, mit der Relativität der eigenen Deutungen und der der Anderen umzugehen, ohne in einen bodenlosen Relativismus oder in eine lächerliche Anything-Goes-Haltung zu verfallen.

Im Folgenden werden wir zumindest einige dieser Gesetze anhand eines Beispiels erproben, wobei wir gleichzeitig auch mögliche innere Freunde, die uns helfen können, uns aus dem Sumpf der Selbstbezogenheit unserer Deutungen zu befreien, treffen werden. Wer systemisch denken und handeln möchte, braucht solche Freunde. Denn es ist stets verführerisch und leichter, im Fahrwasser der bisherigen Denkgewohnheiten zu verweilen. Dann urteilen wir, wie gewohnt, reagieren, wie wir es für richtig halten etc., ohne allerdings wirklich mit dem Gegenüber und dessen Selbstbezogenheit („Strukturdeterminiertheit", wie die Konstruktivsten sagen) im Kontakt zu stehen oder wirklich nachhaltig an dessen Entwicklung beteiligt zu sein.

Gebote des systemischen Denkens – Teil 1

1. Mache dir stets bewusst, dass alles, was gesagt wird, von einem Beobachter gesagt wird!
2. Unterscheide stets das, was über ein Phänomen gesagt wird, von dem Phänomen, über das etwas gesagt wird!
3. Wenn du Informationen (be)schaffen willst, triff Unterscheidungen!
4. Trenne in deiner inneren Buchhaltung die Beschreibung beobachteter Phänomene von ihrer Erklärung und Bewertung
5. Der Status quo bedarf immer der Erklärung!

(Simon 2008, S. 112 ff)

Abb. 8: Gebote des systemischen Denkens

Der Systemiker ist sich der in ihm lauernden Gefahren, eigentlich Recht behalten zu sollen, stets bewusst. Aus diesem Grunde ist er niemals alleine, denn er weiß sich bei allem, was er tut, stets durch innere Freunde begleitet. Denn: Systemisch denken und handeln kann man nicht allein. Diese Freunde rufen ihm zu:

- „Was weißt Du tatsächlich von dem Gegenüber und seinen Motiven?“ (die Analytikerin)
- „An welches Eigene erinnert Dich diese Situation?“ (der Reflektierer)
- „Welche Risiken und Nebenwirkungen sind mit Deiner Art wahrzunehmen, zu schlussfolgern und zu reagieren, unvermeidbar verbunden?“ (der Skeptiker)
- „Was verändert sich, wenn Du mit gegensätzlichen Annahmen arbeitest?“ (der Experimentierer)
- „Menschen handeln stets auf der Grundlage ›guter Gründe‹“ (Der Humanist)
- „Du brauchst nicht so zu bleiben, wie Du bist“ (der Coach)

Diese inneren Freunde des Systemikers mischen sich beständig ein. Wer systemisch orientiert mit Menschen umgeht, geht unsicherer, behutsamer und variantenreicher zu Werke. Er hört auf seine inneren Freunde und lädt sie zu Team-Besprechungen ein, in denen er ihren Hinterfragungen und Argumentationen interessiert und aufgeschlossen folgt.

Systemiker handeln weniger sicher und selbstbewusst und sind genau dadurch offener gegenüber dem, was auch der Fall sein könnte.

Beispiel: *Petra legt sich mit allen an*

Petra, eine Auszubildende im dritten Lehrjahr kommt mit niemandem wirklich aus. Alle scheinen sich einig zu sein: „Mit der kann man nicht!“ – wie es eine andere Auszubildende ausdrückt. Auch bei den Lehrern und Ausbildern eckt Petra immer wieder an, so dass deren Urteil bereits nach wenigen Wochen feststand: „Petra ist schwierig“. Gleichzeitig gelingt es Petra aber auch ein ständiges Thema zu sein. Immer wieder gibt es einen Anlass, sich über ihr Verhalten auszutauschen – mehrfach schon war es auch notwendig, dass sich die Ausbilder mit den Lehrerinnen und Lehrern der Berufsschule austauschten. Dabei erfuhren sie, dass auch bereits der schulpsychologische Dienst eingeschaltet wurde und man am nächsten Tag ein erstes Beratungsgespräch habe. Aktueller Auslöser war eine Situation, in der Petra ihre Ausbilderin grob beleidigte. Als diese Sie auf ihr wiederholtes Zuspätkommen und ihre hohen Fehlzeiten ansprach, reagierte Petra mit dem Satz: „Ich kann Sie eben nicht sehen, so fett, wie Sie daher kommen!“

„1. Mache dir stets bewusst, dass alles, was gesagt wird, von einem Beobachter gesagt wird!“

Dieses Gebot kann uns helfen, uns gegen die Fachleute- oder Mehrheitsmeinungs-Illusion zu immunisieren: Wer sich im Besitz einer auch von anderen geteilten Deutung weiß, ist besonders festgelegt. Und wer sich darauf berufen kann, dass auch andere seiner Meinung sind, glaubt sich schnell im Recht. Auszubildende oder Schülerinnen haben dann keine Chance – zumal dann nicht, wenn sie sich nicht artikulieren, sondern bloß durch schwieriges Verhalten auffallen. Wer mit Experten- oder Mehrheitsmeinungen konfrontiert wird, hat ein Problem. Er kann sich wie selbst nicht mehr die Berechtigung geben, einer so kompetent oder breit (z.B. von einer Mehrheit der Beteiligten) vertretenen Anschauung zweifelnd entgegenzutreten. Die Fachleute- oder Mehrheitsmeinungs-Illusion stellt sich ein, wenn z.B. eine anerkannte Instanz (hier: der Schulpsychologische Dienst) oder andere Akteure (hier: andere AusbilderInnen oder die LehrerInnen der Berufsschule) in ihren Beurteilungen deutlich übereinstimmen, was besonders leicht ist, wenn sie mit einem offensichtlich „ungebührlichen Verhalten" konfrontiert werden. Was aber, wenn sie zwar übereinstimmen, ihre Interpretationen mit der inneren Struktur des Gegenübers aber nichts zu tun haben? Wie ist diese Übereinstimmung zu bewerten, wenn sie uns das Gegenüber verfremdet und es uns gegenüber verschließt.

Beispiel:

Eine Ausbilderin spürte diesen Zusammenhang und sagte: „Ich kenne die Petra. Die macht am liebsten zu und liefert uns jetzt bloß einen Vorwand, ihr dabei zu helfen, indem auch wir zu machen. Hinter der dann verrammelten Doppeltür wartet aber genau die andere Petra, die, die nicht weiter weiß und möchte, dass wir zu ihr durchdringen. „Also, wenn jemand andere so grob beleidigt, dann hat er in einer Ausbildung nichts verloren! Dass ist doch das Mindeste, dass man sich zu benehmen weiß!" – entgegnete entrüstet ein Kollege.

Ein systemischer Beobachter bleibt an dieser Stelle von einer sokratischen Unbeirrbarkeit[22]: Je vehementer es den Menschen gewiss zu sein scheint, was sie zu erkennen glauben – je erregter sie sich ausdrücken –, desto penetranter fragt er kritisch, aber auch selbstkritisch nach. Dabei sind es sowohl die Analytikerin („Was weißt Du tatsächlich von dem Gegenüber und seinen Motiven?") als auch der Skeptiker („Welche Risiken und Nebenwirkungen sind mit Deiner Art wahrzunehmen, zu schlussfolgern und zu reagieren, unvermeidbar verbunden?"), welche ihm helfen, auch den Gedanken zuzulassen, dass alles von dem, was da so über Petra gesagt, befunden und dokumentiert ist, oder dem, was ihm „gewiss" erscheint, von Beobachtern verfasst wurde. Und auch diese Beobachter können – bei allem Bemühen – die Gegebenheiten prinzipiell nur zu ihren eigenen Bedingungen wahrnehmen.

[22] Sokrates (469–399 vor Christus) fiel bekanntlich den Athenern dadurch auf, dass er beständig darum bemüht war, sie auf den Straßen und Marktplätzen Athens anzusprechen und ihnen ihr „Nichtwissen" gerade in den Bereichen, in denen sie glaubten, „gut" Bescheid zu wissen, vorzuführen.

Beispiel:

Im vorliegenden Fall trat auch eine einzelne Berufsschullehrerin dem erdrückend im Raum stehenden Vorwurf, Petra sei „schwierig" – was immer das auch im Einzelnen sein soll –, zweifelnd entgegen. Sie besuchte Petra zuhause und sprach mit ihrem Vater. Dabei wurde ihr die ganze Überforderung, der Petra ausgesetzt war, deutlich bewusst. Seitdem vor einem Jahr ihre Mutter gestorben war, hielt es Petra für ihre Pflicht, als älteste Tochter den gesamten Haushalt zu organisieren und sich auch noch um die Betreuung ihrer beiden kleineren Geschwister zu kümmern. Auf den Vater, der durch den Tod der Mutter in eine schwere Depression gefallen war, konnte sie sich nicht verlassen. Im Gegenteil: Er erwartete von ihr Trost und Beistand und erkannte überhaupt nicht die Überforderung, in welche Petra in ihrer Familie geraten war.

Dieser Besuch und der Bericht der Lehrerin veränderten alles. Plötzlich hieß es nicht mehr „Petra ist schwierig", sondern „Petra ist überfordert". Durch diese Umdefinition („Reframing") traten plötzlich auch ganz andere Konsequenzen in den Blick, welche zuvor, als man drauf und dran war, der eigenen Experten- und der Mehrheitsmeinung zu folgen überhaupt nicht erwogen wurden. Plötzlich waren unterstützende Reaktionen für eine unglaublich engagierte junge Frau gefragt, nicht mehr psychologische „Behandlungen" eines als abweichend eingestuften Verhaltens.

Um sich selbst in diesem Sinne immer wieder bewusst zu machen, dass „alles, was gesagt wird, von einem Beobachter gesagt wird" (Maturana 1996), ist es hilfreich, mit einem Fragenset, den „Gewissheitskillern", zu experimentieren. Immer dann, wenn eine Beurteilung sich verdichtet und durchzusetzen beginnt, oder immer, wenn sich in einem selbst dieser lähmende Eindruck einstellt, man selbst habe Recht und nicht das Gegenüber, kann es sich als sinnvoll erweisen, sich mit den Gewissheitskillern zu befassen. Dabei ist der Experimentierer als innerer Freund gefragt. Mit seiner Hilfe kann es gelingen, durch die gezielte Arbeit mit gegensätzlichen Annahmen, eine neue Sicht auf das vertraute Geschehen zu entwickeln, und bereits mit dieser neuen Sicht ergeben sich nicht selten für das Gegenüber bereits andere Möglichkeiten, sich zu artikulieren und zu handeln.

Dies Fähigkeit, nicht das Gegenüber, sondern die eigene Sicht der Dinge (die eigenen „Gewissheiten") zu verändern, ist die Basis aller Kreativität. Und nur durch kreatives oder „frisches Denken" kann eine neue Zukunft entstehen, wie es schon Albert Einstein ausdrückte: „Wir können nicht Probleme lösen, indem wir die selbe Art des Denkens benutzen, mit der wir die Probleme erzeugt haben" (zit. nach Senge u. a. 2008, S. 10). Und Peter Senge u. a. ziehen daraus die wichtige Konsequenz, indem Sie fordern: „We all have to work together differently than we have in the past" (ebd.).

Ein Problem bzw. eine von mir oder „allen“ als problematisch empfundene Situation ändert sich, indem wir gezwungen werden, anders auf das problematische Verhalten zu blicken und dem Gegenüber immer und immer wieder eine neue Chance zu geben, sich uns zu zeigen. Suche immer wieder neu nach anderen Lesarten für die Verhaltensweisen des Gegenübers und Du kommst ihm und seiner Wirklichkeit näher!

„2. Unterscheide stets das, was über ein Phänomen gesagt wird, von dem Phänomen, über das etwas gesagt wird!“

An dieser Stelle kommt der Humanist ins Spiel. Dieser innere Freund ruft uns beständig zu: „Menschen handeln stets auf der Grundlage ›guter Gründe‹“. Dies bedeutet, dass es kaum einen Menschen gibt, der bewusst den Entschluss fast „Heute mache ich Schwierigkeiten“. Vielmehr ist dieser Entschluss stets Ausdruck einer inneren Bewegung, welche ihre Gründe und Motive haben mag, aber letztlich doch bloß zu der an den Tag tretenden Äußerung führt – vielleicht, weil sich keine andere Möglichkeit bietet, in irgendeiner Weise auf sich hinzuweisen oder andere dazu zu bewegen, sich mit einem zu befassen. Es gilt, nach diesen „guten Gründen“ zu fragen. Dabei befragt der Systemiker natürlich nicht denjenigen, dessen Verhalten als schwierig empfunden wird, sondern die Situation selbst. Diese Befragung geschieht durch eine achtsame Beobachtung, das wertschätzende Deuten der Gesamtpersönlichkeit und das Lesen in den nonverbalen oder zwischen den Zeilen versteckten Mitteilungen. Diese gilt es zu entdecken und peu a peu zu einem Bild vom Gegenüber zu verdichten, welches seiner eigentlichen inneren Bewegung gerechter wird als eine konfrontative Entgegnung. Auf diese Weise kommen wir dem Phänomen selbst „auf die Spur“, ohne uns vorschnell von irgendwelchen Kommentaren anderer, eigenen Erinnnerungen oder vorschnellen Interpretationen (ver)leiten zu lassen.

Wir folgen vielmehr dabei ausschließlich unseren Beobachtung und dem, was wir in den Ausdrucksformen des Gegenübers lesen (können), nicht dem, was andere uns sagen, wie sie interpretieren und bewerten. Dabei bewegt sich unsere Beobachtung in einem kommentarfreien Raum, um uns frei von Vor-Urteilen – den eigenen und denen anderer – auf einen Menschen oder eine Situation beziehen zu können.

Beispiel:

Auf die entschiedene Feststellung „Also, wenn jemand andere so grob beleidigt, dann hat er in einer Ausbildung nichts verloren! Dass ist doch das Mindeste, dass man sich zu benehmen weiß!“ meldete sich eine ältere Ausbilderin zu Wort: „Also, wenn ich Dich so reden höre, erschreckt mich das richtig, wie streng und grundsätzlich Du da reagierst. Hast Du als Jugendlicher nie Mist gebaut oder bist anderen blöd gekommen. Also, wenn ich da so an mich denke, dann bin ich froh, dass ich damals verständnisvolle Ausbilder hatte und keine Prinzipienritter, die wissen, wie man sich benehmen sollte. Also wirklich...!" Ein Kollege pflichtete ihr bei: „Ich sage mir immer: ›Günther, Du bist nicht hier um selbst recht zu bekommen, sondern um die Auszubildenden anzuleiten und zu begleiten. Empfindlich reagieren kannst Du ja zuhause, aber nicht hier: Hier wirst Du für eine nicht-enden-wollende Freundlichkeit und Zugewandtheit bezahlt. Grobe Töne und beleidigte Retourkutschen, das haben die doch schon in ihrem Umfeld; aber mal zu erleben, dass einem etwas nicht nachgetragen wird, dass man Fehler machen und sich daneben benehmen kann, und trotzdem wird weiter an einen geglaubt, das ist meist wirklich eine neue Erfahrung‹".

Systemiker und Systemikerinnen wissen, dass sie in der Art und Weise, wie sie auf das Gegenüber (z. B. einen Auszubildenden) reagieren, nicht einfach so drauf los handeln können. Sie sind sich der Tatsache bewusst, dass sie als Begleiterinnen und Begleiter stets darum bemüht sein müssen, die Ressourcen des Gegenübers zu stärken, nicht selbst Recht zu bekommen.

„3. Wenn du Informationen (be)schaffen willst, triff Unterscheidungen!"

Das Treffen von Unterscheidungen bezeichnet das Wesen des Erkennens. Wir erkennen einen Gegenstand oder einen Zusammenhang, indem wir diesen von anderen Gegenständen oder Zusammenhängen unterscheiden. So unterscheiden wir das Angemessene vom Unangemessenen oder den Erfolg vom Nicht-Erfolg. Dabei spielen Kriterien und Wahrnehmungsgewohnheiten eine Rolle, die unsere Art zu unterscheiden und damit auch uns festlegen. Diesen Sachverhalt beschrieb George Spencer-Brown mit der Feststellung,

„(...) dass ein Universum zum Dasein gelangt, wenn ein Raum getrennt oder geteilt wird" (Spencer-Brown 1973, S. XXXV).

Neue Unterscheidungen können uns jedoch zu anderen Einschätzungen führen und uns auch neue Möglichkeiten des Reagierens eröffnen, wenn wir Veränderungsprozesse auslösen oder begleiten wollen. Im vorliegenden Fall „Petra legt sich mit allen an" war die Ursprungsunterscheidung durch welche der Fall als solcher zum Thema wurde, die Unterscheidung „angemessen" – „unangemessen". Erst durch die Anmerkungen der Kollegen wurden andere Unterscheidungen in den Blick gerückt, wodurch sich der Fall selbst veränderte. Plötzlich war nicht mehr allein die Unangemessenheit mit der pauschalen Bewertung „Petra legt sich mit allen an!" das Thema, sondern die Frage der Überforderung. Durch diese neue Unterscheidung zwischen „überfordert" – „nicht überfordert" entstanden neue Informationen, und diese Informationen veränderten die Situation bzw. genauer: die Art und Weise, auf welche die Beteiligten die Situation durch ihre gewohnheitsmäßige Form der Unterscheidung – konstruierten.

Weitere Unterscheidungen zu (er)finden und ins Spiel zu bringen, ist eine wichtige Zuständigkeit helfender bzw. begleitender Berufe. Es ist nämlich nichts für die Entwicklung des Gegenübers – in unserem Falle von Petra – gewonnen, wenn sich die Sicht derer Geltung verschafft, die die Unterscheidungshoheit innehaben. Wir nähern uns dem Gegenüber vielmehr dadurch an, dass wir gezielt nach weiteren Formen der Konstruktion der Wirklichkeit, die wir beobachten, fragen. In diesem Sinne stellte Heinz von Foerster fest: „Handle stets so, dass Du die Anzahl der Möglichkeiten vergrößerst" (von Foerster 1993, S. 51). Übt man sich in der „Kunst des Um-Unterscheidens", dann kommt einem der Experimentierer, ein weiterer innerer Freund des Systemikers zu Hilfe. Dieser tritt uns beständig mit der Frage nahe „Was verändert sich, wenn Du mit gegensätzlichen Annahmen arbeitest?" Im konkreten Fall hat sich – wie gesagt – alles verändert, und aus der „schwierigen Petra" wurde ohne ihr Zutun eine starke junge Frau, welche sich bis in die Überforderung hinein für ihre Familie einsetzt. Ihre „unmögliche Verhaltensweise" stellt sich uns als verzweifelter Ausbruch oder gar als subtil versteckter Hilferuf dar.

Der entscheidende Effekt dieser Wandlung ist darin zu sehen, dass diese völlig ohne das Zutun von Petra selbst zustande kommt. Es ist die bevorzugte Leitdifferenz, welche wir unserer Unterscheidung zugrunde legen, die uns auf die eine oder die andere Spur führt und auf diese Weise die eine oder die andere Wirklichkeit entstehen lässt. Wir selbst sind es demnach, die unsere Wirklichkeit erschaffen, indem wir so oder anders – unterscheidend – auf die sich uns darbietenden Situationen blicken. Diesen Effekt nun, gilt es für eine erfolgreiche pädagogische Begleitung zu nutzen. Dies bedeutet zweierlei: Lern- und Entwicklungsbegleiterinnen und -begleiter sollten darin geübt sein, eher destruktive, d. h. festlegende und entwicklungshemmende Unterscheidungen vollständig aufzugeben. Professionelle Begleiter werden genau dafür bezahlt, dass es ihnen immer und immer wieder gelingt, die ach so nahe liegenden destruktiven Unterscheidungen nicht ins Spiel zu bringen oder – dort, wo diese bereits im Spiel sind – diese durch den absichtsvollen Einsatz produktiver Unterscheidungen zu konterkarieren. Diese andere Form des Unterscheidens will gelernt sein. LernbegleiterInnen müssen grundsätzlich im Umgang mit produktiven Unterscheidungen geübt sein. Destruktive Unterscheidungen legen fest und zerstören („destruieren") Entwicklungsmöglichkeiten. Wer seine Schülerinnen, Auszubildenden oder MitarbeiterInnen als unwillig („Nicht-Wollen"), „unangepasst" und „nicht-Intelligent" konstruiert, der zeichnet von ihnen ein Bild, welches letztlich keine Entwicklung kennt. Anders stellt sich die Situation für diejenigen gar, welche grundsätzlich gelernt haben, mit produktiven Unterscheidungen zu konstruieren. Sie arbeiten mit Unterscheidungen, die eine Entwicklung prinzipiell zulassen: Wer etwas „noch nicht" kann, kann dies noch lernen, wer „eigenständig" ist, mag schwieriger zu handhaben sein, er kann aber voller Überraschungen stecken, und wer „nicht gefördert" wurde, kann vieles noch nachholen.

Von eher destruktiven ...	... zu produktiven Unterscheidungen
„Wollen“ versus „Nicht-Wollen“	„Können“ versus „(Noch-)Nicht-Können“
„angepasst“ versus „unangepasst“	„nachvollziehend“ versus „eigenständig (kreativ)“
„Intelligent“ versus „nicht intelligent“	„gefördert“ versus „nicht gefördert“
Fazit: Defizit	**Fazit: Potenzial**

Abb. 9: Von destruktiven zu produktiven Unterscheidungen

Es ist also die Art unserer Unterscheidung, die uns die Schüler oder Auszubildenden so und nicht anders erscheinen lässt. Doch diese Erscheinung bedeutet – wie gesagt – nicht, dass es so ist, wie es zu sein scheint, sondern beinhaltet vielmehr die Aufforderung, die Situationen neu – produktiver – zu konstruieren, indem wir Perspektiven erschließende, nicht verschließende Unterscheidungen verwenden.

„4. Trenne in deiner inneren Buchhaltung die Beschreibung beobachteter Phänomene von ihrer Erklärung und Bewertung“

Es ist sehr schwer – wenn nicht gar unmöglich –, ohne Unterscheidungen eine Person. Situation oder Sache zu beschreiben. Gleichwohl können wir uns darum bemühen, die Wirklichkeit weitgehend unabhängig von unseren Beschreibungen auf uns wirken zu lassen. Hierbei kann – wie gesagt – eine Übung des „Beobachtens im kommentarfreien Raum“ helfen. Gleichwohl können wir nur schwer beobachten, ohne zu bewerten. Konkret: Wir können das Verhalten von Petra eigentlich bloß als besondere Situation beschreiben, wenn uns dieses stört, d. h. auffällt und von uns negativ (als zu vermeidendes Verhalten) bewertet wird. Wer nichts bewertet, fühlt sich auch nicht gestört – eine wenig günstige Voraussetzung für die Begleitung von Menschen in ihrer Lern- und Ausbildungsbewegung. Denn begleiten kann nur, wer die Abwege kennt und den Begleiteten ggf. zurückzieht, wenn dieser sich verirrt.

Der Begleiter muss demnach bewerten, er muss aber auch zugleich die Beschreibung von der Bewertung trennen (können) – eine Forderung, die so klingt, als sei dies ein leichtes Unterfangen. Dies ist es nicht, da man zumeist bereits in der Beschreibung Begriffe aus einer wertenden Unterscheidungssprache verwendet. „Nicht-Wollen“, „unangepasst“ oder „nicht-intelligent“ sind gleichzeitig Beschreibungs- und Bewertungsbegriffe, d. h. in unseren üblichen Konstruktionen und Beschreibungen verwenden wir zumeist eine Sprache, die die Trennung zwischen Beschreibung und Bewertung erschwert, da sie beides verbindet. Aus diesem Grunde ist es hilfreich, dass Begleiterinnen und Begleiter nicht nur verstärkt mit potenzialorientierten Unterscheidungen zu konstruieren lernen, sie müssen auch mehr und mehr in der Lage sein, nüchterne Situationsbeschreibungen anzufertigen, die ohne implizite Defizit- oder Potenzialbeschreibung auszukommen vermögen.

In der Regel geht man mit seiner alten Unterscheidungsgewohnheit in die Problemkonstruktion hinein, befindet sich bereits dadurch meist auf einer eher defizitfixierten Deutungsschiene und hat alle Hände voll zu tun, aus dieser Defizitfixierung wieder aussteigen zu können. Die eingespielten Unterscheidungen sind unsere bewährten – teils auch professionellen – Sichtweisen. Sie erinnern uns stets an das Defizit, welchem abzuhelfen wir uns verpflichtet fühlen. Dies ist es, was der Reflektierer meint, wenn er uns mit der freundschaftlichen Frage konfrontiert: „An welches Eigene erinnert Dich diese Situation?" Doch vielleicht weiß er nicht, dass man sich dieses Eigene durch ein Sprachtraining abgewöhnen kann, indem man lernt, behutsamer mit seinen routinemäßigen Unterscheidungen umzugehen. Aus diesem Grunde ist auch jede Professionalisierung eine Einübung in neue Formen des begrifflichen Unterscheidens – eine Form, in der bestimmte Begriffe oder sprachliche Wendungen nicht mehr gebraucht werden. Eine systemische Haltung (vgl. Arnold / Arnold-Haecky 2009, S. 1ff) findet ihren Ausdruck deshalb in erster Linie in einer anderen Art der Rede, des Definierens und Sich-Verständigens.

SystemikerInnen reden weniger festlegend. Sie wissen, dass Fakten – gemäß der Bedeutung des lateinischen Ursprungeverbums „facere" (=machen) – etwas Gemachtes sind, über das man reden, aber nicht streiten kann. Wer Systemisch reden kann, wird verwundert feststellen, dass man in dieser Sprache Verständigung aufbauen, aber nicht wirklich streiten kann.

„5. Der Status quo bedarf immer der Erklärung!"

Fritz B. Simon weist darauf hin, dass konstante Gegebenheiten geeignet sind, uns misstrauisch zu machen. Er schreibt:

„Wenn dem außen stehenden Beobachter über die Zeit hin Merkmale oder Eigenschaften lebender / psychischer / sozialer Systeme konstant und dauerhaft erscheinen, so ist dies immer als Ergebnis eines dynamischen Prozesses zu erklären, der aktiv dafür sorgt, dass sich nichts verändert" (Simon 2008, S. 114).

Teil dieses dynamischen Prozesses ist die professionelle Festlegung. Indem wir Verhaltensweisen des Gegenübers (z. B. des Auszubildenden) definieren, erzeugen wir einen Status quo. Es sind diese Festlegungen die subtilen Mechanismen, mit denen wir an ihnen festhalten, welche in einer ständig dynamischen Bewegung dafür sorgen, dass der Status quo möglichst erhalten bleiben kann. Denn mit diesem kennen wir uns aus. Er stiftet uns das Gefühl des Vertrauten und Berechenbaren, selbst wenn es sich bei diesem um einen insgesamt eher beklagenswerten Zustand handelt. Systemiker blicken nicht auf *die* Wiklichkeit, sondern auf die Dynamiken, die der Konstruktion dieser Wirklichkeiten zugrunde liegen. Für sie hält jedes Problem in erster Linie Auskünfte über diejenigen bereit, die sich ein Problem geschaffen haben. Sie wissen um die „Verwirrungen des Kausalitätsbegriffes" (Simon 1999, S. 84) und haben das lineare Denken – so offensichtlich die Ursachen für ein Problem uns auch erscheinen mögen – vollständig aufgegeben. Und sie misstrauen der Sprache und dem Sprechen. Für den Evolutionspsychologen und Sprachforscher Steven Pinker ist das Sprechen eine „riskante Kommunikationsform". Er schreibt:

„Sprache stellt in der Tat sehr leicht verschiedene Realitäten her, es fängt bereits bei so kleinen Dingen an, wie zum Beispiel ›Ich trinke von einem Glas Milch‹ und ›Ich trinke ein Glas Milch‹. Dieselbe Situation wird anders geprägt und bekommt eine andere Bedeutung. Intellektuelle äußern Bedenken bezüglich der Macht der Sprache. Besonders wenn es um Politik geht, warnt uns beispielsweise der Linguist George Lakoff: Sprache übertrumpft die Realität. Wie wir die Realität linguistisch prägen, kann in der Tat enorme Unterschiede machen. Zwei Beispiele: Die Präsenz amerikanischer Truppen im Irak wurde sowohl als ›Befreiung‹ als auch als ›Besetzung‹ bezeichnet; Steuern werden ›Last‹ oder ›Beitrag‹ genannt. Sprache kann ganz offensichtlich die öffentliche Meinung prägen" (Pinker 2009, S. 39).

Die Art und Weise, wie wir die Situationen sprachlich (er)klären, gibt somit nicht nur Auskunft über unsere Art, die Welt zu sehen, sie legt uns vielmehr auch in dem, was uns dann noch möglich erscheint, fest. Dadurch entsteht der Status quo. Systemikern geht es darum, diesen Status quo zu verlassen, da dieser zumeist Stillstand bedeutet oder uns zu Formen einer erneuten Eskalation (ver)führt. Dabei gehen sie davon aus, dass der Status quo nur verlassen werden kann, wenn die bestehende Balance der Problemtrance nachhaltig gestört wird. In dem vorliegenden Fall bedeutet dies, dass die im Raum stehende Festlegung „Petra ist schwierig" von denen, die über die Definitionshoheit verfügen, bewusst aufgegeben wird. Es wurde bereits darauf hingewiesen, dass eine solche Status-quo-Veränderung schon allein dadurch erreicht werden kann, dass das beobachtbare Verhalten in einem neuen Rahmen gedeutet wird (Frage: „Was könnte das Gegenüber durch sein Verhalten noch ausdrücken?"). Eine andere Form der Status-quo-Veränderung kann auch durch eine andere Art des Redens erreicht werden. Systemiker wissen, „wie sich die Atmosphäre eines Gesprächs (verändert), wenn Wahrheitsvorstellungen dominant werden" (Pörksen 2008, S. 73)[23], und sie verfügen über Techniken, das Gewissheits(ver)sprechen in der Art und Weise, wie sie gelernt haben zu reden, mehr und mehr aufzugeben.

[23] Heinz von Foerster stellt zu diesem Sachverhalt fest: „Ich würde gerne eine Sprache oder eine Form von Kommunikation erfinden (…), die etwas in einem anderen auslöst, so dass der Verweis auf eine Außenwelt oder die Wirklichkeit und ein ›Es ist …‹ nicht mehr notwendig sind; diese Referenzen werden dann, so stelle ich mit vor, einfach nicht mehr gebraucht. Man muss jedoch, damit dies gelingt, sehr tief in dieser Welt verankert sein" (in: Pörksen 2008, S. 26).

5.4 Berufliche Bildung: Vorbereitung oder Begleitung?

Für jede Art von beruflicher Vorbereitung ist die Vorstellung davon, „wo die Reise hingehen soll“ von grundlegender Bedeutung. Die Curricula der beruflichen Bildung basieren deshalb auf einer möglichst deutlichen Beschreibung der Kompetenzanforderungen späterer Handlungssituationen, die ihr aus der Erforschung der beruflichen Praxis heraus vertraut sind. Moderne berufliche Bildung ist in ihrem Kern jedoch auch eine Vorbereitung auf unsichere Lagen und ungewisse Anforderungen. Diese zeichnen sich dadurch aus, dass sie nicht antizipiert, sondern bloß gestaltet werden können, und oft ist es gerade die *Nicht*-vorwegnahme des Zukünftigen, welche den offenen Blick erhält und die angemessene Reaktion in den späteren Ernstsituationen vor Ort ermöglicht. Ein wesentlicher Grundsatz moderner Kompetenzentwicklung ist deshalb die Anbahnung selbstschärfender Kompetenzen. Bei diesen handelt es sich um Kompetenzen, die den Lernenden (z. B. den Auszubildenden) in die Lage versetzen, selbst zu erkennen, welche Kompetenzanpassung er benötigt und diese gewissermaßen selbst zu gewährleisten. Reflexions- und Selbstreflexionsfähigkeit sind wesentliche Elemente dieser selbstreflexiven Kompetenzen:

Berufsbildung ist nicht nur Antizipation, sondern auch Reflexion. Sie bedarf moderner Verfahren der Kompetenzentwicklung ebenso, wie einer gezielten Initiierung und Begleitung selbstreflexiven (lebenslangen) Lernens.

Moderne Berufsbildung dient vor allem der Stärkung des eigenen Anpassungs- und Gestaltungsvermögens derjenigen, die sich auf eine berufliche Tätigkeit vorbereiten. Sie lernen und üben in der Berufsbildung nicht nur die Vorbereitung auf Zukünftiges, sondern auch den Umgang mit unsicheren Lagen. Denn das Zukünftige vermag nur dann wirklich in Erscheinung zu treten, wie uns die Systemiker des MIT in Boston zeigen, wenn wir über die Fähigkeiten verfügen, nicht bloß vom Vergangenen her zu denken, weil dieses uns auch festlegt. C.O. Scharmer berichtet in diesem Zusammenhang von einem Workshop, auf welchem eine Lehrerin feststellte:

„Wir organisieren unserer Schule um mechanische Modelle des Lernens herum. Alles geht darum, dass die Schülerinnen und Schüler alte Wissensbestände auswendig lernen. Das prüfen wir. Aber, dass wir den Kindern beibringen, ihre intellektuelle Neugierde und ihre Fähigkeiten für Kreativität und Imagination zu erschließen, das fehlt“ (Scharmer 2009, S. 151).

Wenn wir uns davon zu lösen vermögen, beginnen wir, das Konzept einer systemischen Berufsbildung entstehen zu lassen. Unsere Lernenden treten dann in einen Lernprozess ein, der sie auch selbst als Person mit ihren typischen Erfahrungen, Reaktionsweisen, Gewohnheiten und Gewissheiten mehr und mehr in den Blick nimmt und neue Formen der Kommunikation und Kooperation einübt.

Berufliche Bildung vermittelt somit nicht nur Kenntnisse und Fähigkeiten, sondern stiftet auch Haltungen des In-der-Welt-Seins und verbessert die eigene Offenheit, Flexibilität und Wirksamkeit im gestaltenden Umgang mit neuen Anforderungen. Dieses Gestaltungsvermögen setzt ein reflexives und selbstgesteuertes Lernen sowie eine im umfassenden Sinne eigenverantwortliche Kompetenzentwicklung voraus.

Diese lebt von systemischen Fähigkeiten, d. h. von den Fähigkeiten der Handelnden, sich auf andere Menschen, Lebenswelten und Handlungskontexte in einer Weise zu beziehen, die von einer prinzipiell wertschätzenden Wahrnehmung der Maßstäbe und Möglichkeiten dieses Gegenübers auszugehen vermag und sich der Tatsache bewusst ist, dass zielführende Interventionen in Systeme in nur eingeschränktem Maße und meist nur um den Preis ungewollter Nebenwirkungen „zu haben" sind (s. Stahl 2024).

Ein solcher veränderter Umgang mit dem Gegenüber setzt immer auch einen veränderten Umgang mit sich selbst voraus. Systemische Berufsbildung beinhaltet deshalb stets auch notwendigerwiese ein selbstreflexives Lernen. Und den ressourcenstärkenden Zugang zum Gegenüber (z.B. dem Kollegen, Kunden oder Vorgesetzten) erreicht man in vielfacher Hinsicht nur über eine Veränderung der eigenen Formen des Denkens, Fühlens und Handelns, d. h., wenn man bereit und in der Lage ist, den Lernenden neu und anders zu sehen.

Systemische Berufsbildung erweitert das Konzept der Vorbereitung um inhaltlich *un*spezifischere, aber gleichwohl subjektspezifische Themen, wie die Selbstreflexion der eigenen Antreiber und die Reflexion vertrauter Deutungen sowie Sicht- und Verhaltensweisen. Peter Senge sieht in diesen Fähigkeiten den eigentlichen Kern eines systemischen Denkens und Handelns:

„Anstatt die Organisation als etwas zu sehen, das ›mir etwas antut‹, beginnen die Beteiligten die Frage zu stellen, wie ihre eigenen Denkmuster und ihr Handeln das Ganze hervorbringen" (Senge u. a. 2008, S. 76).

Dies bedeutet, dass moderne Berufsbildung auch dafür Sorge tragen muss, dass sich das vertraute Denken und Können nicht auch in die neue Anwendungssituation „einmischt", denn dieses „behindert den Blick auf die vor uns liegende Realität" (ebd., S. 125). Wir dürfen nicht mehr länger so tun, als sei das Vergangene automatisch geeignet Zukünftiges zu bewältigen – ohne Risiken und Nebenwirkungen – eine zu pauschale und auch leicht antiquierte Denkgewohnheit, der bereits durch die exaltierende Veralterungsrate des Wissens sämtliche Grundlagen entzogen worden sind, ohne dass dies bereits ausreichend „bemerkt" und in den Konzepten, nach denen wir Lernen und Kompetenzentwicklung konzipieren, berücksichtigt worden ist. Berufliche Bildung ist vielmehr weiterhin in einem Hase-und-Igel-Wettlauf befangen, der – wie wir leicht nachvollziehen können – einfach nicht zu gewinnen ist.

Grundlegend für das Konzept einer Systemischen Berufsbildung ist deshalb die paradoxe These der reflexiven Soziologie, dass die beste Vorbereitung auf zukünftige Ernstsituationen darin bestehe, sich nicht (nur) auf diese vorzubereiten[24], sondern sich mit den eigenen Formen des Denkens, Beobachtens und Bewertens zu beschäftigen – eine provozierende Infragestellung, welche der Systemiker Hellmut Willke bereits 1987 zu der Einsicht verdichtete, dass, „wenn du veränderst, sich nichts (verändert), denn jede Veränderung muss Selbstveränderung sein" (Willke 1987, S. 350). Es geht demnach darum, die berufliche Vorbereitung *im Sinne einer selbstreflexiven Qualifizierung* zu erweitern und insbesondere die ungewollte Nebenwirkung jedes Vorbereitungslernens zu vermeiden, die darin besteht, dass sie antizipierend informiert, sensibilisiert und qualifiziert, aber genau dadurch auch festlegt, wo es doch vielleicht darum ginge, auch die Offenheit und Flexibilität für den Umgang mit dem Neuen lebendig zu erhalten (vgl. Senge/Scharmer u. a. 2005, S. 13).

Moderne Berufsbildung ist (auch) Selbstveränderung. Sie löst sich ein Stück weit von dem Anspruch einer möglichst authentischen Antizipation der späteren Einsatz- und Lebenssituationen und räumt der Stärkung einer „radikalen Innenleitung" (Brater) sowie dem systemischen Anspruch der „Veränderung durch Selbstveränderung" (Willke) einen größeren Raum ein. Notwendig sind dafür die Lösung von den – eher traditionellen – Ansprüchen einer antizipierenden Didaktik und die stärkere Hinwendung zu systemischen Konzepten einer erlebensorientierten Didaktik.

5.5 Die unterschiedlichen Muster des intergenerationalen Lernens

In der mittelalterlichen Meisterlehre wurde das Modell des „Jung-lernt-von-älter" erstmals durch die Zünfte verbindlich geregelt. Aus dieser Zeit datieren wesentliche Charakteristika der beruflichen Bildung, die bis zum heutigen Tage anzutreffen sind (z. B. Lehrlingsrolle, Freisprechung). Als Kern dieser Berufsbildung kann das Lernen am Arbeitsplatz angesehen werden. Dieses ist in vielfacher Hinsicht ein „informelles Lernen", wie man es heute nennt: Ausbilderinnen und Ausbilder dozieren nicht, sie begleiten vielmehr seit jeher die praktischen Erprobungen der Lehrlinge bzw. Auszubildenden, wobei sie vormachen, beob-

[24] Insbesondere die berufspädagogischen Beiträge zur Soziologie der Zweiten Moderne argumentierten dafür, dass angesichts der Unübersichtlichkeiten und Ungewissheiten der zukünftigen Arbeitsmärkte eine „radikale Innenleitung" gefragt sei, deren Ausbildung und Stärkung nur im Wege der Didaktik eines handlungsorientierten Erlebens gelingen kann – eine Zielrichtung, die auch für die Führungskräftequalifizierung an Bedeutung gewinnt (vgl. u. a. die Arbeiten vom M. Brater – z. B. in Beck 1997; Brater 2020).

achten, korrigieren und erklären, aber auch loben und ermutigen, wenn und wo dies notwendig ist. In der Geschichte der Berufsbildung wurde die Funktion des betrieblichen Ausbildungspersonals häufig mit der so genannten Vier-Stufen-Methode in Verbindung gebracht. Diese besteht bekanntlich aus folgenden Stufen:

(1) *Information:* Sinn und Zweck des vorzustellenden Arbeitsganges

(2) *Vormachen:* Demonstration und Erläuterung der einzelnen Arbeitsschritte

(3) *Nachmachen:* Selbständige Durchführung durch die Auszubildenden mit Begründung der einzelnen Schritte

(4) *Übung:* Die Auszubildenden üben so lange, bis sie den Arbeitsgang beherrschen.

Diese Ausbildungsmethode erreichte ihre erste didaktische Formalisierung in der Handwerkslehre zu Zeiten, in denen die Anwendung der Technik noch weitgehend ohne fachkundliche Theorie auskam. Es waren die Beobachtung und die Imitation von Handhabung und Gestaltung sowie die Erklärungen des Meisters, die im Zentrum der Ausbildung standen, die Lehrlinge „stahlen mit den Augen", wie man früher sagte. Der Meister verkörperte die fachliche und auch persönliche Autorität, er trat – wie bereits erwähnt – vielfach an die Stelle des Vaters und wurde dadurch zur entscheidenden Beziehungsperson in der Phase der beruflichen Kompetenz- und Identitätsentwicklung. Diese en-passant-Formen der Ausbildung sind in der heutigen Welt noch sehr verbreitet, man findet sie in den Handwerkssektoren sowie in den informellen Überlebensökonomien der sog. Entwicklungsländer, wie zahlreiche Studien zeigen.

Das überlieferte Muster des „Jung-lernt-von-älter" ist zählebig. Es prägt bis zum heutigen Tag unsere Bilder eines „angemessenen" Verhältnisses zwischen Ausbilder und Auszubildendem, obgleich sich die Zusammenarbeit zwischen den Generationen gerade in den modernen oder sich rasant modernisierenden Gesellschaften in vielfacher Hinsicht bereits grundlegend gewandelt hat. Es gibt Erziehungswissenschaftler, die bereits eine Umkehrung dieses Verhältnisses in zahlreichen Lebenssituationen zu erkennen glauben – ein interessanter und provozierender Gedanke, auf den man sich m.E. einlassen sollte, wenn man sich um einen Zugang zur Persönlichkeit und Persönlichkeitsentwicklung der heutigen Jugendlichen und jungen Erwachsenen bemühen will. Gerade Ausbildungsverantwortliche oder Lehrende sollten sich dabei weitgehend von den heimlichen Annahmen lösen, die in unseren Bildern von „dem" Jugendlichen oder „dem" Auszubildenden lauern (vgl. Qvarsell 2002, S. 117 f).

Es geht bei solchen Überlegungen um die Frage des Lehr-Lern-Verhältnisses zwischen den Generationen. Wer lehrt (und mit welcher Berechtigung) und wer lernt? Schon allein durch diese Frage sind wir gezwungen, über die Nebenwirkungen der überlieferten Bilder nachzudenken. Welches Selbstgefühl kann in

Jugendlichen entstehen, wenn sie sich vornehmlich als abhängig Lernende erleben, d. h. als Lernende, die in dem, was ihnen zugetraut wird, von dem, was die Älteren für richtig halten, abhängen? Keine Sorge, im Folgenden soll nicht das Kind mit dem Bade ausgeschüttet werden. Und es soll auch nicht einfach einer Umkehrung der uns so vertrauten Lehr-Lern-Verhältnisse das Wort geredet werden. Es geht vielmehr um eine systemische Sicht der Wirklichkeit bzw. dessen, was wir dafür halten. Dabei gilt:

Einem systemischen Denken geht es darum, unzeitgemäße Bilder aufzudecken und die Gegebenheiten auch einmal von ihrem Gegenteil her zu denken. Dabei ist es stets lohnend, Vertrautes zu hinterfragen, weil dieses uns nicht selten auch den Blick auf das Neue, das schon längst in Erscheinung tritt, verstellt.

Auch unsere Konzepte von beruflicher Bildung sind oft nicht mehr zeitgemäß, wie uns der offene Blick in die Lebenssituationen der nachwachsenden Generation zeigt. In vielen Ländern der Welt sind Jugendliche schon früh voll im Erwerbsleben integriert, bisweilen sind sie auch in Konflikt- und Kriegssituationen involviert und haben das Leben mit seinen dunkelsten Seiten bereits am eigenen Leib zu spüren bekommen. In ihrem Roman „Wüstenlied" beschreibt die eritreische Schriftstellerin Senait G. Mehari die Erfahrungen ihrer Kindheit als Siebenjährige:

„Vier Jahre meiner Kindheit lebte ich in der Steinzeit. Ich schlief auf Steinen, und während der stärksten Hitze des Tages duckte ich mich mit den anderen Kindern so gut es ging in die Schatten großer Felsen. Ich betete, dass uns die Steine vor den Augen unserer Feinde verbergen mochten, und verrichtete meine Notdurft hinter Steinen. Steine mussten meinen Freundinnen, meinen Schwestern und mir die Möbel ersetzen. (...) Ich habe mit eigenen Augen gesehen, wie dünn die Grenze zwischen Leben und Tod ist, wie leicht ein Mensch von der hellen auf die dunkle Seite wechseln kann. Ich weiß zwar, dass diese Grenze in Europa ein bisschen besser ausgebaut ist. Ich weiß, dass die Ordnung hier fester gefügt ist als in Afrika, doch wer einmal erlebt hat, wie sich alle Gewissheiten, alle Sicherheiten, alle Familienbande auflösen, der kann dieses Grundvertrauen der Europäer nie erreichen" (Mehari 2007, S. 15 und 20).

Es sind solche und ähnliche Erfahrungen, die viele Kinder und Jugendliche auf unserer Welt prägen, und es fällt schwer, diese erwachsenen Seiten ihrer Persönlichkeit berufspädagogisch angemessen zu fassen. Das Muster „Erwachsene arbeiten, Kinder und Jugendliche bereiten sich erst vor und werden von ihnen in die Arbeitswelt eingeführt" bringt hier wenig Erklärung und Orientierung. Dem überlieferten berufspädagogischen Muster entgehen solche und andere Verschiebungen in den üblichen Mustern des intergenerationalen Lehr-Lern-Verhältnisses. Mit seiner Hilfe gelingt es uns nicht, die komplexe Lernwirklichkeit heutiger Jugendlicher wirklich angemessen zu beschreiben. Und auch mit der Selbstbeschreibung unserer eigenen Rolle als Ausbildungsverantwortliche, Lehrende oder Dozenten bleiben wird in traditionellen Lehr-Lernverhältnissen hängen, wenn wir uns nicht darum bemühen, auch in den Prozessen eines „Alle lernen von allen" oder „Älter lernt von jung" unsere Funktionen als Förderer und Begleiter von Lernprozessen neu und erweitert zu beschreiben. Die Fragen, die wir uns als Berufspädagoginnen und Berufspädagogen stellen müssen, sind:

- Wie blicken die Älteren in die Zukunft?
- Verfügen wir über entsprechende Lernräume und innere Bereitschaften für das intergenerationale gegenseitige Lehren und Lernen?
- Frage: Wo und wie lernen wir von den Jungen?

Bilder zum intergenerationalen Lernen (Muster)	**Heimliche Annahmen**	**Berufspädagogische Konsequenzen**
„Jung-lernt-von-älter"	Erwachsene arbeiten, Kinder und Jugendliche bereiten sich erst vor und werden von ihnen in die Arbeitswelt eingeführt. *Voraussetzung:* Relativ stabile gesellschaftliche Verhältnisse (wenig Wandel, klare Abgrenzung der Aufgabenteilung zwischen den Generationen)	Auswahl und Didaktisierung der Inhalte und Kompetenzanforderungen durch die Erwachsenen. Sie definieren die „späteren Verwendungssituationen" und regeln auch die Wege, die auf diese vorbereiten. *Frage: Wie blicken die Älteren in die Zukunft?*
„Alle-lernen-von-allen"	Menschen unterschiedlicher Generationen lernen ebenso voneinander, wie Gleiche von Gleichen (Peerlearning) in der täglichen Kooperation. *Voraussetzung:* Instabilere, sich wandelnde gesellschaftliche Verhältnisse sowie Aufweichung der Aufgabenteilung zwischen den Generationen	Die Einsichten und Erfahrungen der Älteren sind *eine* wesentliche Dimension des Lernens neben anderen. Zudem wird auch in intergenerationalen Gruppen (am Arbeitsplatz) sowie in Peergruppen voneinander gelernt. *Frage: Verfügen wir über entsprechende Lernräume und innere Bereitschaften für das intergenerationale gegenseitige Lehren und Lernen?*
„Älter-lernt-von-jung"	Kinder und Jugendliche führen in die ältere Generation in das Leben ein (nicht nur neue Technologien). *Voraussetzung:* Rasant sich verändernde gesellschaftliche Verhältnisse, in denen die junge Generation sich leichter und schnelle zurechtfindet (Entstehung einer kindlichen Gesellschaft)	Auch die Jugendlichen verfügen über eigene Lebenserfahrungen und Zugangsweisen zu Altem und Neuem, und oft sind sie es, die am offensten und nicht durch die Brillen des Vertrauten in die Zukunft blicken. *Frage: Wo und wie lernen wir von den Jungen?*

Abb. 10: Zum Wandel des Lehr-Lern-Verhälnisses zwischen den Generationen

Diese unterschiedlichen Lehr-Lern-Verhältnisse beschreiben zum einen den historischen Wandel von handwerklich-industriellen Formen des Zusammenlebens über so genannte wissensintensive Dienstleistungsgesellschaften zu postmodernen Formen einer multikulturellen und vernetzten Gesellschaft. Sie bestimmen jedoch häufig auch gleichzeitig die Biographie und das Leben von Jugendlichen in modernen oder sich modernisierenden Gesellschaften. So bereiten sich z. B. Studierende zwar einerseits auf eine spätere Berufstätigkeit vor, sie stehen aber nicht selten gleichzeitig im Erwerbsleben, um ihr Studium ganz oder teilweise zu finanzieren. Auch hier versagen eindeutige Zuschreibungen. Fragt man sich zudem, wer es ist, der an deutschen Hochschulen die Computer und Internetverbindungen am Laufen hält, so stellt man fest, dass häufig Studierende ihren Lehrkräften erklären, was zu tun ist und es meist selbst tun. Was lernen wir sonst noch von unseren Kindern oder den Jugendlichen, für die wir eine Ausbildungsverantwortung tragen? Auch Schule und Berufsbildung haben es häufig mit Jugendlichen zu tun, die nicht – z. B. als „Auszubildende" – in einem Lehr-Lern-Verhältnis unterwegs sind, sondern gleichzeitig in mehreren, wie folgendes Beispiel zeigt:

Beispiel: Achmed – ein Wanderer zwischen den Lernverhältnissen

Achmed, ein Auszubildender im zweiten Lehrjahr, wurde in der Türkei geboren und kam im Alter von zwölf Jahren mit seinen Eltern nach Deutschland. Bis zu diesem Zeitpunkt ging er in der Türkei zur Schule, half jedoch schon früh seinem Vater in dessen KfZ-Werkstatt. Dabei lernte er, wie man Reifen montiert, Öl wechselt, und er konnte auch bereits leichte Blechschäden an den Karosserien reparieren. Er lebte wie selbstverständlich viele Stunden am Tag in der väterlichen Werkstatt, seine Welt war eine Autowelt. In ihr lernte er viel über das die Materialien, aus denen ein Auto gefertigt war, und er konnte oft auch bereits am Motorengeräusch eines defekten Autos erkennen, was zu tun war. Als die Geschäfte seines Vaters zunehmend schlechter lief, beschlossen seine Eltern, nach Deutschland zu gehen, sein Vater hatte durch die Hilfe seines Bruders, der bereits in Deutschland lebte, eine Arbeit in der Automobilfertigung in Rüsselsheim gefunden.

So zog die Familie um, und Achmed wurde in einer Gesamtschule der Stadt, in der sein Vater Arbeit gefunden hatte, eingeschult. Seine Mutter fand rasch Arbeit in einem Versandunternehmen. Es begann eine schwere Zeit. Die Familie sah sich nur wenige Stunden am Tag – außer an den Wochenenden. Anfangs musste Achmed nach der offiziellen Schulzeit immer noch einen Sprachkurs besuchen, in dem er rasch und gut Deutsch zu sprechen lernte, so dass er schon nach einem halben Jahr recht gut dem Unterricht folgen konnte. Seinen Vater sah er tagsüber nie, und oft fuhr dieser gerade dann zur Nachtschicht, wenn Achmed nach Hause kam. Seinen Eltern fiel die Anpassung schwer, und insbesondere mit dem Deutschen konnten sie sich nur schwer anfreunden, hatten sie doch auch kaum Zeit und Kraft, neben der Arbeit regelmäßig an einem Sprachkurs teilzunehmen. So wuchs Achmed mehr und mehr die Aufgabe zu, offizielle Anliegen der Familie gegenüber den Behörden zu vertreten, mit dem Vermieter über notwendige Reparaturen zu verhandeln und sich auch um die schulischen Angelegenheiten seiner kleineren Geschwister zu kümmern. Oft war es seine Aufgabe, den Eltern zu erläutern, wie eine bestimmte Angelegenheit zu regeln sei, und er half ihnen auch als Dolmetscher in zahlreichen Alltagssituationen.

In der Schule fühlte sich Achmed manchmal wie zurückversetzt in eine Kinderwelt. Es wurde von ihm etwas erwartet, er musste Dinge Tun, deren Sinn er nicht verstand und oft dachte er etwas sehnsuchtsvoll an die Situationen in der väterlichen Werkstatt zurück, wenn Kunden ihn für seine Arbeit lobten und anerkennende Worte fanden. Seine Lehrer – so spürte er deutlich – wussten gar nicht, was er alles konnte, und manchmal hatte er das Gefühl, sie trauten ihm gar nichts zu. So begann Achmed in einer geteilten Welt zu leben: In der Schule fühlte er sich als das unfertige Kind, doch kaum, dass er zuhause ankam, musste er in die verantwortliche Rolle desjenigen schlüpfen, der seiner Familie mit seinem Wissen und Können zur Seite stand und sich insbesondere um die schulischen Belange seiner Geschwister kümmerte.

Allmählich gewann Achmed Freunde, die ihn u. a. in die für ihn noch recht neue Welt des Internet einführten. Über viele Wochen verbrachte er viele seiner freien Stunden damit, sich von ihnen die Handhabung der verschiedenen Programme, das Googeln, Skypen u. a. erklären zu lassen, im Gegenzug half er ihnen, ihre Mofas zu reparieren und zu verbessern, und er erwarb sich dabei durch seine Kenntnisse und Fähigkeiten einen wachsenden Respekt. Seine Freunde nannten ihn ihren Mofa-Coach, und sie suchten ihn gerne auf, um mit ihm zu plaudern und sich die technischen Details der Motorenwelt erklären zu lassen. Irgendwann beschlossen sie, gemeinsam einen Gocart zu bauen, um mit diesem an einem der Rennen der Region teilzunehmen. Diese Aktivität stellte alle, auch Achmed, vor neue Herausforderungen; es ging nicht mehr bloß um die Reparatur und Instandhaltung, sondern um die Konstruktion eines fahrbaren Untersatzes, der auch aerodynamischen Kriterien Genüge tat. Über ein Jahr bastelte die Gruppe an ihrem „Silberpfeil", wie sie ihn nannten. Mit ihm belegten sie immerhin Platz 3 bei dem erwähnten Rennen.

5.6 Berufsbildung als Persönlichkeitsentwicklung

Im Zentrum der klassischen Ausbildungsmethode steht die Fachkompetenz: Es sind die fachlichen Kenntnisse, Fähigkeiten und Fertigkeiten, welche die berufliche Handlungskompetenz, das Know-How und die spezifische Aufgabe des Ausbilders und der Ausbilderin ausmachen. Diese Fachzentrierung bestimmte auch lange Zeit das Selbstverständnis zahlreicher Berufspädagogen. Noch heute antworten Berufsschullehrer oder betriebliche Ausbildungskräfte auf die Frage

„Was bist Du?“ gerne mit ihrer fachlichen Berufsbezeichnung: „Ich bin Elektrotechniker!“ Oder: „Ich bin Mathematiker und Maschinenbauingenieur!“ Demgegenüber ist das Bewusstsein, dass man als Ausbilder oder Ausbilderin *der* betrieblicher Spezialist für Lernen und Kompetenzentwicklung sei – eine Art Internal Consultant der Personalentwicklung – noch nicht sehr ausgeprägt, obgleich die Entwicklung zumindest in Europa eindeutig in diese Richtung geht, wie folgendes Bespiel zeigt:

Beispiel: „Wir bereiten auf Unvorhergesehenes vor!“

Ein deutscher Großturbinenhersteller – hat bereits damals durch überraschende didaktische Konzepte dafür gesorgt, dass seine Auszubildenden nicht nur linear auf ein möglichst klar umrissene Anforderungsprofil vorbereitet wurden, es ging ihm vielmehr darum, diese jungen Menschen so umfassend wie möglich auf die Gestaltung ungewohnter und wenig prognostizierbarer Situationen vorzubereiten. Den Ausbildungskonzepten, die dieses Unternehmen dabei realisierte, lagen waldorfpädaggische Überlegungen zugrunde, die darauf ausgerichtet waren, die Persönlichkeit der zukünftigen Mitarbeiterinnen und Mitarbeiter zu entwickeln, da das Fachliche als Grundlage dafür angesehen wurde, dass das fachlich Notwendigen getan oder nicht getan werden konnte. „Persönlichkeit ist zwar nicht alles, aber ohne Persönlichkeit ist alles nichts!“ – lautete eine der Grundlinien dieser persönlichkeitsorientierten Berufsbildung.

„Wir bereiten auf Unvorhergesehenes vor!“ – so eine Leitbegründung dieser frühen Konzeption einer umfassenden Entwicklung der Persönlichkeiten der Auszubildenden: „Wissen Sie, das Fachliche ist schon irgendwo die Basis, aber bei uns kommt eben noch etwas viel wichtigeres hinzu: Unsere Baustellen sind immer wieder ganz spezifisch und anders. Sicherlich: Wir benötigen Know-How und Routine, aber gleichzeitig kann uns beides behindern. Wir müssen von unseren Mitarbeitern erwarten, dass sie sich jeweils neu mit den spezifischen Belangen der Gegebenheiten vor Ort auseinandersetzen und passende Lösungen erarbeiten. Es kann richtig hinderlich sein, wenn jemand dann immer wieder sagt: ›Aber dort haben wir es doch so gemacht‹“.

Eine solche persönlichkeitsorientierte Berufsbildung zielt neben der fachlichen Kompetenzentwicklung zugleich auf die Stärkung der „Persönlichkeiten“ der Auszubildenden – ein Anspruch, der schnell formuliert, aber schwer einzulösen ist. Wir müssen uns nämlich – folgt man den Anregungen der Ermöglichungsdidaktik –, wenn wir in der beruflichen Bildung auch persönlichkeitsorientierte Ziele verfolgen, vier Fragen stellen, welche zugleich *handlungsleitende Prinzipien* für eine ermöglichungsdidaktische Ausbildungspraxis[25] ausdrücken:

[25] Die Ermöglichungsdidaktik folgt einer systemisch-konstruktivistischen Auslegung des Zusammenwirkens von Lehren und Lernen (vgl. Arnold/Schön 2022 a). Der grundlegende Gedanke dabei ist, dass Lehren nicht automatisch eine Bedingung für das Gelingen von Lernen darstellt, vielmehr Menschen auch lernen, ohne dass gelehrt wird, bisweilen nicht lernen, obgleich gelehrt wird oder etwas anderes lernen als

(1) Wie ermöglichen wir den Zugang zu den notwendigen Fachinhalten? *(Prinzip der Zugangsgestaltung)*

(2) Wie ermöglichen wir die Stärkung der methodischen Kompetenzen der Lernenden? *(Prinzip der Methodenorientierung)*

(3) Wie ermöglichen wir soziale Erfahrungen und Kompetenzentwicklung? *(Prinzip der Kooperation)*

(4) Wie ermöglichen wir den Lernenden Erlebnisse und Gefühle der Selbstwirksamkeit? *(Prinzip des Erlebens)*

Moderne Berufsbildung ist somit quadratisch. Sie ist gehalten, in ihren didaktischen Ansätzen diese vier Aspekte gleichermaßen zu balancieren, damit sich in den Auszubildenden nicht bloß die fachlichen, sondern auch die außerfachlichen Dimensionen der beruflichen Handlungskompetenz entfalten können. Aus diesem Grunde ist eine kompetenzbildende Berufsbildung auch nicht allein fachdidaktisch begründbar, es bedarf vielmehr der differenzierten Integration fachdidaktischer *und* psychosozialer Einsichten in die Prozesse der Aneignung und Herausbildung der beruflichen Handlungskompetenz.

Moderne Berufsbildung folgt den Einsichten einer systemisch-konstruktivistischen Ermöglichungsdidaktik. Sie verbindet in ihren Lernarrangements die Prinzipien der Zugangsgestaltung, der Methodenorientierung, der Kooperation und des Erlebens.

Zu (1): Prinzip der Zugangsgestaltung

Fachinhalte stellen auch in modernen Arbeitskontexten einen wesentlichen Aspekt der beruflichen Handlungsfähigkeit dar. Wir erwarten von dem Sanitärmeister, dass er unsere Wasser- und Toilettenanschlüsse funktionsfähig installiert, und wir bringen auch unser Auto dort zur Inspektion, wo wir den Eindruck haben, dass die notwendigen Wartungs- und Instandhaltungsarbeiten zuverlässig erledigt werden. Gleichzeitig ist es aber so, dass gerade die fachlichen Anforderungen sich rasant weiterentwickeln und derjenige schnell auf der Strecke bleibt, der nur fachliches Know-How, aber nicht den Umgang mit dem fachlichen Wissensbeständen („Know-how-to-Know“) erworben hat. Dies bedeutet, dass wir in der fachlichen Ausbildung zunehmend vor der Frage stehen, ob es wirklich notwendig ist, mit den Auszubildenden in die letzte technologische Entwicklung einzutauchen, oder ob es nicht häufig sehr viel sinnvoller und „tragender“ für ihre Kompetenzentwicklung ist, ihnen die grundlegenden technologischen Zusammenhänge sowie das Gespür für die Materialien und Prozesse, mit denen sie es in ihrem Berufsfeld zu tun haben werden, zu vermitteln, während die konkrete Anforderungen der Werkstückbearbeitung und Prozessgestaltung besser

gelehrt wurde. Lehren und Lernen stellen unter systemisch-konstruktivistischer Perspektive zwei voneinander losgelöste Systemkontexte dar, welche durch geeignete didaktisch-methodische Inszenierungen zwar strukturell verkoppelt, aber nicht wirkungssicher gestaltet werden können.

erst dann vermittelt werden, wenn sie konkret an ihren Arbeitsplätzen mit den dann gerade aktuellen Anforderungen konfrontiert sein werden. Solche Argumentationen haben in der Berufsbildung dazu geführt, verstärkt über die Gestaltung des Lernens am Arbeitsplatz sowie das Lernen im Lebenslauf nachzudenken und der Betrieblichen Weiterbildung einen höheren Stellenwert einzuräumen.

Fachwissen und fachliches Können lassen sich jedoch nicht in einer stets und für alle gleichermaßen wirksamen Weise vermitteln, wie die systemischen Forschungen zeigen, sie können nur arrangiert bzw. inszeniert werden, wobei der eintretende Effekt stets eine „Mischkalkulation" zwischen den Eigenkräften des Lernenden und den aufgegriffenen Interventionen des Lehrenden sind. Es ist also die Aneignungslogik des Lernenden, welche den Lernprozess und die Lernergebnisse maßgeblich bestimmt. Aus diesem Grunde kommt es darauf an, diese Logik bereits bei der didaktisch-methodischen Inszenierung selbst zugrunde zu legen. Die grundlegende Frage dabei ist: „Wie ermöglichen wir den Zugang zu den notwendigen Fachinhalten?"

Doch auch für die Funktion der Lernbegleitung ist das Prinzip der Zugangsgestaltung grundlegend. Begleiter:innen und Berater:innen sollten möglichst wenig „Ratschläge geben", denn auch Ratschläge sind Schläge, wie eine unter systemischen Beratern verbreitete Redensart sagt, sie sollten vielmehr Zugänge zu möglichen Optionen eröffnen. Für das Beratungshandeln werden in der systemischen Beratungstheorie deshalb fünf Schritte vorgeschlagen, die diese beratende Zugangsgestaltung kennzeichnen:

→ → → → → →	→ → → → → →	→ → → → → →	→ → → → → →	→ → → → → →
1. Beziehung aufbauen	**2. Anliegen konkretisieren**	**3. Bearbeitungs- und Lösungsebene finden**	**4. Impulse geben**	**5. Gespräch abschließen**
• Einstieg gestalten • Angenehme Arbeitsatmosphäre schaffen • Rahmenbedingungen der Zusammenarbeit festlegen • Anlass der Beratung erfragen • Erwartungen klären	• Schlüsselbegriffe aufgreifen • Auswahl treffen • Hypothesen bilden und erweitern • Anliegen klären • Anliegen formulieren	• Suchprozess vorbereiten • Blickwinkel erweitern • Blickwinkel verengen • Wirklichkeitsbilder entdecken • Lösungswege auswählen	• zur Veränderung einladen • in Bewegung bringen • einen Unterschied machen • Veränderung erfragen • Ideen entwickeln	• Gespräch zusammenfassen • wichtigste Punkte benennen • Ausblick geben • Kunden verabschieden • Abschluss Kommentar formulieren

Abb. 11: Die Stufen des Beratungsprozesses (nach: Brüggemann 2007)

Beispiel: Achmed fällt auf

Seit einiger Zeit fällt den Lehrern von Achmed auf, dass dieser sich kaum noch im Unterrichtsgeschehen beteiligt und oft auch zu spät oder überhaupt nicht zum Unterrichtsgeschehen erscheint. Herr Fischer – der Sportlehrer, der Achmed aus der Fussball –AG gut kennt – hat schon verschiedentlich versucht, Achmed auf sein verändertes Verhalten anzusprechen, doch reagierte dieser stets abweisend. Versuche, ihn zu einem Vier-Augen-Gespräch zu bestellen, wurden von Achmed brüsk abgelehnt: „Was soll ich denn mit denen reden, die haben doch keine Ahnung". Letzte Woche kam es nach der Schule auf dem Pausenhof zu einem Gerangel, in dessen Verlauf Achmed einen Mitschüler aggressiv ins Gesicht schlug, woraufhin dessen Eltern sich an den Schulleiter wandten. Herr Gerhardt lässt Achmed während des Unterrichts zu sich rufen; er hat Herrn Fischer, der auch Beratungslehrer der Schule ist, zu diesem Gespräch dazu gebeten.

„Hallo, Achmed, es gibt eine Beschwerde. Du hast Markus brutal ins Gesicht geschlagen, wie seine Eltern sagen. Was war das los?" – begann Herr Gerhardt das Gespräch. „Ach der hat gut reden, der soll mich doch einfach in Ruhe lassen. Der hat mich doch beleidigt, nur weil der sauer ist, dass seine Freundin nichts mehr von ihm wissen will und mit mir im Kino gewesen istl" – konterte Achmed. „Und überhaupt, was soll das denn hier. Das ist doch eine Sache zwischen mir und Markus, was geht das die Schule an? Warum sprechen Sie nicht mit Markus und erklären ihm, wie man sich benimmt?" … so der Beginn des Gespräches mit der Schulleitung und dem Beratungslehrer, dessen weiterer Verlauf außer einer Ermahnung durch die Schulleitung zu keinem Ergebnis führte. Mit der wütenden Bemerkung „So reden Sie ja nur mit mir, weil ich ein Türke bin" verließ Achmed die Aussprache. Er fühlte sich unverstanden und auch ein wenig überfordert, seine frühere Fröhlichkeit und sein Humor waren wie weggeblasen.

Zu (2): Prinzip der Methodenorientierung

Seit den 1980er Jahren wird in der beruflichen Bildung immer wieder auf die Bedeutung der so genannten „Schlüsselqualifikationen" hingewiesen – ein Begriff der sehr anschaulich, aber auch undeutlich ist. Schlüsselqualifikationen werden als das eigentliche Rückrat jeglicher Kompetenzentwicklung angesehen (vgl. Arnold/Erpenbeck 2014; Arnold/Stroh 2016), da sie den Auszubildenden darauf vorbereiten, sich selbst das Neue zu erschließen und auch in der Lage zu sein, mit unvorhersehbaren Anforderungen *dann* produktiv umzugehen, wenn sie mit entsprechenden Situationen konfrontiert sind. Hierfür benötigen sie insbesondere ein Methoden-Know-How, welches den Lernenden selbst entsprechende Methoden an die Hand gibt. Anders als in der verbreiteten didaktischen Debatte geht es demnach nicht darum, neue Ausbildungsmethoden für den Ausbilder oder die Ausbilderin zu entwickeln, sondern es geht um die Bereitstellung von *Methoden für den Lernende*, mit deren Hilfe diese ihr Lernen sowie ihre Problemlösungsprozesse selbständig gestalten können. Im Idealfall kommt dem methodenkompetenten Lernen ohne Lehre, Beratung und Begleitung aus; er verfügt selbst über das Wissen und Können, um sein lebenslanges Lernen selbst zu organisieren.

Methodenkompetente Mitarbeiterinnen und Mitarbeiter verfügen über die Fähigkeit,

- ihr eigenes Lernen zu reflektieren, zu planen, zu gestalten und zu evaluieren *(Lernkompetenz),*
- die Recherche, Aneignung und Auswertung sowie das Management und das Mit-Teilen von Informationen *(Wissenskompetenz)* zu handhaben sowie
- kooperative und kommunikative Prozesse zielgerichtet, möglichst konfliktfrei und wirksam zu gestalten *(Kommunikationskompetenz)* und auch
- die eigenen Besonderheiten, Außenwirkungen sowie Wirkungen (er)kennen zu können und deren – negatives – Echo in ihren sozialen Beziehungen vermeiden zu können *(Emotionale Kompetenz).*

Methodenkompetenzen	**ausgewählte Themen zur Entwicklung bzw. zum Training**
Lernkompetenz … in der Lage sein, das eigenes Lernen zu reflektieren, zu planen, zu gestalten und zu evaluieren	– Was ist Lernen? – Wie lernen Menschen am effektivsten (Tricks und Tipps)? – Welcher Lerntyp bin ich? – Wie plane ich meine Lernzeit? – Wie bereite ich mich erfolgreich auf Prüfungen vor? – - etc.
Wissenskompetenz … in der Lage sein, die Recherche, Aneignung und Auswertung sowie das Management und das Mit-Teilen von Informationen zu handhaben	– Wie werte ich Texte, Inputs etc. aus? – Wie dokumentiere ich Zusammenhänge, Ergebnisse, Erkenntnisse etc. – Wie strukturiere und visualisiere ich entsprechende Auswertungen? – Wie kooperiere ich bei Recherche, Auswertung und Management von Informationen? – Wie nutze ich das Internet? – etc.
Kommunikationskompetenz … in der Lage sein, kooperative und kommunikative Prozesse zielgerichtet, möglichst konfliktfrei und wirksam zu gestalten	– Wie kann ich mit Kommunikationsstörungen umgehen? – Wie kann ich beziehungsstiftend kommunizieren? – Wie verhalte ich mich in Konfliktsituationen? – Wie interpretiere ich körpersprachliche Signale? – Wie bereite ich eine Stehgreifrede vor? – etc.
Emotionale Kompetenz … in der Lage sein, die eigenen Besonderheiten, Außenwirkungen sowie Wirkungen (er)kennen zu können und deren – negatives – Echo in den eigenen sozialen Beziehungen vermeiden zu können	– Was sind Emotionen und wie bestimmen sie meinen Alltag? – Wie kann man mit unangenehmen Emotionen umgehen? – Wie kann man vermeiden, sich selbst in Emotionen hineinzudenken? – Kann man seine emotionalen Reaktionen gezielt verändern? – Wie lassen sich Beziehungen durch emotional intelligentes Verhalten förderlicher gestalten? – etc.?

Abb. 12: Methodenkompetenz-Tableau

Dieses methodische Know-how der Lernenden muss systematisch und absichtsvoll in der Ausbildung angebahnt und trainiert werden. Es genügt nicht, den Auszubildenden möglichst vollständig lediglich die notwendigen Inhalte zugänglich zu machen – eine solche Ausbildung genügt heute nicht mehr den Anforderungen. Betriebliche Personalpolitik muss vielmehr dafür Sorge tragen, dass die Ausbilderinnen und Ausbilder beides gleichermaßen leisten: die Vermittlung des Know-how, aber zugleich die Anbahnung und Übung eines Know-how-to-know. Hierzu wurde bereits Ende der 1990er Jahre im Blick auf die universitäre Bildung an anderer Stelle festgestellt:

„(Die universitäre Bildung) produziert zwar weiterhin eskalierende Bestandteile von Speicherwissen (Wissen zur Speicherung von Fakten, Theorien, Daten u. a.), doch kann dieses Wissen zunehmend außerhalb der Individuen abgelegt und abgerufen werden, weshalb es immer fragwürdiger wird, wissenschaftliche Bildung nur material, als ›Bildungsmaterie‹ zu verstehen und (ab)zuprüfen, auch wenn sich gerade die verschulten Formen wissenschaftlicher Ausbildung paradoxerweise zunehmend darauf kaprizieren. Demgegenüber gewinnen – nimmt man die Veränderungen und den Wandel des Wissens und der gesellschaftlichen sowie beruflichen Anforderungen in den Blick – ›reflexive‹ Wissensformen an Bedeutung. Solche reflexiven Wissensformen bestehen weniger aus einem Know-how, sondern vielmehr aus einem Know-how-to-know. Zu ihnen zählen Methodenwissen (Wissen um Verfahrensweisen zur Informationsbeschaffung, Informationspräsentation und zur Kommunikation und Interaktion). Reflexionswissen (Wissen zur Hinterfragung, Kritik, Begründung und Folgenabschätzung von Konzepten) sowie Persönlichkeitswissen (Wissen zur Erkennung eigener Anteile und Deutungen in Interaktionen. Mit anderen Worten bedeutet dies, dass auch die Wissensaneignung an den Universitäten sich heute weniger denn je auf das beziehen kann, was ihr traditionellerweise so vertraut ist, nämlich die Vermittlung von Fakten, Theorien und Daten. Es geht vielmehr darum, Strategien zum Umgang mit Wissen zu vermitteln“ (vgl. Arnold/Schüssler 1998, S. 59 f).

Diese Veränderung der Wissens- und Kompetenzanforderungen in den modernen Gesellschaften ist für alle Bereiche des Bildungswesens von grundlegender Bedeutung.

Das Bleibende einer Ausbildung ist zu wesentlichen Anteilen die Entwicklung von Methodenkompetenz. Denn diese Kompetenzen sind wandlungsvorbereitende und wandlungsgestaltende Kompetenzen; von ihnen profitiert der Lernende immer und zu jeder Zeit, während das spezialisiertere Fachwissen ihm nicht selten zu wesentlichen Teilen zwischen den Händen zerrinnt.

Zu (3): Prinzip der Kooperation

Lernen ist immer ein kooperatives Geschehen, indem es einen selbst mit überlieferten Inhalten, Erfahrungen oder Beschreibungen (Texten, Berichten etc.) anderer Menschen in Berührung bringt. Auch indem wir uns mit Aufzeichnungen (Büchern und Textmaterial) befassen, beziehen wir uns auf andere und profitieren dabei von deren geronnener und dokumentierter Erfahrung. Weil dies so ist, gelingen solche Lernprozesse am nachhaltigsten, in denen diesem sozialen Charakter des Lernens auch bereits in dem Arrangement von Lernsituationen Rechnung getragen wird. Dies bedeutet, dass wir uns von dem Bild des individualisierten Lernens und des individuellen Bildungserfolges ein Stück weit lösen müssen. Sicherlich, der Lernende eignet sich neues Wissen, neue Fertigkeiten sowie Fähigkeiten selbst an, dies geschieht jedoch stets in einem sozialen Kontext, nur vergleichsweise selten treffen wir im alltäglichen Lernen den einsamen Lernenden. So erzielt die betriebliche Ausbildung ihre Wirkungen gerade dadurch, dass der Lernende am Arbeitsplatz durch die Feedbacks, Kommentare sowie Erklärungen der Ausbilderinnen und Ausbilder, aber auch der Kolleginnen und Kollegen lernt. Diese soziale Einbettung gilt es gezielt zu fördern und das Lernen so häufig wie möglich als einen kooperativen Prozess zu gestalten.

Zu (4): Prinzip des Erlebens

Die eigentlichen Grundeinspurungen unseres Selbst erwerben wir in dichtem Erleben: Dies beginnt mit dem Erleben von Gebundenheit oder Ungebundenheit in den ersten Wochen und Monaten unseres In-der-Welt-Seins, und es findet seine Fortsetzung in den Interaktionen, über die wir unsere Selbstwirksamkeit spüren oder nicht spüren. Der Mensch, der wir sind oder zu sein vermögen, wird in diesen frühen Kontexten angebahnt, und die Substanz unseres erwachsenen Denkens, Fühlens und Handelns hat hier ihre Wurzeln. In bloß eingeschränktem Maße sind wir später noch in der Lage, die früh eingespurten Weisen unseres In-der-Welt-Seins zu transzendieren. Dieser Hinweis ist grundlegend, vermag er uns doch zu verdeutlichen, warum sich ein Studium sowie Ausbildungs- oder Weiterbildungsseminare so häufig als erstaunliche wirkungslos bei der Kompetenzentwicklung von Lehr- und Führungskräften erweisen.

Nachhaltige Kompetenzentwicklung ist deshalb auf das Erleben von konkreten Handlungssituationen angewiesen. Dies bedeutet, dass Ausbilderinnen und Ausbilder stets darum bemüht sein sollten, das Erklären durch das Erleben zu ersetzen oder zumindest zu ergänzen. Ausbildung wird dadurch zu einem Erlebensprozess, der auch so dicht gestaltet werden kann, dass eine Weiterentwicklung der erwähnten Früheinspurungen des Denkens, Fühlens und Handelns möglich wird. Für die Planung und Gestaltung entsprechender Erlebenssequenzen kann das Ausbildungspersonal sich folgende Ausschließungsfragen stellen (Erlebenscheck):

- In welchen Hier-und-Jetzt-Situationen der betrieblichen Ausbildung kann ich die Themen der Ausbildung als Erleben inszenieren?
- Wie kann ich kreativ die Selbstaneignung sowie die soziale Eingebundenheit des Subjektes erlebbar gestalten?
- Zu welchen kreativen Formen des Ausdrucks kann ich die Lernenden einladen?

6 Erwachsenenbildung neu denken

Erwachsenen- und Weiterbildung werden im vorliegenden Text als Maßnahmen zur beständigen Transformation von Identität und Kompetenz im Lebenslauf in Richtung größerer Wirksamkeit und bewussterer Differenziertheit sowie innovativer Kraft verstanden – der eigenen und der der anderen.

6.1 Erwachsenenpädagogik – eine junge Disziplin

Als eigenständige Wissenschaftsdisziplin wandte sich die Erwachsenenpädagogik ab den 1970er-Jahren einer differenzierteren Klärung der Frage zu, wie Erwachsene vor dem Hintergrund ihrer biografischen und lebensweltlichen Vorprägungen und Bedingungen lernen und welcher Vorstellung von gelingender Bildung sie dabei Ausdruck verleihen. In den letzten Jahren folgte man weniger ausschließlich dem Bildungsgedanken, sondern mehr einem nüchternen Blick auf die Kompetenz. Diese Nüchternheit bezog sich sowohl auf die Evidenzbasierung professioneller Lösungsformen (in Arbeits- und Lebenswelt) als auch auf die Humanität der im eigenen Handeln ausgedrückten Haltungen eines verantwortlichen Handelns (vgl. Arnold/Nuissl/Rohs 2017).

Bildung kreiste bereits immer schon um das Bemühen, Expertise *und* Persönlichkeitsbildung zu fördern, auch wenn man bisweilen den Eindruck gewinnen kann, dass die öffentliche Debatte sowie auch einzelne Anbieter der Weiterbildung eher bei einer einseitigen Gewichtung des Expertise-Motivs stehen geblieben sind und sich damit genau *dem* Aspekt übersteigert widmen, der einer extrapolativ sich verkürzenden Halbwertzeit des Wissens und Könnens mit untauglichen Mitteln Herr zu werden versucht.

Historisch gesehen sind die Anfänge der Erwachsenenbildung deutlich durch ein volkspädagogisches Motiv bestimmt. Es war durchdrungen vom Glauben an die Aufklärung, der Überzeugung, dass Wissenschaft auch eine gesellschaftliche Verantwortung wahrzunehmen habe und die soziale Exklusivität der wissenschaftlichen Bildung hinter sich lassen müsse. Nicht Hochschulen, sondern Volkshochschulen schienen das Gebot der Stunde zu sein. Dieser Aufbruch in die Industriegesellschaft war aber auch vielerorts nicht ganz frei von dem eher gönnerhaften Gestus, auch die unteren Schichten an allgemein verständlichen Vorlesungen teilhaben zu lassen. Unvergessen sind in diesem Zusammenhang die „allgemein verständlichen Vorlesungen" des Pathologen Rudolf Virchow (1821–1902) im Berliner Tiergarten – ein Frame, der auch heute noch in den regelmäßigen „Sonntagsvorlesungen" Berliner Kliniken fortlebt (vgl. McClelland 2012) – oder, um einen angelsächsischen Vorläufer zu erwähnen, die öffentlichen Jugend- und Weihnachtsvorlesungen des Experimentalphysikers Michael

Faraday (1791–1867) an der Royal Institution (Tricker 1974, S. 34 f.), einer für die Entwicklung der britischen Wissenschaft bis zum heutigen Tage zentralen Einrichtung. Auch diese Christmas-Lectures können als historisch frühe Formen einer institutionalisierten Erwachsenenbildung angesehen werden. Sie werden noch heute zur Weihnachtszeit von der Royal Institution angeboten.

Von dem Anspruch einer *Reeducation zur Demokratie* erhielt die Erwachsenenbildung im Nachkriegsdeutschland wesentliche Impulse. Im Vordergrund dieser Nachkriegsphase stand die Idee des „Aufbaus einer neuen Gesellschaft" – ein Anliegen, für welches das Buch „Der Weg zum Mitbürger" von Fritz Borinski (1903–1988) beispielhaft steht (vgl. Schäfer 1988, S. 81). In ihm entfaltete er den Gedanken einer „mitbürgerlichen Erziehung", deren Ziel es sei, „tätige Helfer für die demokratische Erziehung Deutschlands heranzubilden, indem der erwachsenen Bevölkerung die neuesten sozialen, politischen und wissenschaftlichen Erkenntnisse allgemein zugänglich gemacht werden" (zit. nach: Detjen 2013, S. 138). Erwachsenenbildung war somit im Kern politische Bildung. Sie ist ein „Garant der Demokratie" (Faulstich/Zeuner 2001, S. 237), so Borinski in dem erwähnten Buch. Dort heißt es:

„Die Erwachsenenbildung in der Demokratie zielt nicht auf Anpassung, sondern auf sachliches Verständnis der Wirklichkeit und auf wachsame Kritik. Sie soll Verantwortung und Kritik vorleben. Die Demokratie lebt aus dem wachsamen Mut ihrer Bürger, aus ihrer Bereitschaft zur Opposition, zur Alternative" (Borinski 1986, S. 64).

Es war eine Politisierung des Bildungsgedankens, der in dieser Zeit die Erwachsenenbildung zu überwölben begann. Kennzeichnend ist die personale Identität zwischen praktischen Erwachsenenbildnerinnen und Erwachsenenbildnern und der wissenschaftlichen Repräsentation der im Entstehen begriffenen Erwachsenenpädagogik als einer wissenschaftlichen Disziplin, wie sie auch für die in den 1970er-Jahren aufbrechende neue Phase der *Emanzipation durch soziale Öffnung* kennzeichnend und prägend werden sollte. In dieser Phase haben wir es nahezu gleichzeitig mit wichtigen Impulsen in Richtung Disziplinentwicklung (der Erwachsenenpädagogik) und Institutionalisierung (der Weiterbildung) zu tun. Im Jahre 1970 wurde der Diplompädagogikstudiengang etabliert und mit ihm der Studienschwerpunkt Erwachsenenbildung. Der erste Lehrstuhl für Erwachsenenpädagogik wurde 1970 an der Universität Hannover eingerichtet und mit Horst Siebert besetzt. Einige Jahre später erfolgte die Verankerung der wissenschaftlichen Weiterbildung als Hochschulaufgabe im Hochschulrahmengesetz. Die 1970er- und 1980er-Jahre waren zugleich die Zeiten der sozialwissenschaftlichen Wende der Erwachsenenpädagogik zu einer Erwachsenenbildungswissenschaft, die sich empirisch und theoretisch zentraler Fragen zu der Bildung Erwachsener zu vergewissern suchte, beispielsweise:

- Aus welchen lebensweltlichen und biografischen Kontexten heraus stellen sich Erwachsene einer erneuten „Suchbewegung" – ein Begriff, den Hans Tietgens von Mitscherlich entlehnte, um die Identitätssuche im Kontext von organisierten Lernangeboten besser zu fassen?
- Wie lassen sich Alltagswissen und wissenschaftliches Wissen in Lernprozessen lernend miteinander so „verschränken", dass neue Identität und auch differenziertere professionelle Kompetenzen entstehen können?
- Welche teilnehmerorientierten didaktisch-methodischen Settings unterstützen diese Ich-Entwicklungen, welche behindern sie?
- Und: Wie lassen sich Lernprozesse von den Erwachsenen her gestalten, wenn man davon ausgeht, dass deren Lernbewegung stets eigenen Lernprojekten folgt und weniger durch outside-in-gerichtete Impulse oder gar Inputs gesteuert werden kann? Dies ist das gemeinsame Narrativ der – jüngeren – aneignungstheoretischen sowie der systemisch-konstruktivistischen Erwachsenenbildungstheorien.

Gerade für diesen letzten Gedanken waren und sind die Hinweise von Klaus Holzkamp zum „expansiven Lernen" für die Erwachsenenbildungsdebatte von grundlegender Bedeutung (vgl. Holzkamp 1993), da sie mit unabweisbarer Evidenz zu zeigen vermögen, dass Bildung und Kompetenzentwicklung keiner Vermittlungs-, sondern einer Aneignungslogik folgen – eine Einsicht, mit der uns auch die so gern zitierte neuere Hirnforschung konfrontiert. Dies bedeutet, dass unterschiedliche Nutzer dasselbe Angebot ganz unterschiedlich nutzen (müssen), weshalb sich – nicht nur für die Erwachsenen, die in die Veranstaltung der Weiterbildung kommen, sondern auch für die Erwachsenen, die als grundständig Studierende an die Hochschulen kommen – die Frage stellt, wie die Entwicklung vergleichbarer Kompetenzen überhaupt gelingen kann, wenn die Bildungseinrichtungen nach wie vor den Input und die Differenzierung und Strukturierung desselben (in Modulhandbüchern u. Ä.) „regeln", statt den Lernenden als den eigentlichen Owner seines Lernprozesses zum Ausgangspunkt zu nehmen. Es wird deutlich: Die Hochschulen und Universitäten könnten viel von den erreichten Ständen der Erwachsenendidaktik profitieren, wenn sie jene denn zur Kenntnis nähmen und sich dem nüchternen Blick auf die universitären Lernkulturen tatsächlich stellten und die Erwachsenen- sowie die Berufspädagogik als die eigentlichen Kompetenzentwicklungswissenschaften angemessen berücksichtigten.

6.2 Lebenslanges Lernen

Mit der letzten Entwicklungsphase unter dem Label „lebenslanges Lernen" ist diese Reorientierung wahrscheinlicher geworden. Diese ab 1995 zu datierende Phase der Transformation initiierte zudem einen Lernkulturwandel, für den m. E.

fünf Aspekte grundlegend sind:

(1) Der Hinweis auf die exponentielle Veralterungsrate des Wissens ist längst kein klamaukiges Narrativ mehr, sondern eine spürbare Tendenz. Diese Veralterungsrate höhlt den Vorbereitungsanspruch des Bildungswesens aus, was insbesondere Institutionen in ihrem Kern erschüttert, in denen die Ausstattung mit fachlicher Expertise das (bisherige) Selbstverständnis prägt *(Jenseits des Vorbereitungsanspruchs)*.

(2) Mit dem Ende der Normalbiografien verblasst auch die deutliche Unterscheidung zwischen Aus- und Weiterbildung und löst sich in einem Konzept lebenslangen Lernens auf, dessen Formen noch nicht gefunden und dessen Folgen für das gesellschaftliche Berechtigungswesen noch nicht geklärt sind *(Jenseits der Unterscheidung Erstausbildung/Weiterbildung)*.

(3) Überlieferte Gegensätze zwischen Allgemeinbildung und Berufsbildung erweisen sich zunehmend als das, was sie wohl schon immer gewesen sind: eine gesellschaftlich wirkungsmächtige Konstruktion ohne evidenzbasierte Belege. Die Forderung nach einer stärkeren Berufsorientierung in der Bachelorphase zwingt auch die Hochschulen und Universitäten zu einer Rehabilitierung des berufsorientierten Lernens – vielleicht angeregt durch Eduard Sprangers Diktum „Der Weg zur höheren Allgemeinbildung führt über den Beruf und nur über den Beruf!" (vgl. Spranger 1922) *(Jenseits des Gegensatzes zwischen Allgemein- und Berufsbildung)*.

(4) Eine gelingende Erwachsenenbildung erfordert weder die dauerhafte Versammlung noch die permanente Begegnung – dies die wohl provozierendste Infragestellung der gewohnten Lehr-Lern-Verhältnisse, deren tragende Grundkonstellation wir den mittelalterlichen Klosterschulen verdanken. Bill Gates hat dies mit dem Hinweis polemisch zugespitzt auf den Punkt gebracht, als er feststellte: „Wenn demnächst die besten Vorlesungen der Welt bei Youtube zugänglich sind, ist dies der Tod der Universitäten!" *(Jenseits des Vermittlungswahns)*.

(5) Schließlich torkeln die meisten Bildungsanbieter (Schulen, Hochschulen, Weiterbildungseinrichtungen) in der Bologna-Reform – mehr getrieben als strategisch geführt – aus der untergehenden Welt der Inputsteuerung in die einer Outcomesteuerung, die nur eine Kontextsteuerung zu sein vermag. Sie haben noch nicht wirklich Tritt gefasst und erst vereinzelt erste Elemente einer wirklichen Kompetenzorientierung zum Kern ihrer Lernarrangements entwickelt. Hierbei könnten sie von der wissenschaftlichen Weiterbildung und den erwachsenenpädagogischen Diskursmustern zur gelingenden Erwachsenenbildung lernen *(Jenseits der Inputsteuerung)*.

Auf die eskalierende Veralterung des wissenschaftlichen Wissens hinzuweisen, ist kein pauschales Gerede, sondern verweist auf eine mehrfach belegte – verunsichernde – Zukunftsperspektive. Ob sie sich in der bei Ray Kurzweil, dem Chefingenieur von Google, beschriebenen Dramatik zeigen wird, ist diskutierbar; übersehen werden dürfen solche Einschätzungen aber nicht.

„Der Fortschritt hat sich demnach über das 20. Jahrhundert hinweg bis zum heutigen Tempo gesteigert. Die Errungenschaften dieser Zeit entsprechen also ungefähr denen von 20 Jahren Entwicklungszeit im Tempo des Jahres 2000. Bis 2014 entwickeln wir uns um weitere 20 Jahre weiter, danach noch mal innerhalb von nur sieben Jahren. Anders ausgedrückt: Gemessen an der heutigen Fortschrittsrate bringt uns das 21. Jahrhundert nicht hundert Jahre Weiterentwicklung, sondern ungefähr zwanzigtausend – etwa tausendmal mehr, als im 20. Jahrhundert erreicht wurde" (Kurzweil 2014, S. 12).

Nun mag diese Einschätzung zugespitzt und im Einzelfall unzutreffend sein, aber ist sie falsch? Tun wir wirklich genug, um

- die Lernenden in ihren Lebenswelten und biografischen Lernprojekten anzusprechen,
- Inside-out-Prozesse der Selbstbildung zu ermöglichen,
- die Selbstlern- und Selbstführungskompetenzen der Lernenden zu fördern und ihnen in geeigneten Lernarrangements Angebote eines angeleiteten Selbststudiums zu offerieren, wie es für die Fernuniversitäten, die E-Learning-Formen[26] oder die erfahrungsorientierten Ansätze der Erwachsenendidaktik seit Jahren gang und gäbe ist?

Auch die vertraute Unterscheidung zwischen Ausbildung und Weiterbildung erweist sich zunehmend als obsolet. Sie entstammt einem linearen Biografiemodell, das den riskanten Biografiemustern moderner Gesellschaften immer weniger zu entsprechen scheint. Anregend ist in diesem Zusammenhang der Hinweis von Ortfried Schäffter, dass sich die Muster und Lernkulturen der modernen Bildungssysteme in gesellschaftlichen Transformationsprozessen grundlegend wandeln. So entsprechen z. B. die vertrauten „linearen Transformationsmuster" (Motto: „Qualifizierung für eine bekannte Zukunft") in vielen Bereichen schon länger nicht mehr der Realität, obgleich sie die mentalen Modelle von Bildungspolitikern und Lehrenden nach wie vor prägen. Demgegenüber haben sich in den modernisierten Gesellschaften der Welt mehr und mehr Transformationsmuster herausgebildet, die Schäffter als reflexiv beschreibt. Kennzeichnend für diese Transformationsmuster ist dabei ein Verständnis von den Aufgaben und Möglichkeiten nachhaltiger Kompetenzentwicklung,

[26] Vielfach beurteilen die verantwortlichen Akteure der Hochschullehre die Möglichkeiten der neuen Technologien oder des Distance-Learnings nur durch das Monokel des Präsenzlernens – übersehend, dass die besten Studierenden keineswegs immer die vor Ort sein müssen, wie u. a. die Erfahrungen des MOOC-Pioniers Sebastian Thrun von der Stanford University deutlich zeigen: An seinem MOOC nahmen weltweit 160.000 Studierende teil, von denen 23.000 die Prüfung erfolgreich ablegten. Die besten mit 100-Prozent-Erfolgsquote waren 248 Studierende, von denen keiner aus Stanford selbst kam. Vgl. hierzu das Interview in der „New York Times": http://www.nytimes.com/2012/03/05/education/moocs-large-courses-open-to-all-topple-campus-walls.html

„[...] das nicht mehr unmittelbar Verantwortung übernehmen kann für die Lernziele und -inhalte der Teilnehmer, sondern sich als Förderung von Selbstlernprozessen und als ‚entwicklungsbegleitendes Lernen' versteht. Statt Lernorganisation ausschließlich nach der ‚Instruktionslogik' (‚Wie kommt man effizient von A nach B?') zu arrangieren, geht es zunehmend mehr um ein Initiieren-Aufbauen-Ausgestalten und Unterstützen von Entwicklungsverläufen [...]" (Schäffter 2011, S. 30).

Diese Argumentation wirft auch für die zukünftige Gestaltung der Lernangebote im Kontext gesellschaftlicher und wirtschaftlicher Transformationsprozesse grundlegende Fragen auf. Wir können nicht so weitermachen wie bisher, sondern sind kontinuierlich mit der Frage konfrontiert, die der MIT-Organisationsforscher Peter Senge in die Worte fast: „Do we protect the ways of the past or join in creating a different future?" (vgl. Senge u. a. 2011, S. 8)

Ausgangslage	**Kompetenzziele**	**Lernmodell**	**Lernkultur**
bekannt	Bekannt	A. Curriculares Modell („Qualifizierung für spätere Verwendungssituationen")	lineare Transformation
unbekannt	Bekannt	B. Aufklärungsmodell („Initiierung in Überlieferung oder erreichte Fachlichkeit")	
bekannt	Unbekannt	C. Suchbewegungsmodell („Unterstützung von Professionalisierung")	reflexive Transformation
unbekannt	Unbekannt	D. Kompetenzreifung („Persönlichkeitsbildung zur Gestaltung von Unsicherheit")	

Abb. 13: Wandel der Lernkulturen (nach Schäffter 2011, S. 29)

Sicherlich: Es gibt auch hier kein lineares Fortschreiten von A nach D. Was man aber mit einiger Sicherheit beobachten kann, ist die Tatsache, dass A- und B-Modelle als Monomodelle abnehmend in Gebrauch sind, während seit den 1990er-Jahren in nahezu allen Bildungsbereichen die C- und D-Modelle auf dem Vormarsch sind.

Die Behauptung eines Missverhältnisses zwischen Allgemein- und Berufsbildung basiert auf der Ideologie von der notwendigen Zweckfreiheit jeglicher wirklichen Persönlichkeitsbildung, die unbewiesen, aber folgenreich in ihrer bis zum heutigen Tage exkludierenden Wirkung ist. Allen, die auch heute noch in dieses Horn stoßen, seien die Texte der berufspädagogischen Klassiker (Georg Kerschensteiner, Eduard Spranger, Theodor Litt) an Herz gelegt. Aber auch eine Befassung mit den berufspädagogischen Kompetenzforschungen seit den 1980er-Jahren könnte hier manche Verblendung aufklären.

Letztlich geht es um die Frage, durch welche Such- und Denkbewegungen die Fähigkeiten zur selbst organisierten Gestaltung neuartiger Problemlösungen gefördert werden können, aber auch, welche sie eher behindern.

Angezeigt ist der nüchterne Blick auf die Kompetenz, auch jenseits der bescheinigten Bildungsniveaus, da Menschen oftmals etwas können, das sie offiziell gar nicht können dürften. Auch die persönlichkeitsbildende Kraft beruflicher Erfahrung und Bewährung – ein erwachsenen- und berufspädagogischer Gemeinplatz! – berechtigt uns zur Öffnung der Hochschule und zur Zertifizierung vorhandener Kompetenzen statt der Bescheinigung erfolgreich absolvierter Beschulungszeiten. Der Europäische Qualifikationsrahmen ist der Versuch, sich europaweit von dem traditionellen Ansatz zu befreien, bei dem Lerninputs wie die Dauer einer Lernerfahrung (z. B. dreieinhalbjährige Berufsausbildung) oder die Art der Einrichtung (Betrieb, Universität etc.) im Mittelpunkt stehen (vgl. EQR 2008).

Schließlich verblassen seit einigen Jahren auch die Vorstellungen, mit denen lange Zeit Vermittlung (von Neuem, Aktuellem etc.) für nötig und möglich gehalten wurde. Durch zahlreiche Studien der letzten Jahre wurde demgegenüber nahezu unabweisbar deutlich, dass Wissen und Kompetenzen nicht vermittelt, sondern von jedem Lernenden bloß selbstständig angeeignet und entwickelt werden können – sämtliche namhaften Hirnforscher rufen dies der Pädagogik derzeit nachdrücklich ins Gedächtnis. Deshalb können wir nicht länger so weitermachen wie bisher.

Dringend muss der Lernende in das Zentrum der Kompetenzentwicklung gerückt werden, wo ihn die Erwachsenen- und Weiterbildung seit jeher verortet haben.

Seit den 1980er-Jahren folgt die Erwachsenendidaktik dieser Linie, indem sie das Lernen im Modus der Auslegung, als Suchbewegung auf dem Weg zur Identität und Kompetenz und als Transformation von Alltagswissen sowie als eine Expansion bzw. Stärkung von Ich-Kräften systematisch erforscht, begleitet und theoriebildend beschreibt.

Ein Defizit der besonderen Art kann derzeit darin gesehen werden, dass die meisten Bildungseinrichtungen (Hochschulen, Erwachsenenbildungsinstitute etc.) sich zwar notgedrungen den Tendenzen einer outcomeorientierten Kompetenzentwicklung stellen, diese Anpassungsbewegung allerdings bei gleichzeitigem Festhalten an den Standards der Inputwelt (curriculare Standards, Modulhandbücher etc.) bewerkstelligen zu können glauben – ein Spagat, der sie immobil und gespreizt erscheinen lässt. Nur sehr vereinzelt lassen sich Ansätze oder gar Bewegungen identifizieren, mit denen mutig Neuland beschritten wird, indem

- Angebote sich nachvollziehbar an Kompetenzprofilen orientieren,
- man durch Profilpass- oder Portfolioansätze die Eigenaktivität der Lernenden bei ihrer Annäherung an geforderte Standards unterstützt und begleitet,
- man den Defizitblick auf die Lernenden überwindet und ihre informell erworbenen Kompetenzen identifiziert und zertifiziert und
- Prozesse der selbstgesteuerten Aneignung in Oncampus- und Offcampus-Arrangements unterstützt werden und die strategischen Aspekte des Selbststudiums, der Entgrenzung, der neuen Prüfungsformate und der Virtualisierung stärker in den Fokus der Entwicklung von Hochschulen und Universitäten rücken.

Lernende – gleich, ob in der Aus- oder Weiterbildung – merken, ob ihre Bildungseinrichtung sich mit ihnen nur vermittelnd oder auch kompetenzentwickelnd befasst, wie zahlreiche Äußerungen von Teilnehmerinnen und Teilnehmern an Selbstlernseminaren sehr authentisch verdeutlichen (vgl. Arnold/Lermen/Haberer u. a. 2017, S. 30f.). Vielleicht sollten wir auch in der Erwachsenen- und Weiterbildung sowie in der Hochschulbildung den kritischen Hinweis von Klaus Holzkamp auf das „Lehren als Lernbehinderung" (Holzkamp 1993) ernster nehmen als bisher und nach Lehr-Lern-Formen suchen, die Expertise nicht länger vermitteln, sondern erschließen wollen, wissend, dass diese als ein professionelles Selbstwissen nur Hand in Hand mit einer Persönlichkeitsentwicklung reifen kann, denn auch Berufsbildung sowie akademische Bildung sind – in den Worten des großen Bildungsreformers Georg Picht (1913–1982) – eine „Kunst", keine „Formung". Und eine Pädagogik – so weiter Picht –

„die sich vermi[ss]t, nach dem Gleichnis Gottes die Menschen auf ein Entwicklungsziel hin bilden zu können, verfängt sich in einem Selbstbetrug, der nur die unheilvollsten Folgen haben kann" (Picht 1965, S. 19).

6.3 Erwachsensein: „produktiv-realitätsverarbeitend" oder „selbstverfangenes Subjekt"

Das Subjekt ist auch nicht mehr das, was es einmal war. Selbst wenn man nicht so weit zurückgreift und die Subjektphilosophien von René Descartes, Immanuel Kant oder Georg Wilhelm Friedrich Hegel aufruft, kann einer nüchternen Prüfung nicht verborgen bleiben, dass die drängenden Fragen dieser Vertreter einer klassischen Subjekttheorie nach wie vor ungeklärt im Raume stehen. Folgt man der gründlichen Analyse von Wiebke Wiede, so lauten diese Fragen:

„Wie werden Menschen gemacht? Oder genauer: Wie werden Menschen zu Subjekten gemacht, und wie machen sie sich selbst zu Subjekten" (Wiede 2020, S. 1).

Diese Fragen haben zahlreiche Beantwortungen erfahren, die allesamt nicht sehr zufriedenstellend für die Klärung der Prozesse des Erwachsens und ihrer erwachsenenpädagogischen Initiierung, Begleitung und Unterstützung gewesen sind. Noch gut erinnere ich mich an die im Jahre 1989 von Erhard Meueler ausgerichtete Tagung der Kommission Erwachsenenbildung der Deutschen Gesellschaft für Erziehungswissenschaft (vgl. Gieseke/Meueler/Nuissl 1989), in der man darum bemüht war, den „Zerfaserungsprozessen" der Erwachsenenpädagogik etwas entgegenzusetzen. Man glaubte dabei, u.a. in der Subjektivität des Menschen den eigentlichen Dreh- und Angelpunkt seines Erwachsens erkennen zu können, und war darum bemüht, eine „subjektorientierte Erwachsenenbildung" zu begründen, der es im Kern darum zu tun war,

„[...] Subjektorientierung als Reflexion der Besonderheit individueller Handlungsproblematiken von Lernenden vor dem Hintergrund ihrer allgemeinen Vergesellschaftungsprozesse zu begründen" (Ludwig 2005, S. 75).

Diese Bemühung lief weitgehend ins Leere – so die hier aufgefächerte Bewertung. Zwar gelang es Erhard Meueler bereits früher, eine in weitem Gestus ausholende „Neugeburt der Idee vom Subjekt" (Meueler 1993, S. 15) zu skizzieren, die zwar erwachsenenpädagogische Perspektiven aufzufächern vermochte, die aber die oben erwähnten subjekttheoretischen Fragen auch nicht wirklich einer weiteren Klärung zuführen konnte. Dies ist keine Kritik an Meueler, sondern vielmehr ein Hinweis auf die Unmöglichkeit der Begründung einer Subjekttheorie, die sich von der historischen Emphase, ihren Denkkurzschlüssen und einer Formelhaftigkeit des Argumentierens tatsächlich zu lösen vermag. Man kann ohne Weiteres Peter V. Zima folgen, der im Jahr 2000 eine umfangreiche Bestandsaufnahme zum Subjekt und zur Subjektivität vorlegte, deren Quintessenz letztlich auch in einer Art erkenntnistheoretischer Wendung der Subjektdebatte gesehen werden kann, da jeder, der über das Subjekt nachdenkt, dadurch zugleich seiner eigenen Subjekthaftigkeit Substanz und Ausdruck verleiht (vgl. Zima 2000) – ein einleuchtendes, aber gleichwohl noch zu grobes Argument. Was fehlt, ist eine beobachtertheoretische sowie sprachphilosophische und neurophysiologische Reflexion der Subjekttheorie, wie man sie von Ludwig Wittgenstein vorbereitet und von den Emotions- und Hirnforschern in überraschend neuer Form aufgefächert vorfindet. Zwar weist auch Zima mit Blick auf die postmoderne Subjektdebatte darauf hin, dass ihr zufolge

„[...] das individuelle Subjekt fremdbestimmt ist, weil es sich an das Andere des Unbewussten, der Sprache oder der Natur verliert" (ebd., S. 206),

doch blieben die Prüfung und Auslotung dieses wichtigen Hinweises m.E. zu unpräzise. Wie ergiebig ist diese Verschiebung der Debatte in Richtung prinzipieller „Fremdbestimmtheit des Subjekts", das dann kein Subjekt mehr im emphatischen Ursprungssinne des Wortes bleiben kann, aber ebenso wenig zum Bollwerk gegenüber sozioökonomischen Bedrohungen aufgerüstet werden kann, für eine Beantwortung der weiterhin im Raum stehenden subjekttheoretischen Leitfragen,

- wie Menschen zu Subjekten „gemacht" werden,
- wie sie sich selbst zu Subjekten machen (können)
- und welche Aufgaben sich daraus für eine moderne Erwachsenenbildung ergeben?

Natürlich kommen auch eine postmoderne Analyse und Beobachtung der hier angesprochenen Prozesse der Subjektwerdung (bzw. des Erwachsens) nicht ohne eine gehaltvolle Definition des Subjekts aus. Was kann darunter verstanden werden? Ist das Subjekt die bereits erwähnte kreative, eigensinnige und widerständige Kraft in uns, wie das bei Meueler immer wieder anklingt, wenn er „Subjektivität als schöpferische Vielfalt" (Meueler 1993, S. 107) definiert und gleichzeitig durchblicken lässt, dass dieses Subjekt auch die Potenziale in sich trägt, sich der eigenen marktfähigen Durchformung zu widersetzen und sich gleichzeitig den ungehemmt ihre Kraft entfaltenden „Vergeudungs- und Zerstörungsprozessen" in Wirtschaft und Gesellschaft (ebd., S. 50) entgegenzustemmen? Ist dies so? Wird hier nicht eine Emphase durch eine andere ersetzt und das Subjekt dadurch überfordert und zugleich die mögliche Wirkung von Aufklärung, Vernunftgebrauch sowie Bewusstwerdung und Erwachsenenbildung überschätzt? Oder: Wird hier dem Subjekt etwas abverlangt, das eigentlich von Politik und Gesellschaft zu leisten wäre?

Will man verstehen, wie Menschen zu Subjekten „gemacht" werden, so ist man gehalten, den Prozessen der Sozialisation neu und evidenzbasiert nachzuspüren. Die vorliegenden Sozialisationskonzepte und -theorien folgten dabei mehrheitlich einem „Überwältigungsbild" zur Erklärung der „Selbstwerdung in der Bezogenheit" (Arnold 2019a, S. 89). Die zugrunde liegende Vorstellung war und ist, dass die Prozesse der Subjektivierung durch Kontexterfahrungen entscheidend geprägt seien, deren Botschaften und Schlüsselerlebnisse das nachwachsende Subjekt in sich „aufsauge" bzw. „internalisiere". Diese Botschaften und Schlüsselergebnisse entfalten dabei eine grundlegende Prägewirkung auf die Identität, das Selbstwirksamkeitserleben und die Kompetenzentwicklung des Einzelnen – nicht mit einer mechanistisch-linear zurechenbaren Wirkungssicherheit, wohl aber als ermöglichender oder vorenthaltender Aneignungsraum.

In diesem Sinne erleichtern die in der jeweiligen Lebenswelt früh und dauerhaft erlebten Formen des *reflektierten Vernunft- und Gefühlsgebrauchs* die Herausbildung und Profilierung eines offenen Subjekts, das über differenzierte und auch selbstreflexive Zugänge zu sich und der Welt verfügt, während die Verschließung entsprechender Kontexte die Herausbildung substanzieller Persönlichkeitsformen eher behindert – so der allgemeine Diskussionsstand der Debatten einer deshalb auch auf schicht- oder milieuspezifische Aspekte fokussierten Sozialisationsforschung. Beide Formen der Ich-Entwicklung sind in ihren

Wirkungszusammenhängen nicht wirklich berechenbar, und auch sichere Prognosen sind kaum möglich. Zudem werden diese Sozialisations- und Identitätskonzepte durch ein Aneignungsverständnis getragen, das nicht ganz frei von der Vorstellung einer sich anpassenden Bezogenheit ist. Ist es abwegig, zu vermuten, dass sich in diesen Vorstellungen auch eine gesellschaftliche Entwicklung auswirkt, in der die Anpassung noch immer vor der Autonomie rangiert(e)? Und ist es abwegig, sich die Frage zu stellen, ob und wie der vielfach diagnostizierte Trend zum Selbst (auch in der Forschung und Theoriebildung) – in einem veränderten, aber immer noch emphatischen Sinne – den generellen Autonomieausdruck des Subjekts statt dessen Möglichkeiten überraschender Entwicklungs- und Selbstbildungsschritte und den Ausdruck von Potenzialen stärkt?

Es gab aber auch Gegen- bzw. Ergänzungsbewegungen zur schicht- und milieuspezifischen Betrachtung der Sozialisation – allen voran das Konzept des „produktiv-realitätsverarbeitenden Subjekts" von Klaus Hurrelmann (Hurrelmann 1983). Dessen Kernaussage schließt an der Konstruktion eines „epistemologischen Subjektmodells" an, das Bauer mit den Worten charakterisiert:

„Der neue Gegenpol ist das aktive Subjekt. Heranwachsende sind danach nicht lediglich ‚isolierte Rollenträger', sie stellen keine ‚Randvariable' dar. Sie handeln nicht ohne eigenes Bewusstsein und Wirkung auf ihr Umfeld. An die Stelle der ‚Eliminierung der Kategorie des Subjekts als einer eigenen Bestimmungsgröße gesellschaftlicher Prozesse überhaupt' tritt die Annahme der ‚Subjektwerdung' als ‚spezifisch psychischen Proze[ss]'. Das eigentätige, autonome Individuum ist der neue epistemologische Bezugspunkt der Sozialisationsforschung" (Bauer 2004, S. 65).

Auch diese subjektorientierte Wende der Sozialisationsforschung kam durch Setzung, weniger durch Empirie zustande. Oder war es der Eindruck, dass eine schicht- bzw. milieufokussierte Beobachtung und Deutung der Prozesse der Persönlichkeitsentwicklung letztlich zu sehr groben Einsortierungen in Milieudefinitionen gelangten, auf die man im konkreten Fall so selten traf? Das Spezifische der Subjektentwicklung fällt nämlich der Durchschnittsbetrachtung zum Opfer (vgl. Kucklick 2015). Eine Subjektwissenschaft, die diese Bezeichnung auch tatsächlich „verdient", ist auch in ihren Beobachtungsformen und Interventions- und Beratungsansätzen durch andere Zugänge geprägt, wie im Folgenden gezeigt werden soll.

Es kann durchaus als misslich angesehen werden, dass die Erwachsenenbildungsforschung ihre psychologische Dimension in den letzten Jahren vernachlässigt hat. Anschlussfähige Beiträge einer erwachsenenpsychologischen Auslotung des Spezifischen des Einzelfalls (z. B. Bittner 2001) blieben in der Erwachsenen- und Weiterbildungsforschung weitgehend ohne Resonanz. Man schloss sich allenfalls der auf Durchschnittsbetrachtungen fokussierten empirischen Lernpsychologie an und verabschiedete sich nicht bloß von den tiefenpsychologischen, sondern auch von den systemisch-konstruktivistischen Forschungen zur Psychologie der Identitäts- und Kompetenzentwicklung Erwachsener.

Misslich ist diese weitgehende Ignoranz von Ganzheits-, Interdependenz- und Beobachtertheorien auch deshalb, weil auch die Einsichten der Hirnforscherinnen und -forscher in den letzten Jahren eindrucksvoll das Bild einer Geschlossenheit und Selbstbezüglichkeit der Subjektivierung gestärkt haben. Relativiert wurde dadurch das oben erwähnte Überwältigungsmodell der Sozialisationstheorien, und die erwähnte Konzeption des produktiv-realitätsverarbeitenden Subjekts von Klaus Hurrelmann (Hurrelmann 1983) gewann im Lichte der Emotionsforschung, der systemischen Beobachtertheorien und der hirnphysiologischen Befunde zur Plastizität nicht bloß einen zusätzlichen Auftrieb, sondern erweiterte sich auch peu a peu zu Vorstellungen der Möglichkeiten einer *proaktiven Selbstveränderung*. Dadurch näherten sich die Konzepte der Subjektivierung deutlich den Ursprungsanliegen einer aufklärenden Erwachsenenbildung an, deren Grundmotiv doch schon stets von der Vorstellung getragen war, dass es denkbar und möglich sei, die inneren und äußeren Begrenzungen einer durch den Zufall von Geburt und gesellschaftlichem Kontext zugewiesenen biografischen Begrenzung zu durchschauen und zu überwinden.

Dieser emanzipatorische Impuls verengte den Fokus auf die Frage, welche äußeren – zu schaffenden – Bedingungen Autonomie, Wachstum und die Reifung von Identitäts- und Kompetenzentwicklung ermöglichen. Der Erwachsenenbildungsdiskurs wurde

„[...] so zu einem gesellschaftstheoretischen Diskurs, in dessen Hintergrund es aber immer auch um die Grundlinien einer Subjekttheorie ging. Diese suchte die individuellen Mechanismen einer gelingenden emotionalen und kognitiven Entwicklung im Kontext lebensweltlicher und gesellschaftlicher Gegebenheiten genauer zu bestimmen – auch mit dem Ziel, den Einzelnen zu stärken und zu einem aktiven Gestalter seiner Biographie heranreifen zu lassen. Das Subjekt wurde dadurch vom ‚Unterworfenen' zum Entwerfer und Gestalter seiner biographischen und gesellschaftlichen Möglichkeiten, wobei der freie Wille, die Selbstverantwortlichkeit sowie die Selbstbewusstheit wesentliche Konnotationen des sich wandelnden Subjektbegriffs wurden. In diesem wurde ‚der Mensch zum Bestimmungsgrund der Dinge' (Rehfuss) bzw. zum Konstrukteur seiner Wirklichkeit, wodurch auch die Tür zu einer vertieften Selbstreflexion des Subjektseins aufgestoßen wurde" (Arnold 2019a, S. 81).

Diese Wandlungen des Subjektbegriffs waren auch dazu angetan, die tatsächliche Wirkmacht des erkennenden und handelnden Subjekts selbst zu hinterfragen bzw. grundsätzlich weiter zu denken. Dieses schien nämlich noch weniger „Herr im eigenen Haus" (Freud) zu sein, als den um Vernunftgebrauch, Kritik und Transformation des Eigenen und des Gesellschaftlichen bemühten Subjekttheorien lieb sein konnte. Der französische Philosoph der Postmoderne Lyotard brachte diese Infragestellung des traditionellen Subjektbegriffs bereits in den 1980er-Jahren mit folgenden Worten auf den Punkt:

„Das Beunruhigende für den Menschen ist […], da[ss] ihm seine (angebliche) Identität als ‚menschliches Wesen' entgleitet […]. [Die] Vorstellungen, die das unmittelbare Gefühl einer Identität des Menschen nähren, [sind] schwächer geworden. Nämlich: Erfahrung, Gedächtnis, Autonomie (oder Freiheit)" (Lyotard 1985, S. 79f.).

Diese Verunsicherung des Subjektbegriffs brachte auch die Erwachsenenbildungstheorie in einige Begründungsschwierigkeiten, musste sie doch die Referenzpunkte ihres Bildungsbemühens neu konzeptualisieren. Wenn die Postmoderne uns die Angeblichkeit (um nicht zu sagen: Vergeblichkeit) der Identitätsbemühungen des Menschen deutlich vor Augen führt, dann geraten die überlieferten Volksbildungs- und Aufklärungs- sowie Emanzipationsansprüche ins Wanken. Insbesondere stehen die Formen erwachsenenpädagogischer Interventionen und Begleitungen auf dem Prüfstand und müssen sich jenseits der überlieferten Konzepte von Fremd- und Selbstbestimmung neu legitimieren. Der alte Anspruch, Erwachsenenbildung als Stärkung subjektiver Selbstbefreiung und Selbstbestimmung zu inszenieren, erschlafft in einer Welt, deren Subjektivierungsweisen sich kaum noch überzeugend in der Gegenüberstellung von Fremd- und Selbstorganisation abbilden lassen.

> Das Subjekt ist scheinbar freigelassen und inszeniert sich selbst im Kontext subtil vermittelter und allgemein zugänglicher Versatzstücke einer zeitgemäßen Ich-Darstellung – eine Form, die zugleich die möglichen Ausdrucksweisen eines wahren Selbst limitiert.

Diese subtile Einflussnahme prägt die „Regierung des Selbst", von der Michel Foucault sprach (Foucault 2009a und b). Bei ihr handelt es sich bei genauerer Betrachtung nicht wirklich um einen „Emanzipationsakt gegenüber vorgegebenen und aufgezwungenen Verhaltensweisen" (Bernard 2017, S. 192). Vielmehr reduziert sich die „Freiwilligkeit" des befreiten Subjekts gegenüber solchen Vorgaben darauf, dass es „[…] diese Vorgaben bereits in vorausschauender Selbstproblematisierung von sich aus befolgt" (ebd.). Auch für den niederländisch-deutschen Philosophen und Soziologen Willem Lodewijk van Reijen (1938–2012) steht diese subtile Infiltration des Fremden in das Eigene für den Tod des Subjekts:

„Die Subjekte sind tot, sie können nichts mehr produzieren, im Gegenteil, sie werden produziert. Wir sprechen nicht die Sprache – die Sprache spricht […] uns. Wir machen nicht die Tradition, die Tradition macht uns" (van Reijen 1988, S. 398).

Sicherlich kann man über diesen postmodernen Abgesang auf das Konzept der Subjektivität streiten, doch kann andererseits nicht übersehen werden, dass verbindliche Orientierungsmarken auch in den aktuellen Auseinandersetzungen über die Ausdrucksformen und Maßstäbe einer gelingenden (Weiter-)Bildung als Subjektentwicklung eher Mangelware sind. Alles scheint auf eine Stärkung der Autonomie und Flexibilität gerade eben dieses Subjekts zuzulaufen, von dem man sich soeben verabschiedet hat, da es sich bloß noch in vorgefertigten Frames der Ich-Suche und Ich-Darstellung auszudrücken scheint. Aufgelöst hat sich bei der von van Reijen beschriebenen Entwicklung jedoch lediglich die Lesart eines Subjekts, das bereits im Aufbruch der Aufklärung schon nicht mehr gemeint war. Die Aufklärung setzte auf die Vernunft und damit auch auf die Hinterfragung der suggestiven Mächte von Tradition und Sprache – warum nicht auch der digitalen Kultur? –, deren Gültigkeit nicht zuletzt durch die Sprach- und Bildungsphilosophie bereits spürbar ausgehöhlt worden war. Tradition, Sprache und Bildung waren bloß geliehen, und sie zerfielen von dem Moment an, als das Denken begann, sich seiner Engführung durch überlieferte Gewohnheiten sowie sprachliche Ausdrucksformen und überlieferte Bildungskonzepte selbst mehr und mehr bewusst zu werden. Dabei wurde keineswegs alles über Bord geworfen (z. B. die Menschenrechte mit ihrem Autonomieversprechen), wohl aber hinsichtlich seiner Letztbegründbarkeit kontinuierlich hinterfragt. Herausgekommen ist dabei eine Kultivierung der Vielfalt, Entstandardisierung und Flexibilität, die es letztlich auch nahelegt, sich in der Erwachsenen- und Weiterbildung von Standardkonzepten mehr und mehr zu lösen und sich differenzierteren oder granularen Deutungen zuzuwenden, die von dem Grundsatz getragen werden, dass es – im konkreten Fall – auch ganz anders sein könnte, als es die sprachlich gefassten und überlieferten Konzepte der Vergangenheit vorsehen.

Eine zeitgemäße Erwachsenenbildung ist gehalten, sich an den aktuellen gesellschaftlichen Wandlungsprozessen des Subjektiven und der Identität und des Lebenslaufs zu orientieren, statt sie durch den Rückspiegel aus der Vergangenheit heraus zu beobachten. Angesichts dieser unübersehbaren Wandlungsprozesse entstanden z. B. in der Soziologie der „reflexiven Moderne“ (vgl. Beck 1997) Versuche, neue Formen der denkerischen und operativen Handhabung zu entwickeln, die gewissermaßen den Wandel selbst zum tragenden Referenzpunkt der Subjektivierung stilisierten – getreu dem Motto: „Das einzig Beständige ist die Unbeständigkeit“.

6.4 Kognition und Emotion in Lernprozessen

Die Erwachsenenbildung ist seit ihren Anfängen und bis zum heutigen Tag eine vornehmlich kognitive Angelegenheit. Im Zentrum steht zumeist die „Vermittlung“ aktueller Erklärungen oder die Begleitung zu reflexiven Lernprozessen unter Nutzung distanzierter, d. h. weniger bloß lebensweltbezogener Deutungen. Sie entstammen zumeist dem wissenschaftlichen Diskurs, weshalb es auch die *Differenzierung des Alltagsbewusstseins durch Verwissenschaftlichung der Sicht- und Erklärungsweisen* ist, die den Anspruch an das Lernen Erwachsener bis heute bestimmt. So waren es in den 1980er-Jahren insbesondere wissenssoziologische Arbeiten, die die Tragfähigkeit der Differenzierungsannahme neu auszuloten versuchten. Dabei gerieten andere Narrative verstärkt in den Blick, die den Unterschied des lebensweltlichen gegenüber dem wissenschaftlichen Wissen markierten und auch die Frage aufwarfen, ob und inwieweit die strukturellen Unterschiede zwischen bewährten Alltagstheorien und wissenschaftlichen Konzepten überhaupt in Bildungsprozessen fruchtbar aufgelöst werden können: hier (bei den Alltagstheorien) „subjektive Plausibilität" und das „Bemühen um Komplexitätsreduzierung und Vereindeutigung", dort (bei den wissenschaftlichen Theorien) „Intersubjektivität" und „Komplexitätserweiterung und Differenzierung" (Arnold 1985, S. 36). In den Fokus trat dabei die für die Erwachsenenpädagogik durchaus ernüchternde These „von einer reduzierten Verbindlichkeit wissenschaftlicher Theorien für die Begründung lebenspraktischen Handelns" (ebd., S. 38):

„Denn auch diese intersubjektiveren und komplexitätserweiternden Deutungsmuster werden identitätsmäßig nur über die interaktive Einpassung in die lebensgeschichtlich vom jeweiligen Individuum herausgebildeten Hintergrunderwartungen und Gewi[ss]heitsannahmen integriert. Dies bedeutet, auch die z. B. im Zuge einer ‚wissenschaftlichen' Weiterbildung von Teilnehmern erworbenen wissenschaftlichen Theorien stehen unter alltagstheoretischem Plausibilitätszwang und unterliegen dem identitätskonstitutiven Anspruch auf Konsistenz" (ebd.).

Damit waren die Grenzen einer um Aufklärung und rechten Vernunftgebrauch bemühten Erwachsenenbildung bereits deutlich markiert. Es dauerte seitdem noch drei Jahrzehnte, bis diese bildungstheoretische Ernüchterung bezüglich der inneren Bedingungen des Erwachsens auch die Erwachsenenpädagogik zu einer Justierung ihrer Konzepte veranlasste – erst sehr zurückhaltend ihren Blick erweiternd, dann aber zunehmend deutlicher die „Bewusstwerdung" als neues Leitbild einer das Erwachsen der Subjekte begleitenden Bildungsarbeit fokussierend.

Die Blickerweiterung über das rein kognitive Lernen hinaus war u. a. bereits in dem im Mai 2000 im Auftrag der Kommission Erwachsenenbildung der Deutschen Gesellschaft für Erziehungswissenschaften vorgelegten „Forschungsmemorandum für die Erwachsenen- und Weiterbildung" deutlich spürbar. Darin wird das Lernen Erwachsener als ein genuiner lebenslanger Prozess definiert, der

„[...] nicht nur ein momentanes Sich-Einlassen auf situative Problemlagen, sondern immer auch ein biographisches Projekt [ist]. Zwar nehmen die Lernherausforderungen, zum Teil auch die Lösungsoptionen zu, die an Menschen in unterschiedlichen Lebensphasen und Lebenslagen herangetragen werden. Ihre Umsetzung und Verwirklichung aber geschieht ‚gebrochen' durch die sich all-

mählich im Laufe eines Lebens zu einer Individualität aufschichtenden Muster und Strukturen, in die auch alle Lernerfahrungen eingegangen sind. Didaktisch angeleitete Ermöglichung individuellen Lernens geschieht so in einem kreativen Spannungsverhältnis mit dessen lebensgeschichtlich erworbenen, habitualisierten und Lernen auch begrenzenden Gestaltungsstrategien" (Arnold u. a. 2000, S. 7).

Dieser weite Blick auf das Erwachsenenlernen ließ auch Forschungsfragen entstehen, die mehr als nur die kognitive Dimension der Identitäts- und Kompetenzentwicklung Erwachsener berührten. Gefragt wurde u. a.:

– *„Wie verändern sich die Relationen zwischen kognitiven, affektiven und motorischen Aktivitätsebenen im Laufe von Lebensphasen und im Rahmen von beruflichen Spezialisierungen oder lebenslanger Übung?" (ebd., S. 8)*
– *„Welche Wege finden Erwachsene, individuell tragfähige, erfolgreiche und wirklichkeitsbezogene Kohärenzen in ihrem Wissen und in ihren Fähigkeiten zu stiften?" (ebd., S. 9)*

Und:

– *„Wie sind kognitive, affektive und motorische Aspekte von Kompetenz im Umgang mit Wissen verbunden?" (ebd., S. 11)*

In dieser erweiterten Sicht auf die Identitäts- und Kompetenzentwicklung Erwachsener drückte sich auch aus, dass das Selbst in den Debatten der 1990er-Jahre neu und in anderer Weise gedacht wurde. Man begann, stärker zu berücksichtigen, dass Menschen die eigentlichen Grundeinspurungen ihres Selbst in dichtem Erleben erwerben. Dies beginnt mit dem Spüren von Gebundenheit oder Ungebundenheit in den ersten Wochen und Monaten unseres In-der-Welt-Seins, und es findet seine Fortsetzung in den Interaktionen, über die wir unsere Selbstwirksamkeit spüren oder nicht spüren. Der Mensch, der wir sind oder zu sein vermögen, wird in diesen frühen Kontexten angebahnt, und die Substanz unseres erwachsenen Denkens, Fühlens und Handelns hat hier ihre Wurzeln. In bloß eingeschränktem Maße sind wir später noch in der Lage, die früh eingespurten Weisen unseres In-der-Welt-Seins zu transzendieren. Aus diesem Grunde stellt der Hirnforscher Gerhard Roth den verbreiteten Erziehungsoptimismus radikal infrage, indem er z. B. nüchtern darauf verweist, dass insbesondere die emotionale Konditionierung einer Person bereits früh abgeschlossen ist und sich als „zunehmend resistent gegen spätere Einflüsse" (Roth 2007, S. 12) erweist. In seinem neueren Werk „Über den Menschen" fasst derselbe Autor seine Veränderungsskepsis in folgende Worte:

„Einen großen Einfluss auf die Entwicklung der Persönlichkeit vom Kind zum Erwachsenen hat die ausgeprägte Selbststabilisierung der Persönlichkeit [...]. Dies bestätigt die Lebenslaufforschung dahingehend, dass Menschen schon in der Jugendzeit eine bestimmte Grundhaltung einnehmen, etwa die eines unver-

besserlichen Optimisten oder eines eher leicht positiv oder leicht negativ denkenden oder fühlenden Menschen oder eines hartnäckigen Pessimisten. Dabei kann es durchaus größere oder kleinere Schwankungen geben, die durch Lebensumstände hervorgerufen wurden, aber die Menschen kehren über kurz oder lang zu ihrer Grundhaltung zurück" (Roth 2021, S. 106f.).

Zustimmend zitiert Roth in diesem Kontext auch den Berliner Persönlichkeitspsychologen Jens Asendorpf, der die an sich selbst wahrgenommenen Veränderungen (infolge von Wohnortwechsel, Studienaufnahme etc.) für einen „Irrtum, zumindest jedoch eine starke Übertreibung hält" (ebd., S. 108). Er referiert:

„Aus seiner Sicht wählen wir ab dem späten Jugendalter für uns eher diejenigen Umwelten aus, die zu uns passen, als dass wir uns umgekehrt ihnen aktiv anpassen" (ebd.).

Erwachsenenbildung zählt zu diesen späteren Einflüssen, deren wirklich tiefgreifende Veränderungskraft hier grundsätzlich infrage gestellt wird. Allenfalls wirklich an der emotionalen Konstruktion ihrer Wirklichkeit ansetzende Begleitungen, wie wir sie in psychotherapeutischen Settings, Coachings oder Angeboten der Persönlichkeitsbildung antreffen, können dabei helfen, alte Gewohnheiten sowie Deutungs- und Fühlmuster aufzugeben und sich in einer neuen Konstruktion von Wirklichkeit zu üben. Dieser Hinweis bedeutet nun nicht, dass Erwachsenenbildung zurücktreten müsse, um einer psychotherapeutisch informierten Form der Veränderungsbegleitung Raum zu geben, da Selbstveränderung im Kontext begleiteter Lernprozesse nicht nachhaltig wirken könne. Er bedeutet jedoch, „dass der Aufwand, der hierzu nötig ist, immer größer und die Methoden, dies zu erreichen, immer spezifischer werden müssen" (Roth 2007, S. 12). Dabei gilt:

„Menschen ändern sich langfristig nur, wenn ihre bewussten Ziele und ihre unbewussten Motive übereinstimmen. Dies bedeutet, dass die Gründe für die Veränderung in der Erfahrungswelt des Angesprochenen einen Sinn ergeben müssen" (Roth 2021, S. 115).

Völlig neu sind diese Hinweise nicht (bloß hirnphysiologisch genauer belegt). Bereits die Deutungsmusterdebatte der 1980er-Jahre verwies auf die zähen Kräfte der um eine „autobiographische Kontinuität" (Arnold 1985, S. 50ff.) ringenden Identität Erwachsener, und auch die Debatten um Teilnehmerorientierung und Erfahrungsbezug weisen in diese Richtung. In der curricularen Praxis der Erwachsenenbildung, d.h. in den Angeboten vieler Bildungsträger sowie in Lehrplänen oder Fortbildungsordnungen, dominierte aber weiterhin der Inhaltszugang. Wirklich reflexive Ansätze des Erwachsenenlernens oder gar „metakognitiv fundierte" Lehr-Lern-Konzepte (vgl. Kaiser/Kaiser/Hohmann 2012) prägen aber heute wohl noch immer nicht den Mainstream in der Praxis des Erwachsenenlernens. Dies ist misslich, da sich auch die Erwachsenenbildung angesichts der eskalierenden Veränderung der postmodernen Arbeits- und

Lebensformen im Zuge der Digitalisierung (vgl. Kurzweil 2014) zunehmend mit der Frage nach ihren wirksamen Beiträgen zur Gestaltung und Begleitung persönlicher sowie organisatorischer und gesellschaftlicher Transformationsprozesse (vgl. Müller u.a. 2019) konfrontiert sieht. Um diesen Anforderungen zu entsprechen, bedarf es – so die These der folgenden Überlegungen – einer wirksameren Verknüpfung der in der Deutungsmusterdebatte und in den Konzepten der Teilnehmerorientierung bloß vorbereiteten Integration der narrativen und emotionalen Dimensionen des Erwachsenenlernens.

6.5 Emotion und Narration in der digitalen Welt

Der Zusammenhang zwischen Emotion und Narration einerseits sowie zwischen beiden Aspekten und dem Bereich der Digitalisierung andererseits ist nicht unmittelbar naheliegend. Die erzählte Emotion ist nicht die erlebte Emotion, und doch reden wir über Gefühle, bringen sie zum Ausdruck, analysieren die vermeintlich oder tatsächlich dahinterliegenden Ursachen, bei denen es sich zumeist um Ursachenzuschreibungen handelt, und konstruieren so die Emotion, die uns entgleitet, indem wir sie beschreiben. Das Emotionale ist die körperliche Ausdrucksform der inneren Systemik, mit der wir uns in der Welt und ihren aktuellen Lagen *fühlen,* bevor wir sie deuten. Auch der emotionale Ausdruck ist festgelegt und legt uns fest: Es sind gelernte Emotionsmuster, mit denen wir uns in der Welt fühlen, bevor sie zu uns spricht und bevor wir unsere Deutungsmuster entwickelt haben, die uns helfen, uns zurechtzufinden, indem wir unseren Sichtweisen „treu“ bleiben, selbst wenn wir sie differenzieren und weiterentwickeln.

Es scheint neben dem Selbstwirksamkeitserleben das Plausibilitätserleben zu sein, das unsere Identität konstituiert, und Plausibilität ist dabei eine emotionale Bewertung, keine oder nicht nur eine kognitive.

Die Pädagogik als eine Lebenslauf- und Veränderungswissenschaft spürt dem einerseits festlegenden und dem andererseits transformierenden Zusammenspiel von Deutungs- und Emotionsmustern in der Identitäts- und Kompetenzentwicklung nach. Ihr Zugang ist der Ausdruck, Narration ist ihr empirischer Anknüpfungspunkt. Sie kann das Subjekt in seinen Suchbewegungen nur konzipieren, wenn es zu ihr spricht. Viele Bildungs- und Untersuchungsmethoden setzen deshalb auf die Auslösung der Narration. Dabei steht die Pädagogik aber in der Gefahr, dem Gesprochenen zu vertrauen und nicht ausreichend zu erkennen, dass dieses Gesprochene in strategischer Absicht gesprochen wird. In ihm kommt das Plausibilitätsbemühen auch mit seinen projektiven, abwehrenden oder verzerrenden Anteilen zum Ausdruck, d.h., eine tiefere Strukturierungslogik bleibt dem sich artikulierenden Subjekt zunächst meist selbst verschlossen. Sie eröffnet sich nur einem theoretisch differenzierten Blick, der gleichzeitig darum weiß, dass auch ihm sich nur erschließt, was dieser Blick zu fassen vermag. Dann gilt: *„Theorie ist ein Kompa[ss], sie löst von der Verhaftung, von der unmittelbaren, sinnlichen Determination“ (Heydorn 1995, S. 66).* Narration muss deshalb zweistufig verfahren, zum einen unmittelbar, indem sie die Sinnzuschreibungen der Akteure zum Ausdruck bringt, zum anderen kompassgestützt, indem sie den in diesen Sinnzuschreibungen zum Ausdruck kommenden Emotions- und Deutungsmustern selbst auf die Spur kommt. Dieses Auf-die-Spur-Kommen ist die gemeinsame Zielrichtung von Forschung und emotionaler Kompetenzentwicklung.

Die Neuen Medien sind in diesem Zusammenhang ambivalent zu beurteilen. Sie erweitern zum einen die Bühnen der großen Gefühle – ein Aspekt, der mediensoziologisch und gesellschaftstheoretisch bisweilen ausgelotet wird –, sie eröffnen aber zum anderen auch bisher ungeahnte lernkulturelle Räume für ein angeleitetes Selbstlernen, die auch prinzipiell für eine Erweiterung der eigenen Persönlichkeit und der emotionalen Selbstreflexion genutzt werden können. Neue Medien überbrücken jedoch nicht nur Distanzen, sie schaffen auch neue Distanzen. So ist es weniger die Furcht vor der Technologie, die viele von der Nutzung von E-Learning abhält, es ist vielmehr die tief eingespurte Vorstellung: Je persönlicher der Inhalt des Lernprozesses ist, desto unverzichtbarer ist auch die Face-to-Face-Beziehung zwischen Lehrendem und Lernenden.

Die folgenden Überlegungen spüren dem Verhältnis von Emotion und Narration im Kontext der virtuellen Möglichkeiten der Kooperation und des Lehr-Lern-Kontakts nach. Ziel ist dabei die Markierung einiger Grundlinien einer zeitgemäßen Erwachsenenpädagogik, die zum einen um die Bedeutung der Emotionen in Lehr-Lern-Prozessen weiß (vgl. Arnold 2022; Arnold/Holzapfel 2008), zum anderen aber die Stärkung der emotionalen Selbstreflexivität gewissermaßen als Rückgrat einer nachhaltigen Kompetenzentwicklung zu begründen vermag.

Explizites emotionales Lernen ist primär ein notwendig erlebnisbezogenes, aber auch reflexives Lernen

In die Rolle, die die Emotionen für das Denken und Handeln der Menschen spielen, ist in den letzten Jahren viel Klarheit gekommen. So wissen wir heute sicherer, dass es keine emotional „unbefleckte Erkenntnis“ (Nietzsche) gibt, und es gibt mittlerweile auch zahlreiche belastbare hirnphysiologische Forschungen, die uns erklären, wo „[d]ie emotionale Konstruktion der Wirklichkeit“ (Arnold 2005) ihre Ursprünge hat und wie sie sich in unser Erkennen, Denken und Handeln beständig einmischt. Dabei erfuhren grundlegende psychoanalytische Annahmen ebenso eine eindrucksvolle Bestätigung wie auch die Annahmen der Bindungstheorie, die davon ausgeht, dass die frühe Gebundenheitserfahrung eine emotionale Einspurung zugrunde legt, die durch spätere Erfahrungen und späteres Lernen nur noch marginal verändert werden kann. Wir können als Erwachsene durch reflexives Lernen die Muster unseres Fühlens und Denkens erkennen, aber in ihrer situativen Emergenz nur selten wirklich beherrschen. Es sind nämlich diese Muster, die uns die Welt so erschließen, wie wir sie kennen. Und es ist dieses Wiedererkennen, das uns Gefühle der Vertrautheit und damit Handlungssicherheit ebenso zu stiften vermag wie auch die Wiederholung unseres Leidens und der für unser Leben typischen Krisen. Diese Typik des erwachsenen Ichs vermag sich uns durch reflexives Lernen zu erschließen, wobei dieses reflexive Lernen seinerseits von den Theorien und Konzepten lebt, die es zugrunde legt und die uns nicht zu einem Blick in eine ontologische Wirklichkeit zu führen vermag. In diesem Sinne kann das reflexive Lernen uns zu einem Verständnis darüber führen, wie wir „Erfahrungen organisieren und Bedeutungen erfassen" (Holtz 2008, S. 28) und uns zur Welt in Beziehung setzen.

Das Wissen allein heilt jedoch noch nicht. Reflexives Lernen ist somit ein stets unabgeschlossenes Lernen, wenn man Lernen als Veränderung im Lebenslauf definiert. Es ist Bestandteil eines emotionalen Lernprozesses, nicht jedoch dessen Kern, denn es fehlt der Schritt von der Reflexion zur veränderten Aktion – ein schwieriges, aber mögliches Unterfangen. Dieses Unterfangen kann nur gelingen, wenn das Erleben hinzutritt. Durch Erleben kann sich Einsicht wandeln: Was uns zunächst gleich erscheint, weil es in uns dieselbe emotionale Resonanz hervorruft wie vermeintlich ähnliche Erlebnisse in der Vergangenheit, kann sich allmählich durch Kommentare, Feedback und Reframing wandeln. Der emotionale Spontanimpuls, dem in einer gegebenen Lage allzu bereitwillig sich hinzugeben wir disponiert sind, verschwindet dadurch zwar nicht, aber unser Denken, Fühlen und Handeln bleiben nicht unberührt von dem, was uns gesagt, rückgemeldet und an alternativen Deutungen angeboten wird. Dieser Veränderungsprozess geht oft mit großen inneren Verunsicherungen einher: In uns ruft alles nach der Plausibilität und Kontinuität der vertrauten Reaktion (z. B. weglaufen), wir haben aber verstanden, dass dieser Reaktion eine mögliche Deutung der Situation zugrunde liegt, die *unsere* Deutung ist und kein nüchternes Abbild einer so und nicht anders gegebenen Wirklichkeit mit ihren jeweiligen vielfältigen Möglichkeiten. Es sind letztlich unsere Gedanken, die uns in die Gefühlslagen führen, die dann nach einer bestimmten emotionalen Reaktion verlangen – ein Mechanismus, den das emotionale Lernen zunächst einmal in einer ersten Lektion verarbeiten muss.

Emotionales Lernen ist die Ausdrucksform eines angewandten Konstruktivismus. Er geht von der Strukturdeterminiertheit der menschlichen Wahrnehmung und des menschlichen Verhaltens aus. Nicht die Wirkung einer äußeren Realität erklärt – oder rechtfertigt gar – unsere Verhaltensweisen, sondern

„[...] alles, was in uns geschieht, ereignet sich in Form strukturell determinierter Veränderungen unserer jeweiligen Struktur, die Resultate unserer eigenen

inneren strukturellen Dynamik sind oder die als strukturelle Veränderungen an unsere Interaktion mit dem Medium gekoppelt, von diesem jedoch nicht determiniert sind" (Maturana 1996, S. 288).

An dieser „eigenen inneren strukturellen Dynamik" sind die Deutungs- und Emotionsmuster unserer Identität maßgeblich beteiligt. Es sind diese Muster, die unsere Wahrnehmung fokussieren, uns die Lesarten und Reaktionen stiften, die sie uns stiften, und uns mit ihnen in einen nicht enden wollenden Streit um die Wirklichkeit führen, der in Wahrheit nichts anderes ist als das verzweifelte Bemühen, unsere – bisherige – Wirklichkeit nicht verändern oder gar aufgeben zu müssen. Lieber kämpfe ich in immer denselben Themen in der immer selben Weise, als dass ich innehalte und auf andere mögliche Lesarten oder gar das eigentliche Motiv des Verhaltens meines Gegenübers lausche, ohne selbst innerlich oder äußerlich zu reagieren.

Es ist eine selbstdistanzierte Haltung, um deren Herausbildung es einem emotionalen Lernen letztlich geht. Zunächst muss die eigene Bescheidwisserei zum Verstummen gebracht und als Ausdruck dessen gesehen werden, was sie ist: ein verzweifeltes Bemühen um emotionale Plausibilität und Kontinuität, bevor weitere Lektionen eines emotionalen Lernprozesses in Angriff genommen werden können und mit nachhaltigen Veränderungen zu rechnen ist. Die reflexive Aufdeckung dieser Mechanismen erfolgt über achtsame Fokussierungen sowie über das dosierte Erzeugen von Narrationen. Die Gefühle müssen selbstreflexiv und in schweigsamer Selbstbeobachtung zunächst wahrgenommen und dann mitgeteilt werden, wobei sich verschiedene – in der folgenden Abbildung von unten nach oben führende – Stufen der Narration unterscheiden lassen:

Schritte emotionalen Lernens		**Stufen der Narration**	
4. Schritt	Metakognition	Narration 4. Ordnung	Frage: Wie genau „machst" du dir diese Gedanken? Stelle typische Gedankenfolgen zusammen (zu Ablehnung, Unwirksamkeit, Autorität etc.).
3. Schritt	Kognition	Narration 3. Ordnung	Frage: Welche Gedanken gehen mit diesem Gefühl einher? Wie erklärst du oder rechtfertigst du diese Gefühle?
2. Schritt	Metaemotion	Narration 2. Ordnung	Frage: Wann (in welchen Situationen) hattest du dieses Gefühl? Entdecke die Muster, die diese Situationen verbinden.
1. Schritt	Emotion	Narration 1. Ordnung	Frage: Wann spürst du, wie Gefühle deine Wahrnehmung bestimmen? Welche Gefühle spürst du? Wo genau spürst du was?

Abb. 14: Schritte des emotionalen Lernens und Stufen der Narration

Das absichtsvolle Absolvieren dieser vier Schritte markiert eine angeleitete und oft auch begleitete Form des Erwachsens aus den unreflektiert und spontan uns anspringenden und in unserem Handeln bestimmenden Gefühlen und Gedanken. Diese bestimmende Kraft hinter sich zu lassen und mehr und mehr selbst die Regie bei den Prozessen unserer emotionalen und kognitiven Konstruktion der Wirklichkeit zu übernehmen, ist das, was das innere Wachstum einer Person ausmacht. Die Narration ist dabei die Ebene, auf der sich das Gefühlte einem Gegenüber mitteilen und von einer übergeordneten Ebene aus betrachtet werden kann. Dadurch entsteht ein reflexiver Zugang zu dem Gefühlten, und emotionale Veränderung und Reifung werden möglich. Emotionales Lernen ist deshalb stets ein gestuftes Lernen: Am Anfang steht das bewusste Erleben des Gefühls, ihm folgt die metaemotionale Betrachtung der zugrunde liegenden Muster. Dieser Schritt setzt häufig eine Begleitung oder Beratung voraus. Es geht ihr um folgende Einsicht: Wir fühlen in ähnlichen Situationen ähnlich, und unsere Stellungnahmen zur Welt verdanken sich dieser routinisierten Festgelegtheit, die im unmittelbaren Erleben nicht zu Tage treten. Diese müssen deshalb in ihrem Wirken „hinter unserem Rücken“ erkannt und in das Licht der Selbstbeobachtung gerückt werden. Diese metaemotionale Lektion nimmt ihnen bereits viel von ihrer spontanen Wirkkraft.

Mit der Kognition kommen die bewusste Wahrnehmung, aber auch unsere Deutungen und Erzählungen über das Erlebte in den Blick. Zudem kann der oft verhängnisvolle Zusammenhang zwischen dem Denken und Fühlen beobachtet und verstanden werden. Wir können uns Gefühle herbeidenken, wie auch die zahlreichen Selffulfilling-Prophecy-Beispiele von Paul Watzlawick eindrucksvoll zeigen. So kann eine völlig entspannte Situation emotional entgleiten, weil unsere Gedanken etwas herbeikatastrophisieren, das dann zumindest unsere Art, mit einem Ereignis umzugehen, destruktiv prägt. Es ist deshalb eine Kunst, durch die Handhabung seiner kognitiven Möglichkeiten solche Eskalationen zu vermeiden oder bei eingetretenen Eskalationen entsprechend deeskalierend denken zu können.

Neben dem expliziten emotionalen Lernen, dessen Ziel die Steigerung der emotionalen Selbstreflexivität in Interaktion und Führung ist, kommt dem impliziten emotionalen Lernen eine wichtige Funktion im Kontext des selbst organisierten Lernens zu. Wer lernt, sein Lernen und Problemlösen selbst zu organisieren, benötigt Selbstvertrauen und die Fähigkeit zum Umgang mit Angst und Ungewissheit. Beide Dimensionen beschreiben wichtige psychologische Grundlagen der Entwicklung neuer Lernkulturen. Es geht bei der Entwicklung und Nutzung selbstgesteuerter Lernarrangements aufseiten des Lernsubjekts nicht nur um die Gestaltung von „Vielfalt“, sondern auch um die Förderung von Ich-Stärke und das Erleben („Spüren“) von Selbstwirksamkeit. Beides markiert die emotionale Seite des Prozesses. Und beide Dimensionen müssen sich im lernenden Subjekt entwickelt haben, bevor es wirklich in der Lage ist, eigene Lernwege erfolgreich zu gehen.

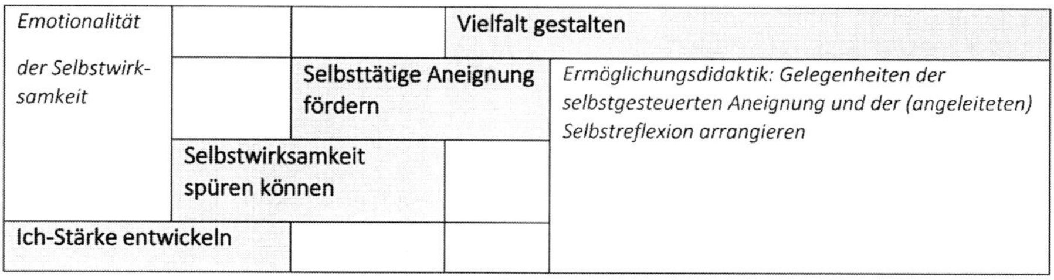

Emotionalität der Selbstwirksamkeit			**Vielfalt gestalten**	
		Selbsttätige Aneignung fördern	*Ermöglichungsdidaktik: Gelegenheiten der selbstgesteuerten Aneignung und der (angeleiteten) Selbstreflexion arrangieren*	
	Selbstwirksamkeit spüren können			
Ich-Stärke entwickeln				

Abb. 15: Die emotionale Seite selbstorganisierten Lernens

Diese wechselseitige Vorordnung der emotionalen und der didaktischen Seite des selbst organisierten oder selbstgesteuerten Lernens wird in den aktuellen erwachsenendidaktischen Debatten vielfach noch übersehen. Die Fragen nach der Förderung und Entwicklung der emotionalen Kompetenz bleiben weitgehend ausgeklammert. Die allermeisten Erwachsebnenbildungsansätze leben implizit von der Vorstellung, die Ermöglichung von Suchbewegungen und selbsttätiger Aneignung durch die Lernenden werde auch wie von selbst peu a peu deren Ich-Kräfte und ihr Selbstwirksamkeitserleben nachhaltig stärken. Diese Erwartung ist m. E. nur sehr begrenzt zutreffend. Zumindest beeinträchtigen das – oft bloß befürchtete – Kränkungserleben sowie der gelernte Umgang mit Angstzumutungen die Herausbildung einer wirklichen Emotionalität der Selbstwirksamkeit. Doch ohne sie reifen lernmisstrauische Menschen heran, deren Befürchtung sich nicht nur auf die ihnen begegnenden Lernangebote richtet, sondern – was noch viel grundlegender ist – auf sich selbst und die eigene Fähigkeit der Lerngestaltung. Ein erfolgreicher Lernkulturwandel benötigt deshalb erwachsenendidaktische Konzepte, die stets beide Dimensionen im Blick haben. In diesem Sinne weisen Anke Grotlüschen und Henning Pätzold darauf hin, dass „das Lernen über Gefühle nicht allein in einzelnen, speziellen Lernangeboten kanalisiert werden kann" (Grotlüschen/Pätzold 2020, S. 50). Vielmehr sei

„[…] ein souveräner Umgang hiermit unmittelbar in der Situation gefragt. Einen Weg kann das Thematisieren der Emotionen als legitime, aber nicht unbedingt ‚richtige' Bewertung einer Situation darstellen – etwa die Frage danach, was für ein Gefühl mit ‚es satthaben' genau gemeint ist, und was mögliche Quellen dafür sein könnten" (ebd.).

Was bedeuten diese Überlegungen für die Einbeziehung der Neuen Medien in die Neugestaltung der Lehr-Lern-Prozesse in der Erwachsenenbildung? Hierbei gilt zunächst: Die spezifischen Hinweise sind die allgemeinen. Die Neuen Medien verfügen zwar über spezifische Möglichkeiten der Inszenierung von Lernwirklichkeiten und über komfortable, zeitsouveräne sowie individualisierte Formen des Zugangs und der Nutzung, doch folgt die Aneignung durch das Subjekt auch im Umgang mit den medialen Wirklichkeiten den beschriebenen Wechselwirkungen zwischen der *Emotionalität der Selbstwirksamkeit* einerseits und dem *ermöglichungsdidaktischen Arrangement von Gelegenheiten* andererseits. Die Neuen Medien erleichtern nicht per se die Aneignung des Subjekts, es scheint vielmehr im Gegenteil so zu sein, dass mit ihnen auch die Gefahr gegeben ist, einem medialen Lernangebot in konsumtiver Haltung zu begegnen. Gleichwohl gehören die Neuen Medien längst zur modernen Lebenswelt, und gerade im Spiele- wie auch Internetbereich wird den Nutzern mehr Aktivität abgefordert, als es unser vom Fernsehen geprägtes Bild erwartet. Aus diesem Grund kann die Didaktik auch nicht so tun, als bleibe mit den Neuen Medien nur alles beim Alten. Es kommt vielmehr darauf an, die spezifischen Möglichkeiten, welche die neuen Technologien nicht per se, sondern mit Blick auf die geschilderten Maßgaben eines selbstgesteuerten und nachhaltigen Lernens aufweisen, so in multimedialen Lernwelten zu nutzen, dass ihre möglichen Nachteile nicht zur Wirkung kommen.

Als grobes Orientierungsraster kann dabei das Akronym PAUSE dienen, das sich aus folgenden Aspekten zusammensetzt:

Prozesshaftigkeit

Nachhaltiges Lernen Erwachsener bedarf einer Aneignungslogik, die der Logik des Lebendigen folgt. Nicht Produkte, die übernommen, sondern Prozesse (z.B. Problemlösungen), die erprobt, gestaltet und geübt werden, sind das Kennzeichen gelingender Kompetenzentwicklung. Neue Medien bieten hierfür zahlreiche Möglichkeiten für ein Lernen an Aufträgen oder Fallstudien, aber auch für eine vernetzte Kooperation in Professional Learning Communities.

Authentizität

Das Gefühl der Authentizität entsteht aus der Wiedererkennung durch den Lernenden. Diese Feststellung beinhaltet zunächst für die Situierung oder Situierbarkeit des Lernens grundlegende Konsequenzen: Der Lernende muss Gelegenheit haben, die Erklärungsansätze, Instrumente o.ä., die ihm im Lehrangebot begegnen, mit seinem eigenen Praxiserleben in Verbindung bringen zu können. Aus diesem Grunde kommt der Fallorientierung eine grundlegende Bedeutung für nachhaltige Bildungsprozesse zu.

Doch auch für die emotionale Dimension sind mit der Wiedererkennungsdimension des Lernens grundlegende Folgerungen verknüpft, die das nachhaltige Lernen nicht nur erleichtern. So erkennt der Lernende auch Überforderungs- und Beanspruchungs- oder Entfremdungserfahrungen in einem gegebenen Lernsetting wieder, und bisweilen stellt sich sein kognitiv-emotionaler Apparat gerade dann auf Lernen ein, wenn die vertrauten negativen Gefühle ihm dies signalisieren. Es bedarf einer allmählichen Entwicklung anderer Lerngefühle, bis solche Kontaminierungen durch zurückliegende Lernkontexte wirksam überwunden sind.

Unmittelbarkeit

Lehren und Lernen sind zwei Systeme, die erfahrungsgemäß unmittelbar aufeinander bezogen zu sein scheinen. Erst allmählich verbreitet sich in der konstruktivistischen Lehr-Lern-Forschung ein Verständnis von der Abgekoppeltheit beider Systeme. Diese Einsichten haben auch Auswirkungen auf das Bild von der (vermeintlichen) Unmittelbarkeit der Koevolution beider Systemkontexte. Lehren und Lernen sind jeweils bloß nach ihren eigenen Maßgaben aufeinander bezogen und somit nicht aufeinander bezogen. Lehren kann deshalb nur Erfahrungsräume für selbstgesteuertes Lernen bereitstellen. Dies ist der Ausgangspunkt einer wahren pädagogischen Professionalität, es ist aber auch der Ausgangspunkt für die Nutzung der Neuen Medien für nachhaltige Lernprozesse.

Selbststeuerung

Selbstgesteuertes Lernen setzt einen strategischen Bezug zum eigenen Lernen voraus. Dafür müssen die Lernenden lernen, eine Beobachterposition gegenüber ihren eigenen Lernprozessen einzunehmen, und über lernmethodisches Know-how verfügen. Dieses entwickelt sich in selbstreflexiven Lernprozessen, in denen die eigenen Aneignungswege reflektiert und die Ergebnisse der Bearbeitungen lernmethodisch analysiert werden können. Solche selbstgesteuerten Lernbewegungen können durch E-Coaching angeregt und begleitet werden, was selbst auch für tiefenwirksame Lernprozesse, die etwas mit dem Selbstkonzept zu tun haben, gilt, wie Studien zeigen (vgl. Trager/Wilbers 2008).

Erleben

Nachhaltiges Lernen ist ein tiefenwirksames Lernen. Nachhaltige Kompetenzerweiterung oder -veränderung sowie die Entwicklung von Haltungen sind dabei ohne eine emotionale Rekonstellierung prägender Ursprungslagen jedoch nicht wirklich erreichbar, wie uns auch die Ergebnisse der Hirnforschung nahelegen (vgl. Roth 2007, 2021). Es scheint viel dafür zu sprechen, dass solche Rekonstellierungen ohne eine beratende Präsenz im Sinne eines empathischen Gegenübers nicht wirklich bewerkstelligt werden können. Gleichwohl kann E-Coaching auch in solchen Settings eine begleitende Funktion übernehmen, indem es dem Klienten Möglichkeiten der angeleiteten Erprobung neuer Beurteilungs- und Verhaltensweisen zur Verfügung stellt, deren Evaluation aber immer wieder auch der Besprechung und des gemeinsamen Durchspürens in der personalen Begegnung bedarf.

6.7 Die Erwachsenendidaktik eines mediengestützten, emotionssensiblen Lernens

Emotionalität und die Nutzung Neuer Medien in Prozessen der Kompetenzentwicklung sind nur auf den ersten Blick ungleiche Partner. Die naheliegende Vorstellung, dass die Nähe und Unmittelbarkeit des emotionalen Ausdrucks nur über die Nähe und Zuwendung in der Begegnung lernwirksam genutzt werden können, hält einer genaueren Betrachtung nicht stand. Hier verstellen eingefleischte lernkulturelle Prägungen dem Betrachter einen Zugang zu den eigentlichen Potenzialen eines E-Learnings und E-Coachings für kompetenztransformierende Lernprozesse (vgl. Arnold/Lermen/Haberer 2017).

Es sind insbesondere drei Überlegungen, die uns zu neuen Formen einer multimedialen Inszenierung von Aneignungsmöglichkeiten für die Lernenden in der Weiterbildung führen, die auch den Einsichten in die grundlegende Bedeutung des Emotionalen für das Lernen und die Veränderung Erwachsener Rechnung zu tragen vermögen:

(1) Prüfe die didaktische Valenz der gewählten Inszenierung!

Präsenzlehre (z. B. Unterricht) ist in erster Linie eine Distribuierungstechnik, deren historische Wurzeln weit in die Zeit vor Gutenberg zurückreichen. Damals war es das Vorlesen, mit dem das Wissen – zudem in einem quasi sakralen Akt – „verteilt" wurde. Es gab keine andere Form der Distribuierung, weshalb die mündliche Überlieferung sich zur universalen Distribuierungsform entwickeln konnte. Bereits durch die Verbreitung von Büchern und erst recht durch die schier erdrückende Verfügbarkeit vielfältiger Wissensquellen ist die Monopolstellung dieser Distribuierungsform von der Sache her überflüssig geworden und konnte sich nur halten, weil das Unterrichten in dieser überlieferten Form unser Bild vom Zusammenwirken von Lehren und Lernen nach wie vor dominant prägt.

Eine didaktische Valenzprüfung fragt nach dem empirisch nachweisbaren Wert (bzw. der Wertigkeit) eines didaktisch-methodischen Settings für die Entwicklung bestimmter Kompetenzarten. Dabei kann von der Einsicht ausgegangen werden, dass die Herausbildung von selbstgesteuerten sowie sozialen und emotionalen Handlungskompetenzen dann wahrscheinlicher wird, wenn die Logik der Aneignung bereits Elemente der Situationen aufweist, in denen sich im späteren Leben die Anwendung der angestrebten Kompetenzen zeigen wird. Schlüsselqualifikationen sowie „individuelle Regulationskompetenz" – wie es im ersten nationalen Bildungsbericht für Deutschland heißt – können somit nicht in Kulturen einer fremdbestimmten Führung oder gar Totaldisziplinierung (vgl. Arnold 2007) entstehen.

Aus diesem Grunde gewinnen kompetenzdidaktisch alle Formen einer Abholdistribuierung des Neuen an Bedeutung. Zu erwähnen sind der Einsatz von Selbstlernmaterialien, wie wir sie bereits bei Maria Montessori finden, Formen des angeleiteten Selbststudiums oder des Fernstudiums sowie auch E-Learning-Arrangements. Diese Formen setzen bewusst auf die Aneignungskompetenz der Lernenden, für die natürlich in den vorbereitenden Bildungsmaßnahmen etwas getan werden muss – und sei es nur, dass ausreichend Raum für Selbstlernbewegungen sowie Übung und kooperative Erprobung eingeräumt wird. Die selbstgesteuerte Aneignung „lebt" somit von einem lernkulturellen Wandel, der das selbstaktive Subjekt nicht nur anstrebt, sondern als Akteur seines Lernprozesses konzeptionell und bildungspraktisch bereits voraussetzt.

(2) Lernen ist auch emotionale Rekonstellierung bzw. eine innenweltorientierte Bewegung. Deshalb rekonstelliere Selbstwirksamkeitserleben!

Die vorherrschenden Lernkulturen sind vielfach noch Kulturen der unnötigen, aber ritualisierten Entmündigung oder bisweilen gar Kränkung der Lernenden. In ihnen werden auch emotionale Lagen der Hilflosigkeit erlebt und beständig rekonstelliert. Nicht von ungefähr ist die Angst die am gründlichsten untersuchte Emotion in Lehr-Lern-Kontexten. Die emotionale Basis des Selbstwirksamkeitserlebens ist demgegenüber noch vergleichsweise wenig erforscht. Ähnliches gilt für die emotionale Basis der Ressourcenorientierung. Es ist die emotionale Gewissheit des Subjekts, mit den eigenen zur Verfügung stehenden Kompetenzen mögliche Anforderungen erfolgreich bewältigen zu können, von der es letztlich abhängt, was sich der Einzelne zutraut und in welcher Weise er darauf vertraut, durch Lernen seine Kompetenzen beständig den Wandlungen anpassen zu können. Es spricht viel dafür, dass diese emotionale Grundausstattung bereits früh in den Bindungserfahrungen des Subjekts angebahnt oder eben versäumt wurde. Eine Nachreifung zum emotionalen Selbstwirksamkeitserleben scheint – allem pädagogischen Optimismus zum Trotz – nur eingeschränkt möglich zu sein und erfordert spezifische emotionale Rahmungen des Lehr-Lern-Prozesses. Diese emotionale Rahmung hat etwas mit der Individualisierung des Beratungskontakts zum Lernenden sowie mit der Regelmäßigkeit und Konstruktivität des Feedbacks zu tun. Hierbei können z. B. der Einsatz von Teletutoren oder virtuelle Coachingformen wichtige Funktionen übernehmen, vorausgesetzt, diese Begleitkomponenten folgen einem auch emotionspädagogisch begründeten Ansatz und nicht nur einem technologisch möglichen Design.

(3) Nutze die Komfortabilität und die virtuellen Vernetzungsmöglichkeiten!

Die Nutzung virtueller Lernmöglichkeiten geht bereits heute mit einem grundlegenden Wandel der Lernkulturen einher. Die Lehre wird – insbesondere an den Universitäten und Hochschulen – komfortabler, transparenter und dadurch auch öffentlicher. Studierende werden von der Aufgabe der Mitschrift weitgehend entlastet, da die wesentlichen Texte, Abbildungen sowie Ergänzungs- und Vertiefungsmaterialien für sie über das Netz leicht zugänglich sind. Auch das Studieren ohne oder mit nur vereinzelter Präsenz wird so möglich, während die Begegnung mit dem Lehrenden sich neu und anders legitimieren muss. Lehrende werden dadurch möglicherweise wieder zugänglicher für die Studierenden; sie regeln ihre Distribuierung des Wissens neu und stehen als Ressourcepersons (Fachbegriff zu Bezeichnung ressourcenstärkender Begleitungen), Berater und Mentoren zur Verfügung.

Grundlegender sind die Veränderungen, die sich aus der Vernetzung der Angebote verschiedener Anbieter (z. B. Hochschulen) ergeben. Lernende sind so nicht allein dem institutionell „zufälligen“ Angebot z. B. einer Hochschule oder eines Hochschullehrenden „ausgeliefert“, sie können vielmehr die in der Regel spezialisiertere Kompetenz der Lehrenden anderer Hochschulen zu ihrem eigenen Curriculum „zuschalten“ und so ihr Studium optimieren oder auch in den Bereichen spezialisieren, in denen ihre Heimatuniversität nur ein marginales oder gar kein Angebot bereithält. Im Kontext solcher Vernetzung wandelt sich auch die Rolle der Lehrenden an Hochschulen. Sie sind zwar nach wie vor selbst in einem eigenen Schwerpunktbereich in der Forschung und eigenen Publikationen ausgewiesene Wissenschaftler, sie verantworten jedoch zugleich ein Netzwerk kompetenter Kolleginnen und Kollegen anderer Hochschulen, sorgen für die adäquate Studienplanung ihrer Studierenden und auch für die soziale Vernetzung sowie das Commitment zwischen den an unterschiedlichen Standorten wirkenden Akteuren.

7 Führen neu denken!

Das folgende Kapitel skizziert das Paradigma einer intransitiven Führungskräfteentwicklung zur selbsteinschließenden Professionalität. Diese geht davon aus, dass auch die Qualifizierung von Führungskräften es grundsätzlich mit der Gestaltung unverfügbarer Kontexte sowie Wechsel- sowie ungewollte Nebenwirkungen zu tun hat. Es geht ihr nicht darum, Gegenübersysteme (Individuen, Gruppen Organisationen) zu „bearbeiten", sondern vielmehr deren Selbstorganisation zu beobachten, zu verstehen und – z. B. durch die Eröffnung von Erfahrungsräumen – zu begleiten. Grundlage ist dafür eine „Bewusstseinskultur" (Metzinger 2013), die auch durch eine veränderte Führungspraxis gestaltet wird. Der Beitrag markiert die Kompetenzanforderungen an Führungskräfte und beleuchtet die Anforderungen und Möglichkeiten einer Gestaltung nachhaltiger Veränderungsprozesse (z. B. Selbstreflexion der eigenen Wahr*gebungs*-Routinen und „Selbsteinschließende Professionalität").

7.1 Führungskräftebildung als eine erwachsenenpädagogische Aufgabe

Verfolgt man aufmerksam die erwachsenenpädagogische Debatte um das Lernen sowie die Haltungs- und Persönlichkeitsbildung Erwachsener, so stößt man auf einen Wandel des forschenden Blickes, der nicht bloß epistemologisch die Beobachtungs- und Mustergebundenheit der eigenen Wirklichkeitskonstruktion der Forschenden in den Blick nimmt, sondern sich auch um eine Genealogie der verwendeten Begriffe bemüht. In diesem Sinne folgt u. a. Ortfried Schäffter einer „historischen Epistemologie", die sich darum bemüht, das Begriffliche von dem tatsächlich Gegebenen, an das unsere Erkenntnis nicht heranzureichen vermag, deutlich zu unterscheiden. Ihm geht es insbesondere um die Dekonstruktion der wesentlichen Denkfiguren des Forschungsdiskurses der Erwachsenenpädagogik. Er möchte zu einer blicköffnenden Re-Konstruktion dessen, worum es geht, vorzustoßen (vgl. Schäffter 2019).

Bei dieser Bewegung kommen unterschiedliche Brillen zum Einsatz, die den Gegenstand neu in den Fokus treten und bislang ausgeblendete Tiefenstrukturen sowie neue Aspekte in Erscheinung treten lassen können. Begriffe sind jedoch nicht allein Ausdruck eingespurter und überlieferter Deutungsmuster, sie können auch als verfremdende Konstrukte erfunden und zur Neuvermessung des Vertrauten und zur Erweiterung des Bewusstseins genutzt werden. Kritische Theorie und Konstruktivismus nutzen dieses Verfahren gleichermaßen, um Veränderungsperspektiven durch eine „negative Dialektik" (Adorno 1966) oder den tastenden „Gang in den Unterschied" (vgl. Arnold 2022) auszuloten und zu erproben – ein Vorgehen, das nicht nur zu einem erweiterten Verständnis, sondern auch zu neuen Formen einer inklusiven und sozial gerechteren Gestaltung von Kommunikation und Organisation führen kann.

Im Folgenden schließen wir uns diesem rekonstruktiven Vorgehen in dem Bemühen an, zugleich in Umrissen eine Praxistheorie führungspädagogischen Handelns zu skizzieren. Eine solche Theorie versteht sich als Werkzeug, wie es u. a. die Arbeiten von Foucault, aber auch neuerdings von Andreas Reckwitz und Hartmut Rosa nahelegen. Andreas Reckwitz schlägt explizit vor, mit Begriffen zu arbeiten, die nicht sogleich zu einem verdichteten Theoriesystem kombiniert werden, sondern viel stärker auf die „heuristische Fruchtbarkeit in der konkreten Analysesituation" (Reckwitz 2021, S. 46) zu setzen.

In diesem Sinne wird im Folgenden zunächst ein „intransitiver Blick" auf Führung und betriebliche Kooperation erprobt – gefolgt von praxisbezogenen Folgerungen für ein professionelles Führungshandeln im Sinne der Gestaltung einer veränderungsleitenden „Bewusstseinskultur" (Metzinger 2013). Dabei entsteht in Umrissen das Konzept einer bewusstseinspädagogischen Führungskräfteentwicklung, die eine grundlegende Voraussetzung für die Förderung und Verankerung des Inklusionsanliegens sowie einen nachhaltigen Umgang mit Diversität ermöglicht. Dabei geht es um die Entwicklung epistemologischer Lern- und Führungskulturen, deren Ausdrucksformen zumindest exkursorisch beschrieben und ausgelotet werden (vgl. Arnold / Schön 2021).

7.2 Der Fokus auf die betriebliche Selbstorganisation

Dieter Lenzen wies bereits früh in seiner Rezeption der Konzepte der Selbstorganisation bzw. Autopoiesis und der Emergenz darauf hin, dass jegliches pädagogische Handeln letztlich einem „zulassenden" Gestus zu folgen habe (vgl. Lenzen 1997). Was seiner Argumentation m. E. jedoch zum damaligen Zeitpunkt noch fehlte, war der mutige Schritt in ein intransitives Denken, wie es u. a. Werner Sesink in seiner Bildungstheorievorlesung an der TU Darmstadt skizziert hat. Sesink löst sich von dem vorherrschenden technischen Bildungsbegriff, in dem er einen „Bearbeitungsbegriff" erkennt (Sesink 2006, S. 17), und kontrastiert diesen mit einem Bildungsbegriff, der „eine Entwicklung aus eigener Kraft, die keine Wirkung einer transitiven Tätigkeit ist" (ebd., S. 18) meint. „Bildung" ist nicht Beeinflussung, sondern

„ein spontanes, aus eigenem Antrieb und eigener Dynamik sich vollziehendes oder ereignendes Geschehen; eben wie das Leben selbst, der es als Lebensäußerung zugehört wie das Atmen" (ebd.).

Solche Zwischenrufe wurden in der Pädagogik nach ihrer realistischen Wendung zur Erziehungswissenschaft (seit 1970) weitgehend übersehen. Zwar gab es bereits seit den 1990er Jahren vereinzelte Beiträge, die daran erinnerten, dass das geistige bzw. soziale Miteinander anderen als kausalen Wenn-Dann-Gesetzmäßigkeiten folge und sich der zielwirksamen Intervention entzöge, doch folgten Erziehungstheorie und Didaktik weiterhin unbeeindruckt und mehr oder weniger explizit dem Bemühen um pädagogische Technologien. Wie anders wäre es zu erklären, dass der von Luhmann und Schorr an die Adresse der Erziehungswissenschaften gerichtete Vorwurf eines „Technologiedefizits" (Luhmann/ Schorr 1979a;b) diese im Kern erschütterte und ihnen bis heute als Schreck in allen Gliedern sitzt. Nur vereinzelt wurde darauf hingewiesen, dass Niklas Luhmann und Eberhard Schorr einem groben und auch folgenreichen Irrtum aufsaßen, wenn sie glaubten, die Pädagogik dazu einladen zu müssen, sich nach dem Modell einer naturgesetzlichen Exaktheit sowie evidenzbasierten Berechenbarkeit, Bearbeitung und Wirkungskontrolle zu entwickeln.

Diese Einladung (ver)führt(e) die Bildungsforschung auf einen Holzweg: Empirische Bildungsforschung untersucht heute zumeist die Ausprägungen der nur über eine begriffliche Vorordnung in den Blick tretenden Wirkungszusammenhänge. Demgegenüber tastet die systemische Forschung (vgl. Ochs/Schweitzer 2012) bereits seit den 1990er Jahren nach neuen Formen einer Bestimmung und Abgrenzung von Systemen, wobei diese Suchbewegung durch Prozesse der Entgrenzung zusätzlich erschwert wird, da das System sich verflüssigt und sich den gewohnten Blicken entzieht, wenn die Grenzen im Feld verschwimmen.

Insbesondere kompetente und agile Unternehmen zeichnen sich weniger durch die Wahrung von Zuständigkeiten, Spezialisierung und Institutionalisierung aus (vgl. Arnold 2014; 2021). Sie verleihen vielmehr neuen Formen eines autonomeren und vernetzten Zusammenwirkens Ausdruck (vgl. Nold/ Michel 2016), die durch gegenseitige Unterstützung und Vertrauen, Feedback-Kultur, Bereitschaft zum Lebenslangen Lernen und fluide Rollen gekennzeichnet sind (vgl. Parker 2015). Führungsforschung sowie Führungspraxis benötigen gleichermaßen ein Paradigma, welches die bereits in der Subjekt-Objekt-Unterscheidung der transitiven Rede enthaltene Gestaltbarkeitsanmaßung hinter sich zu lassen und inklusive Formen des Umgangs mit Diversität zu nutzen vermag.

In der Weiterbildungsforschung wurden solche Entwicklungstendenzen lange Zeit übersehen, da man in zu starkem Maße einem Verständnis des Betrieblichen und Organisatorischen verhaftet blieb, welches die Annäherung des Ökonomischen (bzw. Kapitalistischen) an das Pädagogische für grundsätzlich undenkbar und mithin für unzulässig hielt, wie u. a. die teilweise hitzigen Debatten um die sog. *Konvergenzthese* eindrucksvoll zeigen. Es ging dabei letztlich um die Frage, ob in einem Kontext, dessen Funktionsmechanismus den Markt- und Gewinnkalkülen folgen *muss*, die Möglichkeiten eines – subjektorientierten – pädagogisch sinnvollen Handelns grundsätzlich ausgeschlossen sei oder nicht. Insbesondere der erwachsenenpädagogische Diskurs artikulierte sich dabei mehrheitlich als Protest (vgl. Kade 1999) – ein Stil, der nur begrenzt deutungsoffen ist und zu einem „Kampf um die Wirklichkeit" (vgl. Simon 2008) einlädt, der letztlich nicht entschieden werden kann.

Sowohl das Konzept der „Lernenden Organisation" als auch das der „erweiterten Qualifizierung" (Brater 2020) leiteten in der berufs- und erwachsenenpädagogischen Debatte einen Paradigmenbruch ein. Dabei entstanden Entwürfe einer Systemischen Berufs- und Erwachsenenbildung, die für einen ermöglichenden Umgang mit Lernprozessen plädierten und dessen Professionalisierung mit entsprechenden Ausbildungskonzepten für Lernbegleiterinnen und Lernbegleiter in Angriff nahmen (vgl. Arnold 2014; Arnold / Schön 2022 b). Den Hintergrund bildeten systemisch-konstruktivistische sowie – in letzter Zeit verstärkt unter dem Haltungsbegriff sich formierende (vgl. Parmentier 2019) – normative bzw. humanistische Argumentationen, die sowohl theoretisch als auch forschungsmethodologisch zu weitreichenden Neuansätzen führten (vgl. Rohr 2016). Diese waren auch von dem Bemühen getragen, sich der Konvergenzfrage in anderer Weise zu nähern. Ihre Empirie (Frage: „Lässt sich die Konvergenz im Außen empirisch belegen?") wurde stärker mit der phänomenologischen Reduktion und Selbstreflexion des in die Gegenstandsbetrachtung mitgebrachten Sinnes verknüpft (Frage: „Welche eigenen Vorurteile und Meinungen bezüglich Konvergenz oder Differenz spuren das eigene Forschen selbst ein, legen es fest und beschränken es?").

In ihrer 2011er Veröffentlichung markiert die Forschergruppe um Michael Brater mit einer Neuformulierung der Konvergenzthese wie weit sie sich selbst von den überlieferten Deutungsmustern zum betrieblichen Lernen bereits lösen konnte, indem sie – ganz im Sinne eines intransitiven Blicks von der Kompetenzdimension und nicht länger von der Intentionsdimension oder den Strukturmustern der betrieblichen Bildung her argumentieren:

„Im Zuge dieses Wandel verliert die Arbeit tendenziell ihre zweckrationale, zielorientierte Grundstruktur und nimmt mehr und mehr die Merkmale eines offenen, unbestimmten Prozesses an, bei dem die Arbeitenden die Ziele und angemessenen Wege des Arbeitens eher situativ im Prozess selbst herausfinden und bestimmen müssen. Die Arbeitswelt hat ›postmoderne‹ Züge angenommen" (Brater u. a. 2011, S. 75).

Diese Sicht der Dinge ist m. E. nichts anderes als der Ausdruck einer Gegenstanderschließung, die ihre Kategorien nicht aus der Tradition des Protestsystems schöpft und diese einer empirischen Klärung aussetzt, sondern ihre Annäherungen an die Logik des betrieblichen Lernens aus dessen innerer Potenzialität selbst ableitet – ein Vorgehen, welches mehr zutage zu fördern vermag als eine quasi-naturwissenschaftliche Faktenklärung (Motto: „Konvergenz oder nicht?") Angedeutet wurde diese Notwendigkeit einer anderen Herangehensweise bereits in der 1991 erstmals erschienenen „Betrieblichen Weiterbildung" (Arnold 1995), indem weder einseitig einer Koinzidenz (= Zusammenfallen) von pädagogischer und ökonomischer Vernunft, noch ihrer unüberwindbaren Differenz das Wort geredet wurde. Vielmehr wurde für eine *Differenzierung* der Betrachtung geworben, die darum weiß, dass

„solche Koinzidenz sicherlich noch nicht ›auf breiter Front‹ als empirische Realität in den Betrieben greifbar (ist), sie ist jedoch ansatzweise und damit keimhaft

in den betrieblichen Wandlungen angelegt, die es deshalb mitgestaltend zu nutzen und hinsichtlich ihrer pädagogischen Spielräume zu erweitern gilt" (ebd., S. 103).

In Anbetracht der „Gleichzeitigkeit der Ungleichzeitigkeit" der betriebspädagogischen Wirklichkeiten muss eine empirische Klärung der Konvergenzfrage unergiebig bleiben. Eine Dekonstruktion des oft noch durch transitive Kategorien kontaminierten Blicks auf die betriebliche Selbstorganisation bedarf nicht allein einer Befreiung von den Brillen aus dem Protestsystem, sondern auch einer selbstreflexiven sowie beobachtungstheoretisch durchdrungenen *Neu*fokussierung auf die Wirkungsweisen betrieblicher Führung und Kommunikation. Eine solche „systemische Bildungsforschung" (Arnold 2012) ist bislang erst in Ansätzen entwickelt. Sie würde nicht nur die Faktizität, sondern auch die Potenzialität des sich vollziehenden Wandels in den Blick nehmen. Dieser zeigt sich uns nämlich häufig überraschend anders als wir uns dies vorzustellen geneigt sind. Eine in diesem Sinne wirkungsbeobachtende Forschung löst sich von der Vorstellung des Sozialen als einer „trivialen Maschine" (sensu Heinz von Foerster); sie folgt vielmehr der Leithypothese der Bostoner Veränderungsforschung, dass „es nicht darum (geht), was die Vision ist, sondern was sie bewirkt" (Senge u.a. 2011, S. 365), und sie ermuntert und begleitet die Akteure bei der „Suche nach Energie und Commitment in ihrer eigenen Organisation" (ebd., S. 367 ff). Lehr- und Führungskräfte müssen deshalb weniger an ihrer Intervention „feilen", sondern ihre Fähigkeiten zur Gestaltung und Nutzung der Resonanz in sich selbst organisierenden Systemen perfektionieren. Wenn ihnen dies gelingt, können Konvergenzen zutage treten, die der protestkategorialen Suche bislang ebenso verborgen bleiben wie den zahlreichen empirischen Klärungen, die bloß abbilden, was ist, nichts das, was sein könnte.

7.3 Die selbsteinschließende Professionalität der Führung

Führen ist bloß ein Wort, noch nicht einmal ein Begriff. Um zu einem auch forschungstauglichen Begriff zu werden, benötigt man (den systemischen Beobachtertheorien zur Folge) einen Unterschied, d.h. eine „Leitdifferenz", mit deren Hilfe man dessen Abgrenzung und ausschließenden Gegensatz zu markieren vermag. In der Geschichte der pädagogischen Begriffsbildung war dieser Gegensatz zum transitiven Weltbild eines bestimmenden und vorgebenden Führens das „Wachsenlassen" bzw. die Selbstorganisation, deren gestaltende Kraft wohl erstmals bei Rousseau, später dann vehementer in der Reformpädagogik ausgelotet wurde. Diese Versuche kamen vielfach noch eher provinziell daher und waren von guten Wirkungsabsichten, von dem euphorischen Glauben an „das Gute" im Kind sowie von einer dem Protestsystem entstammenden gesellschaftstheoretischen Kritik an der charakterverbildenden Wirkung frühen Autoritätserlebens getragen (vgl. Adorno und Fromm); ihre Entwürfe erblühten kaum

„am harten Strahl der Theorie", wie dies Luhmann in den bereits erwähnten kritischen Kommentierungen zum „Technologiedefizit" wiederholt von den Erziehungswissenschaften einforderte.

Führung ist aber auch ein lange gemiedener Begriff der Diskussion um Personal- und Organisations- bzw. Unternehmensentwicklung – ein Sachverhalt, welcher auch sicherlich etwas mit dem historisch diskreditierten Begriffen Führung und Führer zu tun hat. Erst in den späten 1970er Jahren wurden z. B. in der Pädagogik allmählich auch internationale Beiträge zum Educational Leadership für den Bildungsbereich rezipiert, und es entstand eine eigenständige Schulentwicklungsforschung. Diese ist im deutschsprachigen Bereich in erster Linie mit den Ansätzen von Hans-Günther Rolf (Dortmund) verknüpft (vgl. Buchen/ Rolff 2006). In der Erwachsenenpädagogik dauerte es noch mehr als zwei Jahrzehnte bis man begann, sich differenzierter dem Thema Führung zu nähern. Heute gibt es eine eigene Kommission „Organisationspädagogik" der DGfE (vgl. Göhlich u.a. 2014), in welcher auch führungstheoretische Fragestellungen erörtert werden.

Nimmt man die Führungsdebatte seit den 1960er Jahren in den Blick, so lassen sich grob drei Phasen unterscheiden:

Phase 1 (1960–1980): Heroisches Mangement: In dieser Phase entstehen vor allem Verhaltens- und Tugendregeln für Führungskräfte. Nicht nur implizit ging man dabei von der Vorstellung aus, dass das Gelingen der Kooperation in Organisationen vornehmlich und in allererster Linie von den Führungskräften und deren sachgemäßer, aber auch entschlossener Gestaltung und Steuerung von Rahmenbedingungen und Abläufen abhängig sei – ein nicht vollständig falscher, aber doch noch unvollständiger Gedanke. Man dachte in dieser Phase bevorzugt in Zuständigkeiten und Organigrammen und erprobte Motivations- und Sanktionstechniken sowie Kennzahlsysteme.

Phase 2 (1980–2000): Organisationslernen: In dieser Phase wurden in stärkerem Maße Konzepte des Organizational Learning (des MIT u. a.) rezipiert, und man begann besser zu verstehen, dass das Gelingen von Führung in Organisationen letztlich davon abhänge, ob und inwieweit Führungskräfte dazu in der Lage sind, die organisationale bzw. betriebliche Selbstorganisation zu moderieren. Diese Phase radikalisierte gewissermaßen die frühen Einsichten industriesoziologischer Arbeiten, dass es die weichen Faktoren (the human relations) des Gesehenwerdens und der erlebten Wertschätzung seien, welche letztlich determinieren, ob und inwieweit Führungshandeln organisational wirksam werden kann oder nicht. In diese Phase fällt auch die zunehmende Bedeutung der Themen „Unternehmenskultur" und „Qualitätssicherung".

Phase 3 (2000–2020) (postheroisches Management): In dieser dritten Phase des Führungsdenkens wurde stärker auf die Persönlichkeit sowie die Haltung der Führungskräfte fokussiert, und man begann genauer zu erforschen, ob und inwieweit deren innere Bilder sowie biographisch verankerten Erfahrungen ihr aktuelles Führungshandeln bestimmen und auch eingrenzen. Führungskräfteentwicklung wird in dieser Phase stärker als ein „Inner Job" verstanden, bei dem es darum geht, die Selbstreflexion und auch Selbstrelativierung der verantwortlichen Akteure zu stärken, damit sie mehr und mehr in die Lage geraten, sich von der Vergangenheit zu lösen und „von der Zukunft her", d. h. von den Möglichkeiten aber auch disruptiver Neuerungen her, zu führen (Scharmer u. a. 2009) und Führung mehr und mehr als verteilte Funktion zu gestalten.

In allen drei Phasen wurden wichtige Aspekte des Gelingens von Führung in Organisationen in den Blick gerückt. Gleichzeitig löste man sich aber auch stärker von der impliziten Überschätzung der Führungskraft sowie der Möglichkeiten von Interventionen, indem man begann, Führung auf der Organisationsebene in ganzheitlicheren Kontexten und systemischen Wechselwirkungen neu zu denken – nämlich als eingebettet in Organisationen und die sozialen Stoffe, die diese zusammenhält, und auf der Ebene des Individuums als Ausdruck subjektiven Gewordensein, welches die Akteure mit je spezifischen inneren Strukturbesonderheiten ausstattet, ihre Welt zu sehen, zu gestalten und auszuhalten.

Führungskräfteentwicklung ist deshalb immer ein multidimensionaler Prozess, bei dem es um die Aneignung professioneller Kenntnisse und Fähigkeiten (Steuerungs- und Interventionswissen), aber auch um den Umgang mit anderen (soziale und Integrationskompetenzen) sowie um Selbst- und Gestaltungskompetenzen geht. Programme einer zeitgemäßen Vorbereitung auf die Führungsrolle bzw. auf den Umgang mit Führung sollten deshalb die Förderung einer kognitiven Professionalität (zur Gestaltung lernender Organisationen) ebenso zum Gegenstand haben, wie die Förderung einer emotionalen Reflexivität (durch Erleben und Transformation des Selbst). Mit ersterer lernen Führungskräfte, ihre Stellungnahme zur Welt sichtbar zu leben, während letztere sie dazu befähigt, ihre inneren Bilder zu reflektieren, diese zu transformieren und so ihre Stellungnahme zu sich integrierend leben zu können (vgl. Arnold 2014, S. 154).

Zur kognitiven Professionalität von Führungskräften zählen insbesondere Fähigkeiten wie

- fachliches Know-How anwenden oder nutzen zu können,
- das (jeweilige) Gegenüber würdigen zu können,
- glaubwürdig argumentieren zu können,
- den visionären Kontext erläutern und verlebendigen zu können
- alternative Vorschläge provozieren und prüfen zu können,
- Beteiligung gewährleisten zu können,
- mit Grenzen umgehen zu können,
- Kriterien des Erfolges festlegen und anwenden zu können sowie

– internes Ideenmanagement realisieren zu können.

Zur emotionalen Reflexivität von Führungskräfte zählen insbesondere Fähigkeiten wie:

– eigene emotionale Zumutungen vermeiden zu können,
– die Sorgen anderer wahrnehmen zu können,
– Anerkennung ausdrücken zu können,
– im Einklang mit den tiefen Fragen leben und führen zu können,
– verzeihen und loslassen zu können,
– Kritik nicht persönlich nehmen zu können,
– nachgeben und nachsetzen können sowie
– Energie ausdrücken und verbreiten können.

Der Erwerb dieser Führungskompetenzen kann in Coachings- und Seminarkontexte angeregt, ermöglicht und geübt werden. Dabei stehen weniger die professionellen Tools einer zeitgemäßen Modernisierung der Leadershipfunktionen im Vordergrund, als vielmehr das angeleitete und begleitete Bemühen, den eigenen Strukturbesonderheiten der Wahrnehmung auf den Grund zu gehen. Wahrnehmung bildet nämlich die äußeren Gegebenheiten (z. B. Anforderungen, Konflikte) nicht ab, sondern leuchtet diese mit den bereits in einer Person angelegten Erfahrungen aus. Um diesen Mechanismus der Wahrnehmung zu wissen und zu erkennen, dass dieser uns zumeist mehr mit uns selbst als mit den Strukturen und Potenzialen des jeweiligen Gegenübersystems in Verbindung bringt, ist die Kernbewegung einer selbsteinschließenden Professionalität von Führungskräften. Diese führt unweigerlich zu der Einsicht, dass wir auch nicht so bleiben müssen, wie wir haben werden können – so die Hinweise der „kontemplativen Wende", wie sie von Francisco Varela und einzelnen Vertretern der amerikanischen Debatte um die Personal- und Persönlichkeitsentwicklung angestrebt wird.

7.4 Folgerungen für eine Gestaltung von nachhaltigen Veränderungsprozessen

In den Vordergrund rücken in den selbstreflexiven und kontemplativen Konzepten einer selbsteinschließenden Führungskräfteentwicklung unübersehbar *die* Dimensionen einer Persönlichkeits- und Haltungsbildung, wie sie bereits in Anschluss an Wilhelm von Humboldt den materialen Bildungstheorien entgegengesetzt oder zumindest an die Seite gestellt wurden. Einer solchen *Persönlichkeitsbildung* geht es darum,

– die Ich-Kräfte zu ermutigen und zu stärken,
– die eigenen Potentiale auszuschöpfen,

- eine eigene Position zu formulieren und zu begründen, was das eigenen Leben für einen bedeutet, und
- die Fähigkeit zu verbessern, sich selbst zu bilden und sich selbständig lernend weiterzuentwickeln.

Einer solchen Bildung geht es nicht länger nur um die Ausstattung mit sicherem Wissen und Können, um den fachlichen Anforderungen der Zukunft gerecht werden zu können, sondern um die Förderung einer inneren Haltung, welche die eigenen Gewissheiten in Frage zu stellen vermag und sich beständig neu um sachgemäße und gangbare Lösungen zu bemühen weiß. Die Herausbildung solcher Fähigkeiten hat mehr mit den eigenen emotionalen Einspurungen der Menschen in ihren biographischen familiensystemischen Erfahrungen zu tun als mit den Inhalten von Ausbildungs- und Studienordnungen bzw. Lehrplan und Curriculum. In späteren Entwicklungsphasen können die biographischen Prägungen durch Selbstreflexion und begleitete Erprobung reflektiert werden. Dabei ist auch eine Nachsozialisation möglich, wobei allerdings eigene ursprüngliche Formen des Umgangs mit sich selbst und der Welt zum Teil modifiziert und erweitert werden können. Auf alle Fälle erfordert eine solche Haltungsbildung ein reflexives Lernen, das Suche und Selbsterkenntnis anregt, da beide letztlich auch die Art und Weise, wie mit Wissen umgegangen wird, subtil bestimmen.

So neigt derjenige, der die genannten Fähigkeiten nicht ausbilden konnte, oft mit einer höheren Wahrscheinlichkeit dazu, die Welt und die anderen Menschen „objektiv" zu beschreiben und zu versuchen, diese technisch beherrschen zu können. Demgegenüber begünstigt eine selbstreflexiv-kontemplative Bildung die Herausbildung eines Bewusstseins, welches in anderen – dem eigenen Eindruck entgegenlaufenden – Konzepten und Handlungsmustern auch einen Ausdruck einer menschlichen Suche zu sehen vermag.

Der erste Schritt einer epistemologisch ausgerichteten Führungskräftequalifizerung ist deshalb auf die reflexive Beschäftigung mit den eigenen Wahrnehmungsroutinen bezogen. Der Hinweis von Gunther Schmidt, dass es sich bei der Wahrnehmung eigentlich um eine Bewegung handele, die sich treffender als „Wahr*gebung*" beschreiben ließe (vgl. Schmidt 2007), verdeutlicht den selbstreflexiven Charakter dieses ersten Schritts, der mit den bereits in Abb. 14 dargestellten Fragen – zur selbsreflexiven Analyse der eigenen Wahrgebung im interpersonellen Kontakt (mit Vorgesetzten oder Mitarbeitern) – angestoßen werden kann.

Selbsteinschließende Professionals fragen in konkreten Handlungssituationen nicht danach, wer Recht hat; sie sind lediglich darum bemüht, die Muster des Umgangs mit sich selbst und der Welt bei sich und anderen zu erkennen, um die wechselseitige Anschlussfähigkeit zu verbessern. Sie sind deshalb Meister im Suchen, nicht im Finden. Sie taugen auch nicht für einen Streit um das Rechthaben. Vielmehr suchen sie stets in dem Bewusstsein des Sokrates, der sagte: „Ich weiß, dass ich *nicht* weiß“. Nur der vermeintlich Wissende erhofft sich von einem Mehr an Wissen eine Steigerung seiner Möglichkeiten, der Nichtwissende hingegen kennt die Skepsis gegenüber der versteifenden Wirkung seiner Gewissheiten, die ihn in eine Trance zu versetzen vermag, die ihn von weiterer Suche abhält und nicht nur die Gegenwart, sondern auch nicht selten die Zukunft verpassen lässt.

Persönlichkeitsbildung ist somit nicht bloß ein Wort, sondern ein Programm – und zwar eines, das es in sich hat. In ihm gewinnt die Vorstellung Ausdruck, dass der Mensch sich selbst auf den Weg machen kann, um zu dem werden, der oder die er sein kann (vgl. Arnold 2016). Diese Formulierung mag noch nebulös und auch ambitioniert klingen und mehr ein ständiges Bemühen als ein Gelingen beschreiben, sie rückt aber immerhin den Aspekt der Selbstbildung deutlicher in den Fokus – einer Bewegung, die von dem lebendigen Interesse getragen ist, zu erfahren, „wie die Welt aus anderen Augen aussieht“ und wie es gelingen kann, „das eigene Blickfeld auf diese Weise zu erweitern“ (Spaemann 1994/95, S. 34). Dieser Perspektivwechsel kann durch die bewusste Bewegung über die im Folgenden dargestellten Stufen mit drei Lernaufgaben angestoßen und geübt werden:

<table>
<tr><td colspan="3">→ → → → → → → → → → → →</td><td>Beobachtungs-Modus</td><td>Transformative Lernaufgabe/-frage</td></tr>
<tr><td colspan="2"></td><td rowspan="3">Dritte Stufe: Fremdreferenz („Zumutung“)</td><td>Wie lasse ich die Wahrnehmungen (Kritiken) an mich heran?</td><td>Wie kann ich die Deutungen und Gewissheiten anderer aushalten, wertschätzen und ihnen Rechnung tragen?</td></tr>
<tr><td></td><td rowspan="2">Zweite Stufe: Textreferenz („Einfädeln“)</td><td>Wie vermeide ich es, mich zu „ver-lesen“ und stattdessen „text-fokussiert“ vorzugehen?</td><td>Wie kann ich mich dem eigentlichen Gehalt eines Textes wirklich (= nicht selektiv) zuwenden?</td></tr>
<tr><td>Erste Stufe: Selbstreferenz („Authentizität“)</td><td>Wie beeinflussen meine eigenen Downloads (Deutungs- und Emotionsmuster) das, was ich sehe?</td><td>Wie kann ich die Wirkung meiner Downloads erkennen und „kontrollieren“?</td></tr>
<tr><td>„Ich fühle (mich vertraut), also bin ich!“</td><td>„Ich verstehe, also bin ich“</td><td>„Ich entspreche, also bin ich!“</td><td colspan="2">Stufen der Beobachtungstiefe, der (Selbst-) Reflexion und der Selbstveränderung</td></tr>
</table>

Abb. 16: Referenzen einer pädagogischen Beobachtertheorie (nach: Arnold/Siebert 2006, S. 71)

Diese bewusste Auslotung und Reflexion der eigenen Beobachtungsmodalitäten ist in der auf Inklusion und Diversityumgang bezogenen Praxis noch weitgehend untrainiert. Zwar stimmt es, dass selbstreflexive Theorien sowie das Wissen um die sprachgebundenen und konservativen, Dissonanzen vermeidenden Mechanismen unserer Wahrnehmung nicht erst kürzlich erarbeitet wurden, es stimmt aber ebenso, dass wir trotz der zahlreichen Hinweise der Sprachphilosophie sowie der Kognitions- und Hirn- sowie Meditationsforschung in unserem beruflichen und privaten Alltag meist überwiegend so tun, als hätten diese für unser eigenes Denken, Fühlen, Sprechen und Handeln keinerlei Bedeutung. Die Kunst, die durchschaubaren Mechanismen unserer Kognition und Emotion klug zu handhaben, ist noch nicht weit verbreitet. Diese Kunst kann uns aber dabei helfen, unsere biographischen Möglichkeiten mit *neuen* Begriffen und stärker *gelöst* von unseren Erfahrungen neu zu denken und zu erfahren. Der Erwerb dieser Kunst ist ein „Inside-Job" und erfordert Übung. Sich diese Übung zu widmen, kann uns zu neuen Formen der Reflexion führen, die den eigenen Mechanismen des Umgangs mit dem Lebendigen in uns selbst nachspürt – ein weiterer, erst in Ansätzen greifbarer Aspekt zukünftiger Bildung, Weiterbildung und Personalentwicklung. Diese wird Persönlichkeitsbildung in einem reflexiven sowie transformativen Sinne sein – ganz im Sinne der von Thomas Metzinger geforderten „Bewusstseinskultur". Metzinger schreibt:

„In der Pädagogik könnte rationale Bewusstseinsethik bedeuten, (…) ideologiefreie und säkularisierte Formen der Selbsterfahrung anzubieten – sozusagen unter dem Motto ›Wie gehe ich mit meinem eigenen Gehirn richtig um?‹ (…) Worum es geht, wäre ein ›neurophänomenologischer Werkzeugkasten‹ von Grundfertigkeiten. Die Instrumente in diesem Kasten würden einen Set von einfachen Bewusstseinstechniken bilden, der später einen Referenzrahmen schafft für das, was man eigentlich will, der es dem Schüler aber auch erlaubt, sich effektiv gegen Angriffe auf die eigene Gesundheit zu verteidigen – zum Beispiel aus dem Bereich, den ich den ›Informationsdschungel‹ genannt habe" (Metzinger 2013, S. 13).

Bereits in seinem Buch „Der Ego-Tunnel" breitete Metzinger die seinen Argumentationen zugrundeliegende Bewusstseinstheorie aus:

„Unser in der Evolution entstandener Typ von bewusstem Selbstmodell ist einzigartig und für das menschliche Gehirn spezifisch, und zwar deshalb, weil wir den Vorgang des Repräsentierens an sich noch einmal repräsentieren und uns dadurch selbst – wie Damasio sagen würde – ›im Akt des Wissens‹ ertappen können" (Metzinger 2009, S. 19)

Die Erfahrung lehrt, dass bereits ein entschleunigter Umgang mit den eigenen Deutungsroutinen dieses „Sich-ertappenkönnen" anbahnt und wichtige Effekte im Sinne einer selbsteinschließenden Professionalisierung bewirken kann: Plötzlich werden die Akteure sich der Risiken und Nebenwirkungen ihrer Erfahrungen bewusst und sie erkennen, dass diese sie auch haben blind werden lassen – blind gegenüber dem, was sonst noch der Fall sein könnte beim Gegenüber, seinem Verhalten und seinen – oftmals ihm selbst auch aus dem Blick geratenen Potenzialen und Möglichkeiten.

Die Bemühungen um eine selbsteinschließende Professionalität sowie die Schaffung einer Bewusstseinskultur können nur gelingen, wenn sich die Pädagogik selbst stärker als eine *intransitive Wissenschaft* zu positionieren lernt – ein Anliegen, welches bereits bislang von verschiedenen Seiten her ausgelotet werden konnte und hier abschließend nochmals grob markiert werden Soll.

Das Intransitive ist das, was sich der Intervention und Vermittlung entzieht, im Intransitiven sind wir gleichzeitig Subjekt und Objekt der Veränderung – dies die Spur, welche eine systemische Veränderungstheorie, aber auch eine semiotische Grammatiktheorie zu legen vermag.

Wir können Bildung, Erziehung und Führung verändern, doch erfordert diese Veränderung eine Selbstveränderung, eine Veränderung unserer Beobachtungs- und Bezeichnungsroutinen, bei der wir uns von allem lösen, was nicht zu halten vermag, was wir uns von ihm versprechen. Dabei entsteht das Bild einer *Intransitiven Pädagogik*, die sich als *Lebenslauf- und Veränderungswissenschaft* versteht und mit Such- statt mit Findebegriffen zu Werke geht. Das Intransitive bezeichnet dabei einen Gegenstand, der sich – zu großen Teilen – ohne die Einwirkungen eines direkten Akteurs (z. B. Führungs- oder Lehrkraft) entwickelt – ein Sachverhalt dem durch die Schaffung entwicklungsförderlicher Kontexte Rechnung getragen werden kann.

Eine intransitive Haltung markiert zugleich auch eine professionelle Wertebasis, wie sie in den pädagogischen Texten der Vergangenheit bereits vielfach beschrieben wurde. Es geht dieser Wertebasis um eine schonende, schützende und öffnende Geste gegenüber dem Lebendigen, d. h. dem nach Neuem drängenden Denken, Fühlen und Handeln einzelner, aber auch von Gruppen und Gesellschaften. Dieser professionellen Wertorientierung ist alles Kontrollierende oder gar Disziplinierende fremd, denn es spürt, dass die Energien in Wahrheit von der Öffnung und dem Erleben, nicht von der Einschränkung und Eingrenzung ausgehen – dies die wohl grundlegendste Konsequenz eines „kybern-ethischen“ Denkens, wie es Heinz von Foerster anregte (von Foerster 1993).

Die grundlegende These ist in diesem Zusammenhang die These von der *Kraft einer angewandten Erkenntnistheorie.* Sie lautet:

Es sind die Mechanismen unseres Denkens, Deutens und Handelns, die wir erkennen und denen wir nicht weiter zur Verfügung stehen müssen, denn indem wir uns treu bleiben, sorgen wir dafür, dass unsere Zukunft so wird, wie unsere Vergangenheit gewesen ist – zumindest gehen wir mit den Lösungen zu Werke. Ein – systemisch – frisches pädagogisches Denken hingegen bemüht sich um eine Entschleunigung des Unterscheidens und

Bezeichnens, spürt den Festlegungen nach, die in unsere „einheimischen Begriffe" eingewebt sind und übt sich im intransitiven Umgang mit dem Vertrauten.

Dadurch kann das Vertraute in einen neuen Blick rücken und so in veränderter Weise auf uns wirken – dies ist die Art von Veränderung der Wirklichkeit, um die es in pädagogischen Kontexten immer wieder geht (vgl. Arnold 2023 b). Wir fokussieren dann z. B. nicht mehr die Lernbehinderung, sondern fragen uns, wie wir uns – und dem Gegenüber – eine solche konstruieren (vgl. Balgo 2005) und wie sich unser pädagogisches Bescheidwissen in dem ausdrückt, womit wir uns konfrontiert sehen (z. B. „schwierigen" Mitarbeitern oder illoyalem Verhalten). Indem wir uns bei diesem wirkmächtigen Blicken selbst auf die Schliche kommen, öffnen wir auch allmählich die Türen für eine neue Praxis. Dieser Prozess kann durch ein „frisches Denken" (Arnold 2023 b) sowie ein gezieltes, Erwartungen enttäuschendes „Irritationslernen" (vgl. Arnold 2011 a) angebahnt werden, welches zunächst aus der eigenen Gewissheitsfalle befreit, um dadurch auch den Weg dafür zu bahnen, dass eine andere Wirklichkeit in Erscheinung treten kann.

8 Erziehung neu denken

Eltern, Erzieherinnen und Erzieher sowie Lehrkräfte fühlen sich oft allein gelassen, überfordert oder unter Rechtfertigungsdruck. Sie sehen sich hohen Erwartungen von Politik und Öffentlichkeit ausgesetzt. Diese fordern von ihnen „Mehr Mut zur Erziehung!“ oder warnen gar vor einem „Erziehungsnotstand“. Häufig wird deutlich zur Entschiedenheit und Klarheit aufgerufen. Auch ein „Lob der Disziplin“ ist im Angebot der Erziehungsratgeber. Dem interessierten Leser solcher Appelle wird dadurch der Eindruck vermittelt, es ginge letztlich nur darum, dass die Verantwortlichen endlich ihrer Verantwortung nachkommen sollten – alles andere ergäbe sich ganz von selbst: „Reißt Euch gefälligst am Riemen! Und: „Schluss mit dem Schlendrian in den Kinderzimmern und Klassenzimmern“ – so lauten die Parolen. Selten finden Eltern, Erzieherinnen und Erzieher sowie Lehrkräfte eine Anerkennung ihrer täglichen Bemühungen. Und kaum werden die nachdenklicheren Stimmen vernommen, die uns zu verstehen geben: „Erziehung war immer schon ein Thema!“ Und: „Sie ist noch niemals in der Menschheitsgeschichte wirklich so gelungen, wie man dies erwartet hat!“

8.1 Der erzieherische Bezug

Aus solchen nachdenklichen Feststellungen könnten alle, die mit ihrer Erziehung nicht mehr weiterwissen oder gar scheitern, viel Zuversicht schöpfen. Sie würden sich dann nicht mehr unter Erfolgsdruck fühlen, sondern könnten sich mit anderen austauschen und von ihren Niederlagen lernen. Dabei würde ihnen mehr und mehr bewusst werden, dass Erziehung zwar notwendig, in ihren Wirkungen aber nicht sicher kalkulierbar ist. Zu unterschiedlich sind die Kinder und Jugendlichen, und zu verschieden sind die Situationen, in denen sie leben. Dem provozierenden Verhalten eines Schülers können ganz unterschiedliche Motive zugrunde liegen. Es gibt deshalb auch keine einfachen Erziehungsregeln nach dem Motto: „Man nehme ...!“ Dies gilt für einfache Erziehungsprobleme ebenso, wie für extreme Situationen: Auch der gefährdete Jugendliche, der mit radikalen Weltanschauungen sympathisiert und zur Gewaltanwendung neigt, reagiert kaum auf deutliche Zurechtweisung oder drakonische Strafen. Und bekannt sind die eskalierenden Erziehungssituationen, die eher zu einer Verschlimmerung der Lage als zu deren Verbesserung führen.

Was tun, wenn die Gründe für Erziehungsprobleme vielfältig und die Wirkungen der üblichen Reaktionen oft unsicher sind? Eltern, Erzieherinnen und Erzieher sowie Lehrkräfte haben immer die Möglichkeit, aus Erziehungskonflikten auszusteigen, Eskalationsschleifen zu vermeiden und nach anderen Formen des Umgangs mit dem auffälligen Verhalten zu suchen.

Sind wir doch mal ehrlich: Wir wissen doch, zu was entschiedene oder gar wütende Klarstellungen in Wahrheit beim Gegenüber führen. Dieses fühlt sich im vertrauten Film und reagiert genauso, wie wir es gerade verändern möchten: durch innerliche Distanzierung, Sich-unverstanden-Fühlen und Abwendung. Nicht selten fühlen wir uns eine kurze Zeit lang gut, weil wir für Klarheit gesorgt haben, müssen aber enttäuscht beobachten, wie uns unser Kind, die Schülerin oder der Schüler für die wir verantwortlich sind, mehr und mehr entgleiten. Ungewollt und in bester Absicht haben wir wieder einmal gegen eine weitere Lektion einer wirksamen Erziehungspraxis verstoßen, die da lautet:

Handle stets so, dass Du mit dem Kind oder Jugendlichen in Beziehung bleibst.

Doch was bedeutet es, als Erziehungsverantwortlicher in Beziehung zu bleiben? Wissen und berücksichtigen wir in unserer Erziehung die Tatsache, dass wirkliche Beziehung nur in der Begegnung möglich ist? Begegnen wir den Kindern und Jugendlichen, für die wir Verantwortung tragen tatsächlich? Eine wirkliche Begegnung setzt voraus, dass ich das Gegenüber nicht bereits durch (m)eine Defizitbrille beobachte. Meist blicken wir durch unsere Erfahrungen auf sein Verhalten und interpretieren dieses unmittelbar. Wir reden dann von „schwierigen Schülern“, „Ungezogenheit“ oder „Auffälligkeit“ und treffen dadurch auch bereits Festlegungen. Um dies zu vermeiden, ist es hilfreich, mit den eigenen Erziehungsgrundsätzen auf eine Wanderschaft zu gehen:

Bei genauerer Betrachtung kann auch die Pädagogik nicht daran vorbei, dass die Liebe „ein sozialer Tatbestand mit unbestreitbarer Bedeutung“ (ebd.) für die Menschen ist, um deren Erziehung und Bildung sie sich erkennend und gestaltend bemüht. Zudem kennt die Pädagogik seit Johann Friedrich Pestalozzi (1746–1827) die Figur der „pädagogischen Liebe“. Diese bezeichnet den professionellen Kern jedes Erziehungshandelns, welches stets auch ein zugewandtes Bemühen darstellt, das Gegenüber (z. B. das Kind) entsprechend seiner eigenen inneren Möglichkeiten zu fördern. Pestalozzis Schüler Friedrich Fröbel (1782–1852) fasste diesen pädagogischen Kern in die prägnante Formulierung: „Erziehung ist Beispiel und Liebe, sonst nichts!“ Damit rückte für die Pädagogik eine Haltung der ErzieherInnen, Lehrkräfte und LernbegleiterInnen in den Blick, um deren – zeitgemäße – professionelle Ausformung sich Erziehungswissenschaft und Erziehungspraxis bis zum heutigen Tage bemühen.

Wichtige Meilensteine auf dem Weg zu einer pädagogischen Theorie der Liebe waren u. a. die Arbeiten aus dem Bereich der Humanistischen Psychologie und Pädagogik. Zu erwähnen sind insbesondere der Amerikaner Carl Rogers (1902–1987) sowie der Deutsche Erich Fromm (1900–1980). Beiden ging es um den Versuch, die Möglichkeiten des Menschseins auf der Basis einer liebenden Begleitung neu zu bestimmen. Im Zentrum beider stand die Frage nach dem Wachstum einer Person, einer Gruppe oder einer Gesellschaft. Für Carl Rogers ist die Sorge für dieses Wachstum die Fähigkeit, „Menschen mehr zu schätzen“.

Es ist diese Überwindung des Defizitsblicks auf das Gegenüber, welches am Anfang einer liebenden Beziehung steht, sei diese nun persönlich oder professionell. Auch für den Erzieher, die Lehrerin oder den Coach gilt, dass er sein Gegenüber in dieser Weise lieben muss, will er es wirklich beim Wachstum und der Entfaltung seiner eigenen Kräfte begleiten. Die Liebe beginnt somit mit dem bewussten Austritt aus dem Lamento (über das Gegenüber) und der Entwicklung eines Blickes, mit dem wir den Anderen wie einen Sonnenuntergang beobachten – ein schönes und kräftiges Bild, welches uns Carl Rogers hier hinterlassen hat (vgl. Rogers 2016, S. 30 ff).

Von diesem Wechsel der Perspektive profitiert eine kluge Beziehungsgestaltung. Der liebende Blick ist dabei nicht nur auf das Gegenüber gerichtet, sondern auf den Betrachter selbst, das Gegenüber und das neu entstehende Ganze. Dies heißt aber auch, dass Lieben eine offene Haltung ist, der jegliche Geste der Manipulation oder gar Erzwingung fremd ist – eine gerade für Erziehende oder Lehrende schwierige innere Bewegung, die man anstreben und lernen kann.

Es geht deshalb für Erziehende oder Lehrende zunächst um eine innere Bewegung, welche die eigene Perspektive auf Liebe und Beziehung sowie die „Gegenübersysteme" (Lernende, Kinder, Jugendliche etc.) ausrichtet und alternative Formen der Beziehungskommunikation und des Umgangs übt. Es geht dabei nicht darum, sich im Verstellen zu üben, wohl aber darum selbst vielfältiger zu werden.

Dafür ist es auch notwendig, dass Eltern und Lehrkräfte sich mit folgenden Erziehungsirrtümern auseinandersetzen:

- **Anpassung, Ordnung und Gehorsam müssen und können erzwungen werden!**

  Sicherlich: Man kann kurzfristig für „Ruhe im Karton" sorgen. Dass diese aber dazu führt, dass junge Menschen ihre Selbstdisziplin entwickeln und zur Selbständigkeit reifen können ist nicht zu erwarten. In einer zunehmend komplexen Welt jedoch, die auf die Selbstorganisationsfähigkeit der Arbeitnehmer und Staatsbürger setzt, entlässt die Anpassungspädagogik die Nachwachsenden unvorbereitet.

- **Erziehung muss ihre Werte bestimmt und selbstbewusst sowie erlebbar zum Ausdruck bringen und diese einfordern!**

  Das einzige, was an dieser Aussage stimmt, ist, dass Kinder und Jugendliche Werte erleben müssen, um ihnen zu folgen. Diese müssen ihnen aber nicht mit Entschiedenheit nahegebracht, sondern überzeugend vorgelebt werden. Grundlegend ist die Frage, ob Eltern, Erzieher und Lehrer selbst über Werte verfügen, denen sie ihr Leben widmen, oder nur diffus und nicht selten verärgert auf Störungen reagieren. Dabei wird jedoch eine wichtige Substanz der gelungenen Erziehung verschüttet: das wirkliche Interesse an dem Gegenüber und seiner tastenden Suche nach eigenen Formen des Verhaltens.

- **Erzieherische Gedankenlosigkeit oder ungerechtfertigte Dominanz sind ohne Risiken und Nebenwirkungen zu haben!**

  Da wir insbesondere in erzieherischen Stresslagen meist so reagieren, wie wir es selbst erlebt haben, kann sich der Schlendrian des Erzieherischen fortsetzen. Die Risiken und Nebenwirkungen einer solchen Gedankenlosigkeit sind jedoch verheerend. So wachsen über 80 % der Kinder und Jugendlichen ohne ein bezogenes Gegenüber heran und lernen, dass Spontanität, Kreativität und eigene Suche unwillkommen sind. Nicht selten verlieren diese Menschen den Kontakt zu sich selbst bereits in frühen Jahren.

8.2 Zwischen Technologiedefizit und Technologiehoffnung

Erziehungswissenschaft und Pädagogik haben es mit Zusammenhängen zu tun, die sich einer wirkungssicheren Intervention und wunschgemäßen Gestaltung weitgehend entziehen: Weder lässt sich eindeutig rekonstruieren, worauf das Verhalten eines Lernenden *vor* oder *nach* einer pädagogischen Erfahrung tatsächlich zurückzuführen ist, noch verfügen die pädagogischen Professionals tatsächlich über „Social Technologies“ (vgl. Derksen / Beaulieu 2011), mit deren Hilfe sie komplexe soziale Wirkungszusammenhänge in nachhaltiger Weise zielorientiert verändern können. Es gibt sie nicht, die Tabellenbücher oder professionelle Standardisierungen, an denen die Pädagogik die Qualität ihrer fachmännischen Problembearbeitung in einer universal gültigen Weise tatsächlich messen und beurteilen könnte, und auch die Erziehungswissenschaft verfügt nicht über eindeutige und unumstrittene Methodologien zur Messung, Gewichtung und Ausdeutung dessen, was tatsächlich der Fall ist – eine ärgerliche, doch gleichwohl unvermeidbare Gegebenheit, über die man klagen, oder mit der man professionell umgehen kann.

Die Klage gipfelte in den 1970er Jahren in dem Vorwurf eines „Technologiedefizits“ der Pädagogik, womit unüberhörbar eine Art Manko bzw. eine Rückständigkeit gegenüber einem möglichen, aber noch unerreichten technologischen Reifegrad markiert wurde – eine Defizitanalyse, die Anlass zur Sorge stiften sollte. In diesem Sinne skandalisierten der Soziologe Niklas Luhmann und der Erziehungswissenschaftler Karl-Eberhard Schorr in dem 1979 erschienenen gemeinsamen Buch „Reflexionsprobleme im Erziehungssystem“ (Luhmann / Schorr 1979 b) diesen Rückstand und sprachen von einem „Technologiedefizit“ der Pädagogik. Sie stellten fest:

„Der Begriff bezieht sich auf die operative Ebene eines Systems, auf der der Gegenstand seiner Tätigkeit durch geordnete Arbeitsprozesse in Richtung auf Ziele verändert wird. Die Technologie eines Systems ist die Gesamtheit der Regeln, nach denen dieser Veränderungsprozess abläuft, also zum Beispiel Schüler das lernen, was ihnen gelehrt wird“ (ebd., S. 118f).

Aus diesem „Technologiedefizit“ ergeben sich für eine erziehungswissenschaftliche Klärung spezifische Anforderungen im Hinblick auf die Bestimmung des Verhältnisses von Wissenschaft und Berufstätigkeit. Die dort vertretenen Konzepte kommen oftmals durchtränkt von vorbereitenden Anliegen und Wenn-dann-Hypothetisierungen daher. Vor diesem Hintergrund muss es nahezu zwangläufig als defizitär angesehen werden, dass angehende Lehrerinnen und Lehrer grundsätzlich nicht die Möglichkeit haben, zunächst in einem Labor zu testen, ob und inwieweit das, was sie gelernt haben ihnen in der eigenen Unterrichtspraxis hilft, oder zu erfahren, inwieweit sie selbst zum Lehrersein taugen. Sie treten vielmehr unvermittelt in die ganzheitliche Wirkungsdynamik der pädagogischen Felder ein – vorbereitet in Wenn-dann-Versprechungen, die an der rauen Wirkungskraft des situativ Faktischen häufig verdampfen (Wahl 1991). Doch handelt es sich bei dieser Gegebenheit wirklich um eine Rückständigkeit oder gar Nachlässigkeit von Erziehungswissenschaft und Pädagogik, oder kommt in ihr nicht vielmehr eine Eigentümlichkeit ihrer Praxis zum Ausdruck, die einer anderen als einer im herkömmlichen Sinne technologischen Professionalität bedarf? Denkbar wäre schließlich auch, dass der von Luhmann und Schorr verwendet Technologiebegriff höchst ungeeignet ist, um die Zweck-Mittelrelationen tatsächlich adäquat abzubilden, die im Umgang mit Subjekten oder anderen autopoietisch-komplexen Systemen eine Rolle zu spielen vermögen. Die Pädagogik hätte es dann nicht mit einem Technologiedefizit, wohl aber mit einem *Reflexionsdefizit* der frühen systemtheoretischen Anläufe zur Bestimmung des Erziehungssystems zu tun.

8.3 Jenseits der Wenn-dann-Gewissheiten

Bereits sehr früh hat Heinz-Elmar Tenorth darauf hingewiesen, dass das „Technologiedefizit“, welches von Niklas Luhmann und Karl-Eberhard Schorr konstatiert wird, möglicherweise gar keines ist – oder lediglich eines, welches mit einem zu engen Wirkungsbegriff einhergeht, den man eigentlich – auch aufgrund seiner unterkomplex linearen Ursachenzuschreibung – guten Gewissens gar nicht benutzen kann (vgl. Tenorth 1999). Seine Fokussierung auf punktuelle Zurechenbarkeiten von Intention und Wirkung greift viel zu kurz. Der Vorwurf des Technologiedefizits versucht die erziehungswissenschaftliche Reflexion zu einer Selbstkritik zu bewegen, die eigentlich nur zu teilen ist, wenn man die über Jahrhunderte profilierten pädagogischen Formen eines verstehenden Umgangs mit mehrfach kontingenten Gegebenheiten ausblendet. Es sind jedoch genau diese Errungenschaften der Tradition, die einen weiten Technologiebegriff implizieren, mit dessen – zu einer „überlieferten Masse von Regeln und Exempeln, Erfahrungen und Warnungen, Berichten von und Erinnerungen an Gelingen und Scheitern der pädagogischen Praxis“ (ebd.) verdichten – Hilfe Wirkungen „von innen heraus“ beobachtet, anerkannt, angeregt, begleitet gefördert werden können.

Dieser *weite Technologiebegriff* bezieht seine Bedeutung auch nicht vornehmlich und allein aus den Gütekriterien der empirischen Sozialforschung, welche sich als eine Art aufdeckende Forschung inszeniert – mit dem Anspruch objektiv gültiges Wissen zuverlässig zu ermitteln und einer wie auch immer gearteten gesellschaftlichen Praxis selbstlos bereitzustellen. Er ist vielmehr selbst Ausdruck und Ergebnis einer rekonstruierenden Forschung, die ihren Anspruch darauf beschränkt, „den Wirkungen der Verschränkung von Perspektiven nachzuspüren" (Arnold 2012, S. 128a). Einer solchen rekonstruierenden Forschung geht es

„(...) um die Nachzeichnung der subjektiven Motive und interaktiven Mechanismen, mit denen Menschen ihre Wirklichkeit gesellschaftlich konstruieren. Ihre Ergebnisse beanspruchen nicht ›wahr‹ im Sinne einer ›objektiven Gültigkeit‹ zu sein, sondern ›viabel‹ im Sinne der Brauchbarkeit für die Lebenspraxis der Menschen, die als Probanden oder Nutzer mit systemischer Forschung in Berührung kommen. Zentrales Gütekriterium ist deshalb die Nützlichkeit (›usability‹) für die Erreichung von Zwecken, über welche nur die Akteure selbst nach Maßgaben ihrer lebensweltlichen und emotionalen Plausibilität bestimmen können" (ebd.).

Im Lichte dieser Argumentation muss dem informierten Betrachter der Vorwurf eines Technologiedefizits an die Pädagogik selbst unterkomplex und auch rückschrittlich anmuten. Er vernebelt letztlich die historisch bereits seit der geisteswissenschaftlichen Pädagogik erreichten Einblicke in die rekursive Geschlossenheit der individuellen und gesellschaftlichen Lebensformungen, auf die der spätere Luhmann auch durchaus mit anderen Augen blickt, wenn er z. B. – „autologisch" – definiert:

„Der Lebenslauf selbst ist eine Komponente des Lebenslaufs. Er tritt in sich selbst ein und erzeugt sich selbst als einen Rahmen, dem er auf die eine oder andere Weise Rechnung zu tragen hat" (Luhmann 1997, S. 19).

An welcher Stelle kann in diese autopoietische – oder besser: „autologische" – Rekursivität eine von außen erreichbare Verlinkung des biographischen *Wenn* mit dem gesellschaftlichen *Dann* Einzug halten und Wirkung entfalten? Wenn die Veränderungsbewegung des Lernenden selbsterzeugt ist (und bleibt), dann gibt er diesen Wirkungsmechanismus auch nicht einfach deshalb auf, weil ein enger Technologiebegriff dies in dieser – verkürzenden – Weise zu denken anregt – ein Zurechnungsfehler der folgenreichen Art: Ihm verdanken sich letztlich fast alle erzieherischen und didaktischen Konzepte, bei denen es sich nahezu sämtlich um Input-Konzepte handelt, die die Wirksamkeit einer intentionalen pädagogischen Praxis unterstellen. Doch warten die mit diesen Unterstellungen ausgestatteten Professionals oft vergeblich auf die versprochenen Wirkungen, und wenn diese sich nicht einstellen, intensivieren oder optimieren sie ihren *Input* und warten weiter – meist vergeblich.

8.4 Jenseits der intentionalen Wirkung

Insbesondere in den neueren systemischen Debatten zur Frage der Wirksamkeit von Interventionen in komplexe Systeme (z.B. in der Familientherapie, der Organisationsberatung, der internationalen Zusammenarbeit) hat man schon vor Jahren begonnen, die Wirkungsfrage neu zu bestimmen. Dabei löste man sich von den linear-mechanistischen Vorstellungen mit Wenn-dann-Annahmen und näherte sich *prozessualen Verfahren* an, die nicht in erster Linie von einem „Wissen um das Gegenüber", sondern von einer nüchternen „Beobachtung des Verhaltens des Gegenübers" getragen werden. Zwar benötigen auch systemische Führungskräfte oder Berater Know-How über Abläufe sowie psychologische und soziologische Dimensionen des Geschehens, sie nutzen diese jedoch nicht als substanzielle Basis für ihre Steuerung. Ihre professionelle Bewegung folgt nicht einer „objektiven Erkenntnis" des Gegebenen und Möglichen, sondern eigenen Fähigkeiten zum „Er-Rechnen einer Realität", wie Fritz B. Simon diese Fähigkeiten im Anschluss an Heinz von Foerster beschreibt:

„Menschen sind nichttriviale Maschinen. Das gilt nicht nur für ihre Psyche, die sich im Laufe ihrer Geschichte verändert (d.h. vergangenheitsabhängig ist), sondern auch für ihren Körper. Dieser behält zwar viele Merkmale seiner Struktur, solange er lebt, aber auch er ist lernfähig. Das Gehirn verändert im Laufe der Lerngeschichte eines Individuums seine neuronalen Verknüpfungen, und das Immunsystem entwickelt Abwehrmechanismen gegenüber Erregern, mit denen es in Kontakt gekommen ist. All diese internen Veränderungen führen dazu, dass die Reaktionen des Organismus, der immer nur im Hier und Jetzt operiert, unvorhersehbar bleiben, was die Zukunft betrifft. Ob er eine Krankheit entwickelt oder nicht, ist – zumindest im Hinblick auf die meisten Krankheiten (d.h. nicht alle) – nicht gradlinig-kausal determiniert. Dasselbe gilt für die Verhaltensweisen, die ein Individuum zeigen wird. Auch sie sind nicht berechenbar, obwohl dankenswerterweise nur wenige Menschen ihre Nichttrivialität wirklich ausleben und sich so unberechenbar verhalten, wie sie eigentlich könnten" (Simon 2008, S. 40).

Ein wirksamer professioneller Umgang mit individuellen und sozialen Veränderungen kann deshalb auch nicht von außen, sondern lediglich von innen heraus erfolgen. Peter Senge u.a. folgen deshalb – wie bereits erwähnt – bei ihrer systemischen Veränderungsbegleitung deshalb der Leitmaxime „Es geht nicht darum, was die Vision ist, sondern was sie bewirkt" (Senge u.a. 2011, S. 365), und begleiten die Verantwortlichen bei der systematischen „Suche nach Energie und Commitment in Ihrer eigenen Organisation" (ebd., S. 367ff) – eine Anleitung zur beobachtenden „Errechnung" der jeweils spezifischen – inneren – Wirklichkeit des jeweiligen Gegenübersystems, die nur verspricht, was sie zu halten vermag und deshalb hält, was sie verspricht. Die Prozessverantwortlichen arbeiten dabei nur mit dem, worüber sie tatsächlich selbst verfügen können: ihre Beobachtung und ihre Kontextsteuerung durch Varietät und Diversität – ganz im Sinne von de Shazer, der vorschlug:

„Vielleicht sollten wir einen Wittgensteinschen Schritt machen und sagen, da wir über Kausalität nichts wissen können, könnten wir genauso gut so tun, als ob sie nicht existiere, und sehen, was passiert" (de Shazer 2006, S. 98).

Diese reflexive Bewegung ist dem Luhmannschen Technologievorwurf fremd. Im Grunde genommen entspringt dieser Vorwurf der restrealistischen Illusion der Erkennbarkeit und Zurechenbarkeit, die Luhmann nach seiner autopoietischen Wende seit 1984 selbst aufgegeben hat. Dies blieb in der Pädagogik und Erziehungswissenschaft weitgehend unbemerkt – außer bei Dieter Lenzen, der früh erkannte, dass die emergenten Wirkungsgefüge der pädagogischen Felder andere Begriffe und Konzepte nahelegen als die Input-Erwartungen, die mit den überlieferten Anliegen verbunden sind (vgl. Lenzen 1997). Aus dieser Öffnung in Richtung einer nichtlinearen Technologie im Sinne der Ermöglichungsdidaktik ergibt sich die These:

Die Pädagogik braucht Beobachtungsformen, Konzepte und Modelle, die nicht intentional fokussieren, sondern funktional bzw. – besser – relational. Selbst, wenn die Akteure selbst anderes glauben oder gar beabsichtigen, gilt: Pädagogische Technologien können keine externen, sondern bloß internen Zwecken dienen. Sie vermitteln nichts, sondern eröffnen Wege der Selbstbildung; und sie erzeugen auch nicht, sondern ermöglichen (Lernen, Kompetenzreifung etc.)

8.5 Pädagogische Technologien sind Selbsttechnologien

Während der Vorwurf des Technologiedefizits nicht nur von einem engen, sondern auch von einem linear-mechanistischen Wirkungsbegriff ausgeht, verweist das Konzept der „selbsteinschließenden Reflexion" (Varela u.a. 1992, S. 50) auch auf eine technologische Praxis, die durch eine doppelt reflexive Bewegung gekennzeichnet ist, die sowohl die Eigenbewegung des Gegenübersystems als auch die Selbstgebundenheit der eigenen Wahrnehmungs- und der eigenen Gestaltungspräferenzen, in dem, was man erkennt und tun zu können meint, berücksichtigen. In diesem Sinne spricht Michele Foucault von den „Techniken und Technologien des Selbstverhältnisses" (Foucault 2009b, S. 18), und er markiert damit ein Technologieverständnis, welches auch die neue Logik der Softwareentwicklung charakterisiert. Dieser geht es nicht mehr um die Bereitstellung von Modellen, Algorithmen und Methoden zur Bearbeitung einer kontrafaktisch gegebenen Problemstellung, sondern vielmehr um eine systematische Nutzung von Verfahren der Selbstbeobachtung und Selbstkritik bei der Technologieentwicklung und -nutzung.

Auch die Pädagogik als *die* Lebenslauf- und Veränderungswissenschaft moderner Gesellschaften kann Technologien entwickeln und bereitstellen: sogenannte Selbstreflexions-Tools, welche nicht versuchen, die Angesprochenen zum Objekt von Intervention und Beeinflussung zu machen, sondern vielmehr sie zu Eigenbewegungen anregen und ggf. anleiten.

Um mit solchen Selbstreflexionstools zu arbeiten, sollten Forscher und Begleiter gleichermaßen darum bemüht sein, an den Emergenzpunkten des Selbstausdrucks und der Selbstbewegung des Gegenübers anzusetzen, diese durch Irritations- oder Perturbationshandlungen im Sinne einer „emotionalen Labilisierung" (Arnold/Erpenbeck 2014) herauszufordern. Ob und in welcher Weise das Gegenüber diese Labilisierung auch tatsächlich zur Kompetenzreifung zu nutzen vermag, bleibt seiner eigenen autonomen Entscheidung vorbehalten, und es gibt keine wirkungssichere „Technologie", mit deren Hilfe das gewünschte Verhalten wirksam erzwungen und nachhaltig gewährleistet werden kann. Die reflexive Technologie arbeitet zwar mit Zweck-Mittel-Kalkülen, muss aber de-facto ohne sie auskommen; sie kann allenfalls relationieren, aber nicht bewirken, wie u.a. Ortfried Schäffter herausgearbeitet hat (vgl. Schäffter 2012).

Emergenzpunkte	
Eigensinn	Welche eigenen Erfahrungen, Erwartungen und inneren Möglichkeiten bestimmen im Gegenüber das, was ihm gelingen kann?
Methode	Welchen methodischen Zugang kann ich nutzen bzw. arrangieren, um dem Gegenüber Gelegenheiten zu geben, nach eigenen Maßgaben in Erscheinung zu treten?
Erschließen	Wie kann ich durch Fragen genau die Energien im Gegenüber ins Schwingen bringen, aus denen sich die Erfüllung der Anforderungen (z.B. Kompetenzbedarfe) ergeben kann?
Ressourcenorientierung	Wie kann ich die spezifischen Ressourcen des Gegenübers erkennen und zum Ausdruck kommen lassen, damit Potenziale wirksam werden und Talente reifen können?
Gestalten	Durch welche Arrangements, Interventionen und Begleitungen kann ich als Lehr- oder Führungskraft den Prozess tatsächlich gestalten bzw. fördern?
Entfalten	Welche eigene Zurückhaltung oder Persönlichkeitsentfaltung vermag das Vertrauen des Gegenübers in seine eigenen Kräfte zu stärken oder durch Vorbildwirkung anzuregen?
Nachhaltigkeit	Wie können die Rahmenbedingungen so gestaltet werden, dass sich die im Lernfeld erzielten Veränderungen auch in der beruflichen oder privaten Lebenswelt entwickeln?
Zertifizierung	Wie können die Kompetenzen des Gegenübers wertschätzend dokumentiert, zuverlässig eingeschätzt und weiterentwickelt werden?

Abb. 17: Emergenzpunkte pädagogischer Selbsttechnologien

Eine solche Auflösung der pädagogischen Technologiefrage im Konzept der Selbsttechnologie lässt auch das von Humboldt gestiftete Konzept der Bildungstheorie hinter sich, demzufolge jegliche Zweckorientierung des Lernens bildungstheoretisch ausgeschlossen und bildungspraktisch „anrüchig" sei. Demgegenüber basiert eine integrative Bildungstheorie – integrativ im Sinne der nachhaltigen Integration von Allgemein- und Berufsbildung – auf der Einsicht, dass der Zweck (des Lernens) zwar nicht die Mittel heilige, diese aber auch nicht verderbe – eine bildungstheoretisch öffnende Bewegung, die auch ein neues Verständnis von pädagogischer Technologie zu stiften vermag.

Pädagogische Professionalität findet ihren überzeugendsten Ausdruck im Einsatz von reflexiven Technologien, die keine Wenn-Dann-Gewissheiten garantieren, aber Menschen Räume zur Selbstreflexion, Klärung und Erweiterung ihrer eigenen Motive und Möglichkeiten des Denkens, Fühlens und Handelns zu öffnen vermögen. Solche Technologien sind somit Selbsttechnologien einer – durch Erkennen, Irritation oder auch Konfrontation angeregten – Persönlichkeitsentwicklung, die über Stufen erfolgt, deren Kompetenzausformungen entwicklungspsychologisch und professionstheoretisch präzise beschreibbar sind (vgl. Uhlmann u. a. 2014).

8.6 Wirksam und nachhaltig erziehen

Der Wortursprung gibt nicht her, wofür die mit dem Interventionsbegriff verbundenen Erwartungen stehen. Aus dem Lateinischen kommend meint der Begriff lediglich soviel wie „dazwischenkommen" bzw. „dazwischen gehen" oder „dazwischen treten", als soziale oder gar „pädagogische Intervention" wurde und wird dieser Begriff allerdings bereits deutlich wirkungsorientierter verwendet, wenn etwa Klaus Hurrelmann und Birgit Holler ihn als „Maßnahme zur Verbesserung der Handlungskompetenz von Personen" (Hurrelmann/ Holler-Vowitzki 1988, S. 81) definieren. Günter Schiepek verweist auf diese Zweckgerichtetheit von Interventionen und die mit ihnen einhergehende Wirkungsannahme:

„Unterstellt wird eine bestimmte Regelhaftigkeit zwischen Input (der Durchführung einer Intervention) und dem Output (dem Erzielen eines Effekts)" (Schiepek 2012, S. 188).

Und er definiert:

„Intervention ist ein Ereignis in der Umwelt des ›Systems‹ Patient, das in ihm einen Resonanzeffekt erzeugt. (…) Neben diesen Umweltereignissen können auch Dynamiken im Inneren des Systems zu Veränderungen von Kognitions-Emotions-Verhaltensmustern führen, auch wenn ihnen kein erkennbares Umweltereignis entspricht. Für diese spezielle Eigenaktivität gibt es meines Wissens noch keinen Begriff, aber es gibt eine aktuelle neurobiologische For-

schungsrichtung, die sich mit der Eigenaktivität des Gehirns ohne externe Einflüsse – dem default mode – befasst. Wenn nun das System, in das interveniert wurde, definiert, was eine manifeste (im Gegensatz zu einer vorher nur potenziellen) Intervention ist, welche Rolle spielen dann Interventionen noch in der Therapie?" (ebd., S. 190)

In den pädagogischen Debatten wurde bereits früh auf die Grenzen einer zweckrationalen Gestaltung von Erziehungs- und Bildungsprozessen sowie die prinzipielle Unvermeidbarkeit und sogar Notwendigkeit von Nebenwirkungen hingewiesen. Als ungelöst und wahrscheinlich auch unlösbar gilt bis zum heutigen Tag auch das sogenannte *Zurechnungsproblem*, weshalb wirkungsorientiertes Intervenieren ein Operieren im Modus des Unsicheren und Ungefähren ist und bleiben wird. Annäherungen an die Besonderheiten dieser Form professionellen Handelns werden als „reflektierte Improvisation" (Danner 2001) beschrieben, deren Evidenzbasierung probabilistisch optimiert, aber wohl nie im Sinne einer sicheren Verfügung über Wenn-Dann-Logiken gewährleistet werden kann (vgl. Wolf 2006).

Zu erwähnen ist in diesem Zusammenhang u. a. das frühe „Gesetz der ungewollten Nebenwirkungen" von Eduard Spranger (1882–1963), der bereits 1962 im Blick auf die Erziehung schrieb:

„Wir können planen, wollen, handeln; die Erfolge haben wir nicht in der Hand. Auf keinem Gebiet tritt dies so deutlich und enttäuschend zutage, wie auf dem der Erziehung" (Spranger 1962, S. 7).

Spranger ging es mit seinem Hinweis nicht darum, die Wirksamkeit von Erziehungsmaßnahmen generell in Abrede zu stellen, es war ihm vielmehr darum zu tun, naive Wirksamkeitsillusionen zu überwinden und dem Regelhafen der Nebenwirkungen nachzuspüren, um durch deren Berücksichtigung die Möglichkeit von Selbstbestimmung zu erweitern. Dabei verweist Spranger auf eine häufig übersehene, aber grundlegende Paradoxie des pädagogischen Wirkungsgefüges. Für ihn liegt „das Nicht-voraus-berechnen-Können im zentralen Wesen der Erziehung begründet" (ebd., S. 75) – ein nicht bloß für die pädagogische Interventionstheorie wichtiger Gedanke:

„Ist nämlich der Sinn der Erziehung das ›Selbständigmachen‹, so wäre jedes pädagogische Unternehmen geradezu gescheitert, wenn nicht unbewältigte Reste übrig blieben" (ebd.).

Dies bedeutet, dass jegliches lineare Interventionsdenken letztlich einem Wirksamkeitsideal folgt, welches die zu erreichende Selbständigkeit in ihrem Ansatz dementiert. Für Stefan Danner ist bei pädagogischen Interventionen „die Beziehung von Absicht und Wirkung anders gesetzt" (Danner 2001, S. 44). Er plädiert deshalb, wie bereits erwähnt, für eine „reflektierte Improvisation", da

„selbständiges Denken nicht durch einen bestimmten pädagogischen Kniff gleichsam technisch herstellbar (ist). Wäre Selbständigkeit technisch herstell-

bar, bedeutete dies, dass die Fähigkeit der Selbstbestimmung der Fremdbestimmung entspringen würde. Dies aber ist widersprüchlich: Etwas, das durch Fremdbestimmung produziert wäre, bliebe immer Fremdbestimmtes.

Stattdessen ist davon auszugehen, dass jegliche Pädagogik an die vielleicht noch schwach ausgeprägte, aber doch bereits vorhandene Fähigkeit zur Selbstbestimmung und Selbständigkeit anknüpft. Die Autonomie des Subjektes wird nicht pädagogisch-technisch angefertigt; vielmehr ist ein gewisses Maß an Autonomie von Anfang an vorhanden: Sie äußert sich in der Fähigkeit des Denkens.

Das bedeutet: Pädagogisches Handeln ist kein Herstellen von selbständigem Denken, sondern ein Ermöglichen seiner Weiterentwicklung. Pädagogisches Handeln ist kein Einmontieren von Methoden des selbständigen Denkens, sondern ein Hervorrufen der bereits vorhandenen Selbständigkeit. Und weil gerade für den Pädagogen die Weiterentwicklung der Selbständigkeit aller Beteiligten pädagogisch konstitutiv ist, ist für ihn zugleich das Unplanbare, das Überraschende pädagogisch konstitutiv. Kurz gesagt: Wer zur Selbständigkeit hin erzieht, provoziert ungewollte Nebenwirkungen – und zwar Nebenwirkungen, die von dem zunehmend autonom werdenden Zögling selbst herbeigeführt werden" (ebd. S. 44f).

Fasst man diese Reflexionen zu den Grenzen zweckrationalen Erziehungs- und Bildungshandelns zusammen, so muss man feststellen, dass die Nebenwirkungen nicht nur das Scheitern pädagogischer Interventionen dokumentieren, sondern sich paradoxerweise gleichzeitig gerade in diesem Scheitern Dynamiken artikulieren, aus denen sich das Gelingen von Erziehung und Bildung im Sinne eines „Selbst-Actus" (Humboldt) des Subjektes speist. Zwar kann man sicherlich trefflich darüber streiten, ob tatsächlich „etwas, das durch Fremdbestimmung produziert wäre, immer Fremdbestimmtes (bliebe)" (ebd.)[27], doch kann andererseits nicht übersehen werden dass es keinen anderen Weg zum selbstbestimmten Handeln gibt als die Erfahrung der Selbstbestimmung, denn „Selbstdisziplin erwirbt man durch Freiheit" (Arnold 2007, S. 74). Und deshalb gibt es nicht nur „ein Recht auf Diziplinlosigkeit" (ebd., S. 118), sondern auch eine Pflicht, wie sie Hannah Ahrendt mit dem Satz „Kein Mensch hat das Recht zu gehorchen" (Ahrendt/Fest o. J.) beschwor.

[27] Dieser Einschätzung liegt die traditionelle These von der grundsätzlichen Zweckfreiheit der Bildung zugrunde, wie sie für die klassischen Bildungstheorien im Anschluss an Wilhelm von Humboldt charakteristisch gewesen ist, aber als Ausgrenzungsthese gegenüber der beruflichen Bildung bis zum heutigen Tage fortwirkt: Die grundlegende Gegenthese gegen die Ideologie der zweckfreien Bildung hinterfragt die Relevanz des Zweckbezuges (›zweckfrei‹ versus ›zweckgebunden‹) und fragt demgegenüber nach der erlebten bzw. erlebbaren Lernkultur. Für sie ist der augenfällige Sachverhalt leitend, dass man in der – zweckfreien – Beschäftigung mit ›klassischen Inhalten‹ innerlich und äußerlich fremdbestimmt oder gar ›getäuscht‹ sich um Lernen bemühen kann, dabei aber immer nur die Erfahrung für sich sammelt, dass es auf einen selbst nicht ankäme und man auch nicht wirklich etwas aktiv beizutragen habe.

„Wirksamkeit (…) braucht Verstehen und Verständigung“ (Arnold 2007, S. 95) – so das Fazit einer Prüfung der systemischen Wirkungsbedingungen erzieherischer oder didaktischer Interventionen –, zu dem auch der an die Pädagogik adressierte Vorwurf eines „Technologiedefizits“ (Luhmann/Schorr 1979 a;b) nicht wirklich weiterführende Perspektiven enthält, nivelliert er doch die Unterschiede zwischen technisch-zweckrationaler und verstehend-gestaltender Professionalität und erliegt dadurch einem grundlegenden Missverständnis (vgl. Tenorth 1999).

Nimmt man die beschriebenen Wirkungsbedingungen des Pädagogischen in den Blick, so geht es einer Professionalisierung der pädagogischen Interventionsformen darum, wie es Arist von Schlippe und Jochen Schweitzer ausdrücken, „sensibel für die Möglichkeiten zu sein, die in dem jeweiligen System liegen“ (von Schlippe/Schweitzer 2009, S. 8). Dafür benötigt man *fragende Annäherungsweisen* an das jeweilige Gegenübersystem sowie Techniken einer professionellen Dekonstruktion persönlicher Beobachtungsvorlieben und Bewertungsroutinen. In den Worten von Arist von Schlippe und Jochen Schweitzer geht es darum, dass auch der Therapeut sich darin übt, eine „selbstreferente Position“ gegenüber den eigenen Interpretationen des berichteten und beobachteten Geschehens einzunehmen. Sie definieren:

„Selbstreferenz bedeutet hier, dass jemand sozusagen der eigene Beobachter werden kann und so über mehr Wahlmöglichkeiten verfügt, indem er oder sie ein Bewusstsein dafür entwickelt, selbst für den eigenen Anteil am Kommunikationsmuster, für die eigene Tradition der Geschichtenerzählung verantwortlich zu sein“ (ebd.).

Doch wie wird man zu einem selbstreflexiven Beobachter und sensiblen Begleiter pädagogischer Interventionen? Wie gelingt einem ein förderlicher Umgang mit den Eigendynamiken der als schwierig empfundenen Schüler und Mitarbeiter?

Ein erster Schritt ist die begriffliche Dekontaminierung. So gibt es nämlich Stimmen in den Sozialwissenschaften, die die Auffassung vertreten, dass es „Schwierigkeiten“ oder „Bosheiten“ gar nicht gibt und dass vielmehr auch die Täter in Wahrheit Opfer seien. Schließlich hätten Sie die schwierigen Verhältnisse, aus denen sie stammen, oder auch ihre besondere Veranlagung nicht freiwillig gewählt. Sie nehmen sich deshalb auch nicht nach nüchterner Prüfung vor, etwas „Böses“ zu tun, vielmehr sei ihr Handeln eine für Sie logische Form des Verhaltens, welches – wie wir selbst – in Konfliktlagen auf das zurückgreift, das man kennt. Es sei deshalb viel hilfreicher die Logik dieser „Täter“ bzw. „die Psychologie der Situation“ (Stahl 2024) zu verstehen, als zu bestrafen oder gar zu disziplinieren – unbeschadet der berechtigen Erwartung der Gesellschaft, gefährliches Verhalten einzelner zu kontrollieren und zu beenden.

Das systemische Denken neigt zum Verstehen des Verhaltens anderer Menschen (bzw. Systeme). Es erklärt, beschreibt und bewertet deshalb zurückhaltend und ist stets darum bemüht, nicht bloß eine, sondern mehrere Erklärungen zu prüfen und dabei Such- und nicht Findebegriffe zu verwenden.

Dies bedeutet: Systemisch intervenierenden pädagogischen Professionals ist bewusst, dass sie selbst die Quelle für das, was sie beobachten und für wahr halten, sind. Dies gilt auch bei den Fragen, bei denen sie sich ganz sicher zu sein scheinen, weil ihre jahrelange Erfahrung dafür Zeuge ist. In dieser Sicherheit beobachten sie jedoch nicht nur, sondern bewerten und beurteilen auch – oft mit großen Folgen für die anderen.

Mit der folgenden Selbsteinschätzung können Sie sich selbstkritisch unter die Lupe nehmen. Nutzen Sie die Gelegenheit, im „stillen Kämmerlein" zu prüfen, ob Sie eher nach links tendieren, also „findend" unterwegs sind, oder nach rechts tendieren und mehr suchen als schon zu wissen.

		eher Findebegriffe		Eher Suchbegriffe	
Selbst-Check: Finden Sie noch oder suchen Sie schon?		stimme voll zu	stimme eher zu	lehne eher ab	lehne ab
Sicherheit	Wenn ich zu einer Einschätzung gelangt bin, lasse ich keine grundlegenden Zweifel mehr zu				
Ungeduld	Ich halte mich ungern auf und handle rasch und entschlossen				
Coaching	Coaching zu benötigen, halte ich für einen Ausdruck mangelnder eigener Professionalität				
Hinterfragen	Sich selbst zu hinterfragen halte ich für weniger wichtig als eigene Standfestigkeit				
Erwartung	Ich erwarte, dass mein Gegenüber endlich auf meine Bemühungen reagiert				
Neu Waagen	Das Bewährte sollte beibehalten und nicht neu interpretiert und gestaltet werden.				
Steuern	Ich handle verantwortlich, wenn ich ohne Debatte die *notwendigen* Ziele verfolge				
Tasten	Es ist nicht meine Aufgabe, mich an die Themen und Möglichkeiten des Gegenübers heranzutasten				
Annähern	Zu große Nähe zum Gegenüber (Mitarbeiter, Lernender etc.) schadet mehr als sie nützt				
Tabuisieren	Es gibt bestimmte „Basics", Anforderungen und Regeln, über die ich nicht diskutiere				
Treffen	Kompromisse sind keine wirklichen Lösungen, wo es darum geht, vorgegebene Ziele zu erreichen				

Freiheit	Die Freiheit des Einzelnen findet dort ihre Grenzen, wo die Sachanforderung beginnt				
Innovation	Man muss nicht ständig nach Erneuerung streben, da zu viel Neues Unordnung stiften kann				
Nachdenken	Professionals habe es nicht nötig, ständig über sich selbst und das eigene Handeln nachzudenken				
Disziplin	Disziplin ist die allerwichtigste Basis für eine gelingende Kooperation und Zielerreichung				
Emotionen	Emotionen sind Privatsache; sie haben in der Arbeit/ beim Lernen eine nachrangige Bedeutung				
Narzissmus	Ich bin kein Narzisst, aber meine Verantwortung bringt es schon mit sich, dass ich im Zentrum stehe				

Abb. 18: Selbst-Check zum eigenen Begriffsgebrauch

Wenn die eigenen Begriffe erfolgreich dekonstruiert werden konnten, indem der mit ihnen verbundene Sinn in seiner Perspektivität und Vielfalt „als Intention des Autors, als determiniert durch Konventionen, als Erfahrung des Lesers" (Culler 1988, S. 146) relativiert wurde, stellt sich die Frage, wie Interventionen und die mit ihnen verbundene Wirkungsabsicht systemisch überhaupt begründbar, zulässig und möglich sind. Der Systemtheoretiker Helmut Willke (geb. 1945) untersuchte diese Frage bereits in den 1990er Jahren und gelangte zu Einschätzungen, die auch für die pädagogische Interventionsfrage anregend sind. So ist bei ihm zu lesen:

„Die zentrale integrative Problematik des Zusammenpassens funktional spezialisierter Teile verlangt Vorkehrungen für die Institutionalisierung von Heterogenität. Jeglicher Primat nur eines ›Verknüpfungsmechanismus‹ reduziert die Potentialität des Gesamtsystems. Unter der Prämisse, dass sich ein einzelner leitender Gesichtspunkt, der Primat einer einzelnen Teilsystemrationalität – sei dies Religion, Politik, Ökonomie oder auch Wissenschaft – nicht begründen und legitimieren lässt, bedeutet eine solche Reduktion nichts anderes als die Irrationalität des komplexen Ganzen. Der Zusammenhang von Zwecksetzung und Systemrationalität muss neu durchdacht werden, weil die herkömmlichen Zwecke auf die Stabilisierung der begrenzten Rationalität der Teilsysteme ausgerichtet sind, nicht aber auf die Bedingungen der Möglichkeit einer reflektierten Steuerung des Ganzen" (Willke 1993, S. 277).

Welche Konsequenzen ergeben sich aus dieser Einschätzung für eine pädagogische Interventionstheorie? Welcher Stellenwert kommt den professionellen Teilrationalitäten, von denen Willke spricht und von denen auch die Pädagogik eine ist, zu? Und: Begünstigt eine „Kontextsteuerung" (Willke 1989) tatsächlich die Verwirklichung pädagogischer Zwecke oder verhindert sie diese?

Es spricht einiges dafür, dass eine zeitgemäße Pädagogik sich nicht länger bloß von den Maßgaben ihrer Teilrationalität her begründen darf, sondern von den Wirkungen her, die sich in den beteiligten Kontexten einstellen. Diese Kontexte wirken entsprechend ihrer inneren Bedingungen und Möglichkeiten, nicht im direkten Reflex auf die an sie heran getragenen Interventionen – eine Infragestellung der in der Forschung verbreiteten „Wenn-dann-Annahmen", die auch die wissenschaftliche Forschung zu einem anderen erkennenden Umgang mir den Wirklichkeiten anzustiften vermag: Geht man davon aus, dass die uns umgebende natürliche und soziale Wirklichkeit nur zu unseren eigenen Bedingungen zu uns zu sprechen vermag, und geht man davon aus, dass unsere Konstruktionen der Wirklichkeit immer auch Ausdruck der in und durch uns wirksamen Teilrationalitäten ist, dann gibt es wenig Gründe, sich auf der Basis dieser prinzipiellen Ausschnitthaftigkeit um die Begründung und Gestaltung wirksamer Interventionen zu bemühen. Diese sind dazu verdammt, Entscheidendes zu übersehen oder verzerrt zu interpretieren – meist selbst in einer linear-mechanistischen Haltung gefangen, der zufolge das Ausbleiben der gewünschten Wirkungen in erster Linie mit der Unangemessenheit des Inputs zu tun hat. Die Konsequenz aus solchen linear-mechanistischen Kurzschlüssen ist stets dieselbe: *Man manipuliert die Stärke, Richtung und Dauer der Intervention, vermutend, dass mehr des Selben auch mehr der ersehnten Wirkungen zu erzielen vermag.*

Anders eine systemisch-konstruktivistisch informierte Interventionstheorie: Sie weiß um die Banalität der Wechselwirkungen zwischen vielfältigen Teilsystemen und handelt deshalb nicht in einer linearen Zweck-Mittel-Relation, sondern ist um eine nüchterne Wirkungsbeobachtung und eine prozessuale Gestaltung der Intervention bemüht. Im Kern verliert sie ihren Charakter einer Intervention und wird mehr und mehr zu einer „Konvention", d.h. zu einem Bemühen um Balance und Integration. Im Bildungsbereich ist dieser Wandel als Shift von der I-Welt zu einer O-Welt des Denkens und Handelns darstellbar, wie folgende Abbildung zeigt.

	Die I-Welt → → → → → →	Die O-Welt
Didaktischer Fokus	**I**nput *Erfolgreiches Lernen ist abhängig von der Art und Qualität der Inputs und der Infrastruktur des Bildungsprozesses*	**O**utcome *Erfolgreiches Lernen ist abhängig von den Fähigkeiten und Möglichkeiten zur selbstgesteuerten Aneignung und Anwendung des zu Lernenden*
Fokus des Lehrenden	**I**ntervention *Grundlegende didaktische Annahmen: Es kommt auf die Vorbereitung und Gestaltung des Inputs an*	**O**wnership *Grundlegende didaktische Annahmen: Es kommt auf die Wahrnehmung der Lern-Verantwortung durch die Lernenden an*
Fokus der Lernenden	**I**nternalisierung *Es geht um die nachhaltige Verinnerlichung der erwarteten Kenntnisse, Fähigkeiten und Fertigkeiten*	**O**utside-in *Es geht um die Artikulation der eigenen Lernprojekte und die Nutzung und Weiterentwicklung eigener Potenziale*

Abb. 19: Von der I-Welt zur O-Welt

Didaktische Interventionen werden so als ein „evidenzbasiertes Prozessmanagement“ (vgl. Schiepeck 2012) fokussiert und grundsätzlich situativ aus der Sicht und den inneren Möglichkeiten des jeweiligen Gegenübersystems gestaltet.
Der Nachhaltigkeitsbegriff, dessen Wurzeln ursprünglich in der Forstwirtschaft des 18. Jahrhunderts und in der Ökologiebewegung des 20. Jahrhunderts liegen, konnte in den letzten Jahren, wie kaum eine andere Kategorie, in die Alltagssprache von Wirtschaft, Gesellschaft und Politik einsickern. Immer wieder ist „Nachhaltigkeit“ oder das Adjektiv „nachhaltig“ als das „Wort des Jahres“ im Gespräch; aktuelle Stimmen schlagen es als „Unwort des Jahres“ vor. Auf diesem Siegeszug erreichte der Nachhaltigkeitsbegriff schließlich auch die Pädagogik in ihrem Bemühen, sich der Wirksamkeit ihrer Interventionen zu vergewissern – jenseits der überlieferten Wirkungsannahmen, wie sie den Konzepten der Lernzielorientierung, der Bildungsstandards, des Transfers und der Erfolgskontrolle zugrunde liegen (vgl. Schüßler 2012). Als „nachhaltig“ werden vielmehr pädagogische Interventionen und didaktische Inszenierungen bezeichnet, die tatsächlich zu halten vermögen was man sich von ihnen verspricht – eine uralte Wirkungshoffnung, um nicht zu sagen Wirkungsillusion, die verstehbar, aber kaum überzeugend einlösbar ist. Die Ausgangslage des pädagogischen Denkens ist vielmehr seit Jahrhunderten dieselbe:

Bildung und Erziehung sind zwei Begriffe, die ein für die individuelle und gesellschaftliche Entwicklung wichtiges, aber wirkungs*un*sicheres Tun beschreiben.

Diese Ambivalenz, sich einer nötigen, aber letztlich unmöglichen Aufgabe professionell widmen zu sollen, markiert die genuine Grundspannung jeglicher pädagogischen Professionalität. Diese kann sich keiner technologischen Wenn-Dann-Gewissheit versichern, und auch ihre Konzepte einer pädagogischen Sozialtechnologie folgen einer anderen Logik, die zum einen von der geisteswissenschaftlichen Einsicht getragen werden, dass man kein System verändern kann, welches man nicht zuvor versteht, zum anderen aber auch der überlieferten Einsicht von Kurt Lewin folgt: „You cannot understand a system until you try to change it“ (vgl. Scala 2007; Schein 1995). Dabei können dem professionellen Beobachter und Gestalter seine eigenen Maßstäbe abhanden kommen, da er nicht länger an der verbreiteten Praxis festhalten kann
„(…) phänomenologisch beobachtbare und kategorisierbare Merkmale menschlicher Verhaltensweisen als Eigenschaften von Personen zu ontologisieren, sie mithin als dem Wesen des Betroffenen innewohnende essentielle Defizite und Defekte zu naturalisieren und zu biologisieren, die in einem nachfolgenden Prozess im Spiegel gesellschaftlicher Normvorstellungen alsdann der Bestimmung der Nützlichkeit und der Werthaftigkeit der Personen dienen (…)“ (Feuser 2014, S. 4).

Die Frage nach der Nachhaltigkeit von Bildung und Erziehung oder Lernen und Kompetenzentwicklung berührt somit nicht nur die professionelle Ambivalenz von Lehr-, Erziehungs- und Führungskräften, sondern auch ihr pädagogische Wahrnehmen, Verstehen und Beurteilen. Es ist die Frage nach den Maßstäben, nach denen von ihnen Fortschritt bemessen wird, und nach ihren Konzepten von Angemessenheit, Entwicklung und Förderung, denen sie dabei mehr oder weniger explizit folgen. Nur selten gelingt es Erziehungswissenschaftlern, Pädagogen und Didaktikern jedoch, die Spannungslage zwischen Wirkungsorientierung und Wirkungsunsicherheit in ihrem professionellen Alltag zu balancieren – zu verlockend ist der Sprung in linear-mechanistische Konzepte der Wenn-dann-Gewissheiten. Demgegenüber erinnern systemische Praktiker an die Grundregel allen Tuns „Die Wahrnehmung von Wirkungen hat Vorrang vor dem Wunsch nach Verständnis", und sie lassen die um nachhaltige Wirkungen bemühte Lehr-, Erziehungs- und Führungskraft mit eher einfachen Alltagsregeln zurück, wie: „Wenn etwas nicht funktioniert, lass es sein und mach etwas anderes / neues" und „Wenn etwas funktioniert, mache mehr davon!"

Nachhaltigkeit ist somit eine Erfolgskategorie, die nicht nur markiert, was zu tun ist, sondern vor allem darauf hinweist, was zu lassen ist, will man nicht die Wirklichkeit des Gegenübers aus dem Blick verlieren, nur um eigenen Theorien sowie professionellen Maßstäben und Routinen treu bleiben zu können.

Aus systemischer Perspektive ist die pädagogische Wirkungsunsicherheit nicht weiter überraschend. Reifung, Lernen und Entwicklung sind nicht bloß – und noch nicht einmal in erster Linie – Reaktionen auf externe Impulse, sondern Ausgestaltung und Reifung innerer Potenziale, mithin Selbstbildung (vgl. Arnold 2013 a; Gieseke / Nuissl / Schüßler 2012). Man kann die mit dieser Ausgestaltung verbundenen Prozesse und Zustände nicht gewährleisten oder gar erzwingen, sondern lediglich *ermöglichen*. Art, Richtung und Intensität ihrer Ausgestaltung folgen keinen sicheren Wenn-dann-Zusammenhängen; zu vielfältig sind die jeweiligen biographischen Kontextualisierungen einerseits und zu unterschiedlich die individuellen jeweilige Verarbeitungskapazitäten (Selbstwirksamkeit; Ichstärke etc.) der beteiligten Akteure andererseits. In dem Buch „Wie man ein Kind erzieht, ohne es zu tyrannisieren" ist zu lesen:

„Nachhaltige Erziehung reagiert nicht aus Entrüstung, sondern aus einer Entschlüsselung des Verhaltens. Dies bedeutet natürlich nicht, dass Eltern, Erzieher oder Lehrkräfte sich nicht entrüsten oder auch einmal unüberlegt reagieren dürfen. Entscheidend ist, wie sie mittel- und langfristig mit den auffälligen Jugendlichen umgehen: Ist ihr Verhalten nachtragend, festlegend und ausgrenzend, oder sind sie in der Lage, so zu reagieren, dass es der Lebenswelt und den Erfahrungen des Gegenübers wirklich Rechnung trägt" (Arnold 2011 b, S. 38).

In dieser Feststellung ist auch der *intransitive Gestus* einer Nachhaltigkeitsorientierung deutlich markiert. Ihr Ansinnen ist das Erzielen einer Resonanz oder gar Wirkung im Gegenübersystem „von innen heraus“ – eine professionelle Orientierung, die zwar die anzustrebenden genau Zielzustände kennt und auch weiß, was deren Erreichung erleichtert oder erschwert, aber in dem Bewusstsein agiert, dass die erwarteten Wirkungen stets an die Eigendynamik bzw. die innere Systemik dieses Gegenübersystems anschließen müssen, um dauerhaft sein zu können. In diesem Sinne bemüht sich die Systemische Pädagogik um eine intime Kenntnis der Wirkungsbedingungen gelingender Individuation und Entwicklung im Allgemeinen, sie verfügt über dieses Wissen aber nicht technologisch, sondern nutzt es als Verstehens- und Interpretationsfläche bei der professionellen Entschlüsselung fremden Verhaltens. Ob und inwieweit es dabei möglich und professionell zulässig ist, Regeln für die Selbstbildung, d. h. die Eigenbewegung, des jeweiligen Gegenübers, zu nutzen und wie diese Selbstregulierungen beschaffen sein sollten, berührt die Frage nach dem Technologiedefizit der Pädagogik, die bereits erörtert wurde.

Damit Bildung und Erziehung nicht nur allgemein als „unmöglich“[28] verstanden, sondern nachhaltig ermöglicht werden können, benötigen die Lern- und Veränderungsbegleiter deutliche Kriterien einer intransitiven Professionalität. Diese folgen dem systemischen Grundgedanken, dass sich Nachhaltigkeit nur intransitiv aus bzw. in der Vermengung mit *den* Substanzen und Potenzialen entfalte kann, über die das Gegenübersystem bereits verfügt.

Hieraus ergeben sich als erste grundlegende Anregung für einen systemisch angemessenen Umgang mit der Nachhaltigkeitsfrage folgende „Kriterien einer nachhaltigen und professionellen Begleitung“:

[28] So der Grundtenor der „Einführung in die Theorie der Erziehung“ von Jürgen Oelkers (Oelkers 2001) – einem Buch, mit dem Oelkers den linear-mechanistischen Konzepten zwar den Boden endgültig entzieht, die professionelle Praxis aber eher ratlos zurücklässt.

Kriterien einer nachhaltigkeitsorientierten professionellen Begleitung	
Indirekt	Bildung und Erziehung wirken über Kontexte, Anregungsarrangements sowie Atmosphäre, kaum über – meist eskalierende und sich wiederholende – direkte Ansprache
Negativ	Es führt meist kein anderer Weg zu dem erwünschten bzw. von der Umwelt als sinnvoll erwarteten Verhalten als über die eigene negative Erfahrung (aus Fehlern lernen)
Theoriebezogen	Um zu verstehen, wie psychische und soziale Systeme sich entwickeln (können), ist es nötig und sinnvoll, die vorhandenen sozialwissenschaftlichen Interpretationen zu Rate zu ziehen
Resonant	Wirkungen ergeben sich nur, wenn die Akteure auch innerlich bewegt (motiviert/emotionalisiert) werden konnten
Anknüpfend	Intervention (= Dazwischengehen) kann nur wirken, wenn sie aus dem Erfahrungsmaterial (Deutungs- und Emotionsmustern) der jeweiligen Zielgruppe „geformt" werden konnte
Nichtlinear	Es gibt keine eindeutigen Ursage-Wirkungsketten in der Logik des Sozialen Handelns, weshalb entsprechende Interpretationen und Erwartungen aufzugeben sind

Abb. 20: Intransitive Professionalität

Der Hinweis auf die Intransitivität stammt überraschenderweise nicht aus der Systemik, obwohl diese sich doch im Kern mit dem Wirkungsgefügen der Selbstreferenz befasst, aber erst relativ spät begonnen hat, sich mit der Frage der „Umsetzbarkeit" systemischer Nachhaltigkeit wirklich zu befassen. Das Konzept der Intransitivität geht vielmehr u. a. auf Michel Foucault zurück, der in seinem Buch „Analytik der Macht" von der „Relativität des Wollens und der Intransitivität der Freiheit" (Foucault 2005, S. 281) spricht. Damit lenkt Foucault auch den Blick auf die „Ontologie der Sprache" (Mazumdar 2008), deren Begriffe und grammatikalischen Möglichkeiten uns das Bild, welches wir vom Gegenüber und unserer Beziehung zu ihm sowie unseren Möglichkeiten mit ihm haben, vermitteln und dabei bisweilen mehr als möglich erscheinen lassen, als es de facto der Fall ist. Unser Weltbild ist somit begriffs- und nicht evidenzbasiert, da es uns nur das in Erscheinung treten lässt, was wir begreifen können, d. h. wofür wir Begriffe haben – eine sehr spezielle Ausgangslage für den Versuch, in Gegenübersystemen nach der Maßgabe eigener Vorstellungen und Kategorien Entwicklungen zu initiieren und möglichst sogar auch zu steuern.

Das Begriffsbesteck der Pädagogik ist noch relativ ungeeignet, um diese Selbstbezüglichkeit der professionellen Wahrnehmung und Gestaltung wirklich auch in einer für die Praxis anschlussfähigen Weise abzubilden. Der pädagogische Bildungs- und Nachhaltigkeitsdiskurs bewegen sich vielmehr meist

„(…) in einem begrifflichen Spektrum, das von Wachsen als einem bloßen Geschehen auf der einen Seite (reine Intransitivität) bis zum konstruierenden Handeln als reinem Tun (reine Transitivität) auf der anderen Seite reicht. In diesem Spektrum vollzieht sich zugleich der Übergang von der Natur zur Technik" (Sesink 2001, S. 256).

Diese Dichotomie prägt auch den Wettstreit zwischen Verstehen und Erklären bzw. zwischen quantitativer und qualitativer Bildungsforschung in der Pädagogik, obgleich sie der Komplexität der Lage kaum angemessen ist. Nachhaltiges Handeln benötigt beides, nämlich Verstehen und Erklären sowie Evidenzen und die Emergenz von Unvorhergesehenem, den nicht festlegenden Umgang mit Eigendynamiken und Eigensinn. Für eine Professionalität der Nachhaltigkeitssicherung von Erziehungs- und Bildungsprozessen lassen sich in einem zusammenfassend-hypothetischen Gestus deshalb einige Umgangsregelungen vorschlagen, die sowohl auf die Nutzung von Evidenz als auch den fördernden Umgang mit Emergenz gerichtet sind. Bei diesem Versuch geht es um zweierlei: Zum einen reduziert der intransitive Charakter des Umgangs mit dem Emergenten dessen intentionale Tendenz, zum anderen sind Erfolge entsprechender Interventionen – wie Hellmuth Lange im Blick auf die Politik feststellt –

„(…) daran gebunden, dass es gelingt, unterschiedlichste Akteure in teilweise gänzlich neuen Zusammenhängen zusammenzuführen und sie in produktive und zeitlich einigermaßen stabile Kooperationsbeziehungen zu bringen. Das ist ohne Zweifel eine enorme politische Herausforderung. Aber auch wenn das Ergebnis derartiger Bemühungen sich nahezu unvermeidlich und mehr und minder weitgehend von dem unterscheidet, was die beteiligten Akteure – staatliche und administrative Akteure eingeschlossen – sich eingangs erhofft haben, so besteht das Ergebnis trotzdem nicht in einem Bedeutungsverlust, sondern umgekehrt in einem enormen Bedeutungszuwachs von Politik" (Lange 2008, S. 11f).

Ähnliches ließe sich auch für den Bereich pädagogischer Interventionen feststellen. Auch diese verlieren dadurch, dass sich Anderes und Unerwartetes ereignet, nicht an Bedeutung, sondern im Gegenteil: Sie stellen – vielfach erstmalig – einen Wirkungszusammenhang her zwischen den Möglichkeiten, die arrangiert wurden, und dem, was in Erscheinung treten konnte. Dieser Zusammenhang ist nicht kausal, sondern optional.

> Pädagogische Nachhaltigkeit entsteht nicht kausal, sondern optional. Eine nachhaltige Gestaltung und Begleitung von Erziehungs- und Bildungsprozessen bedarf deshalb eines Resonanz stiftenden Handelns in systemischen Wirkungsgefügen. Professionals können dabei zwar der Ambivalenz zwischen Wirkungsorientierung und Wirkungsunsicherheit nicht entkommen, sie können aber lernen, Evidenzen zu nutzen und mit Emergenzen so umzugehen, dass Selbstbildung und Kompetenzreifung gelingen können.

	Nutzung von Evidenz Handle stets so …	**Umgang mit Emergenz** Handle stets so …
Nichtwissen	… dass du deinen Irrtum für möglich hältst; versuche dich zu vergewissern, auch wenn du etwas für erwiesen hältst!	… dass du dich von der Wirklichkeit überraschen lässt; frage stets, welche andere mögliche Wirklichkeit zum Ausdruck kommen will!
Achtsamkeit	… beobachte genau, nimmt dir Zeit und frage andere, bevor du interpretierst und entscheidest!	… dass das Gegenüber sich selbst klar werden bzw. sich erklären kann; fordere eigene Lösungsvorschläge und Entscheidungen des Gegenübers!
Coaching	… dass du dem Gegenüber in labilen Phasen emotionale Sicherheit stiftest, ergänze diese bei Restabilisierung durch nüchterne Tatsachen!	… du das Gegenüber aus der Problemtrance führst und es deutlich dein Zutrauen spürt, die anstehenden Fragen selbständig zu klären!
Haltung	… du die – harte – Wirklichkeit ins Spiel bringst und nichts beschönigst, zeige aber gleichzeitig, dass man diese Gestalten kann!	… dass du das Gegenüber wertschätzend und Ressourcen stärkend behandelst und spürbar ein Vertrauen bildest, in dem Neues zu Tage treten kann!
Hilfe	… dass du mit nüchterner Klarheit Wege aufzeigst, Risiken berechnest und Unterstützungswege eröffnest!	… dass du die Selbsthilfekräfte stärkst, eigene Schritte lobst und unterstützt – stets von der Überzeugung getragen, dass Selbsthilfe Selbstwirksamkeit bedeutet!
Anschluss	… dass du vorhanden Forschungsergebnisse, Studien, und Konzepte über die Lebens- und Berufssituation des Gegenübers berücksichtigst!	… dass du das Gegenüber durch Fragen dazu bewegst, über seine Ausgangslage, seine Lebenskontexte sowie seine Anwendungssituationen Auskunft zu geben!
Theorie	… dass du dein Erleben vor dem Hintergrund aktueller Theorien reflektieren, überprüfen und – ggf. neu – begründen kannst!	… dass du die Alltagstheorien der Akteure in Erfahrung bringst, um diese ggf. mit ihnen reflektieren und transformieren zu können!
Innovation	… dass du neue Sichtweisen, Daten sowie Strategien nutzen kannst, um das Gegenüber bei seinen Klärungsschritten zu unterstützen!	… dass du das Gegenübersystem dazu einlädst, die eigene Welt einmal von einer ganz anderen Perspektive zu erleben und zu gestalten!
Gespür	… dass du in der Lage bist, in Kenntnis der Lern- und Emotionspsychologie zu intervenieren und zu begleiten!	… dass du mit dem Gegenübersystem tatsächlich in einer Beziehung stehst!

Abb. 21: „Handle stets so, dass …!“: Regeln nachhaltigen pädagogischen Agierens

Von systemischen Pädagogen, die diese Regeln in ihrem Tun berücksichtigen, können nachhaltige Wirkungen ausgehen, da sie in der Lage sind, sich insgesamt gesehen anschlussfähiger zu präsentieren. Auch Nachhaltigkeit wird dabei nicht zu einer Erfolgskategorie, die sich gewährleisten oder gar sicher herstellen lässt, sie ist vielmehr selbst eine emergente Eigenschaft von lernenden Systemen, die sich aus einem anderen – eher gestaltenden, weniger vermittelnden – Umgang mit dem jeweiligen Gegenüber ergeben kann, aber keineswegs muss.

9 Die Basis: Pädagogische Haltung

Die hochfliegenden Ziele und Erwartungen der Pädagogik zerschellen immer wieder an der Persistenz der liebgewonnen Gewohnheiten. Lernende sind nicht nur lernfähig und wissbegierig, sie möchten auch so bleiben (dürfen), wie sie sind. Diese Persistenz (= Fortdauer) des Denkens, Fühlens und Handelns ist Ausdruck der Bemühungen um innere und äußere Sicherheit, weshalb man bisweilen auch trotz besserer Einsicht an dem festhält, was man kann und nicht zu dem greift, was geboten wäre – eine Starrheit, welche der Systemiker Fritz B. Simon als „Die Kunst, nicht zu lernen" bezeichnet (Simon 1999). Deshalb lassen sich z. B. Führungskräfte in ihrem Handeln kaum von irgendwelchen neueren Führungstheorien leiten – sie verweben sich allenfalls mit deren Rhetorik. Das tragende Moment ihres eigenen Führungshandelns ist ihre innere Haltung. Diese reift bereits in frühen Lebensjahren durch dichtes Erfahrungslernen in erlebter und gelebter Beziehung. Das, was die erwachsenen Akteure z. B. in konfliktiven Lagen, tatsächlich denken und fühlen sowie zu tun vermögen, folgt den dabei tief eingespurten typischen emotionalen und kognitiven Deutungsmustern, die dem einzelnen meist spontan nicht reflexiv verfügbar sind. In dieser Persistenz tritt die doppelte Bedeutung der Haltungsbildung zutage:

Die biographischen Erfahrungen „halten" nicht bloß die emotionalen und kognitiven Gewissheiten zusammen, sie bestimmen auch, welche Unterschiede, Infragestellungen oder Neuerungen der einzelne auszu*halten* in der Lage ist.

Die Persistenz der eigenen Festgelegtheiten kann den Akteuren jedoch bewusst werden. Es sind zwar die frühen Einspurungen, die diese inneren Möglichkeiten des einzelnen, seine Emotions- und Deutungsmuster zu „überwachsen", einschränken, doch lassen sich diese in selbstreflexiven Lernprozessen erkennen und durch die Methoden einer Systemischen Erwachsenenbildung sichtbar machen (vgl. Arnold/Stroh 2016). Dadurch können Veränderungsprozesse angestoßen und Transformationen des Denkens, Fühlens und Handelns bei erwachsenen Lernenden ausgelöst werden. Dabei nehmen die Lernenden ihre Denkstile sowie die Eigenarten und Unarten ihrer routinemäßigen Weltkonstruktion selbst in den Blick und entwickeln mehr und mehr eine andere Einstellung gegenüber dem, was ihnen der Fall zu sein scheint, und dem, was auch sein könnte.

9.1 Vorsicht Stufe!

Es spricht viel dafür, dass eine solche Reifung von Fähigkeiten zum veränderten Umgang mit sich selbst und anderen sich über Stufen vollzieht. Bei diesen handelt es sich um Stufen der Haltungsentwicklung. Diese verläuft – folgt man dem

Stufenmodell der psychosozialen Entwicklung von Erik H. Erickson – über die Aneignung und Differenzierung der dem Selbst möglichen Ausdrucksformen. Im Erwachsenenalter stehen dabei die Formen des Umgang mit sich selbst und anderen im Fokus: Das Selbst lernt, sich liebend und fürsorgend auf sein Gegenüber zu beziehen, und es entwickelt Formen einer gereiften Haltung dem Leben gegenüber. Das Subjekt durchschreitet diese Stufen, indem es phasentypische Entwicklungsaufgaben (Erikson 1976, S. 55 ff) erfolgreich bewältigt. Dabei entpuppt und erweitert es gewissermaßen seine emotionalen und kognitiven Möglichkeiten und gelangt so zu einer jeweils gesteigerten Haltung sich selbst und der Welt gegenüber.

Erikson unterscheidet acht Stufen der Reifung im Lebenslauf:

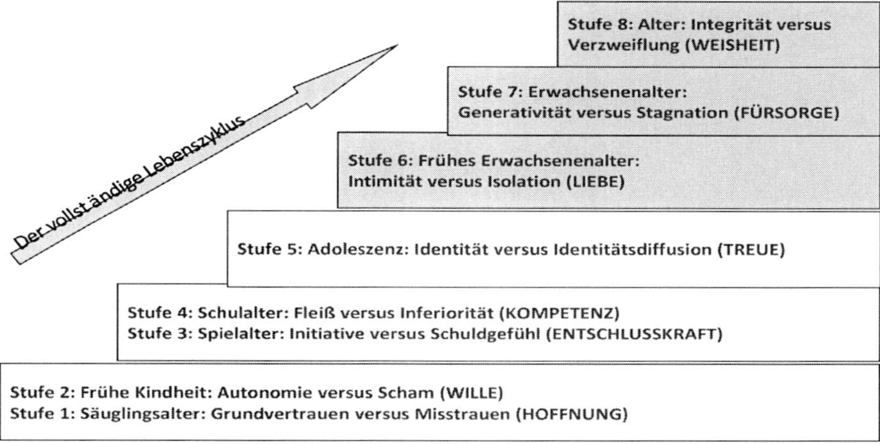

Abb. 22: Der vollständige Lebenslauf

Die von Erikson beschriebene vollständige Herausbildung einer erwachsenen Haltung gelingt aber nicht allen Menschen: Einige werden zwar groß, bleiben aber innerlich klein, d. h. gefangen in den kindlichen Formen der Schulddelegation und Verantwortungsvermeidung. Dieses Modell stellt eine geeignete Interpretationsfolie für ein transformatives Erwachsenenlernen dar, dem es um die selbstreflexive Vergewisserung und Gestaltung der Möglichkeiten und Formen einer erfolgreichen Lebensführung geht, an deren Ende nicht „Verzweiflung", sondern „Integrität" steht – die Haltung einer „gesunden Persönlichkeit", die, wie Erik H. Erikson im Anschluss an die viele Jahre in England lebende österreichisch Sozialpsychologin Marie Jahoda (1907–2001) schreibt

„(…) ihre Umwelt aktiv meistert, eine gewisse Einheitlichkeit zeigt und imstande ist, die Welt und sich selbst richtig zu erkennen" (ebd., S. 57).

Hieraus leitete Erikson für seine Arbeiten Leitfragen ab, die in ihrem Kern auf das Thema der – gelingenden – Haltungsbildung verweisen:

„In welcher Weise wächst die gesunde Persönlichkeit, bzw. wie wächst ihr aus den aufeinanderfolgenden Stadien die Fähigkeit zu, die äußeren und inneren Gefahren des Lebens zu meistern und noch einen Überschuss an Lebenskraft zu erübrigen?" (ebd.).

Auch der amerikanische Sozialpsychologe Robert Kegan hat sich in seinen Studien mit den „Entwicklungsstufen des Selbst" befasst und dabei auch die Rolle „der einbindenden Kultur" (Kegan 2011, S. 165 ff) genauer analysiert. Er schreibt:

„Wenn man einen anderen Menschen wirklich verstehen will, muss man wissen, auf welcher Entwicklungsstufe er sich befindet. Ich habe behauptet, dass dieser Hauptzug der Persönlichkeit ein lebenslanger Entwicklungs- und Anpassungsprozess ist, und dass die von verschiedenen Entwicklungstheorien beschriebenen Erscheinungen als Ergebnisse dieses Prozesses betrachtet werden können. Außerdem habe ich mich bemüht, verschiedene Stufen dieses Anpassungsprozesses zu beschreiben. Das Wort ›Anpassung‹ (adaption) benutze ich dabei nicht im Sinne von ›bewältigen‹ oder ›sich auf die Dinge einstellen, wie sie sind‹, sondern ich meine einen aktiven Prozess der Auseinandersetzung zwischen Selbst und Umwelt, der zu einem zunehmend besser organisierten Verhältnis zwischen ihnen führt. Die bessere Organisation zwischen Selbst und Umwelt wird erreicht, indem sich das Selbst immer stärker von der Umwelt löst und dabei zunehmend mehr Aspekte aus der Umwelt integriert" (ebd., S. 155).

Interessant ist der Hinweis Kegans auf die Ambivalenz dieses Reifungsprozesses des Selbst: Dieser ist stets gleichzeitig durch Anpassung und Widerstand bzw. „Festhalten" und „Loslassen", wie er es nennt (ebd., S. 171 ff), geprägt, und auch die kulturelle Einbindung, in der wir aufwachsen, ist ambivalent. Er schreibt im Blick auf die Enkulturation des kindlichen Ichs:

„Die zweite Funktion einer einbindenden Kultur besteht darin, dass sie loslassen muss. Noch besser ist es, wenn sie den zeitgemäßen Ablösungsprozess des Kindes unterstützt, der darauf hinausläuft, dass diese Kultur nicht mehr Teil des Kindes ist, sondern etwas, mit dem das Kind Beziehungen eingehen kann" (ebd., S. 171 f).

Für Kegan, der in diesem Punkt an Erikson anschließt, ist dieses Loslassen eine wesentliche Voraussetzung für die Autonomie des Selbst – eine Beobachtung, die allerdings nicht nur für die kindliche Entwicklung gültig zu sein scheint. Auch die Haltung Erwachsener ist durch die ambivalenten Fähigkeiten der kulturellen Anpassung und der kulturellen Distanzierung charakterisiert, wie Kegan selbst relativierend feststellt:

„Die Situation des Gehaltenwerdens ist kein Charakteristikum des empfindlichen Zustandes des Kleinkindes, sondern des Zustandes des Eingebundenseins, der für die gesamte Entwicklung kennzeichnend ist. Wie weit unsere Entwicklung auch gehen wird, wir bleiben immer eingebunden. In jeder Phase unserer Lebensgeschichte gehört zu dem Prozess, der zur Ablösung von einem bestimmten psychobiologischen Entwicklungsstand führt, auch die Ablösung von einem bestimmten menschlichen Bezugsrahmen. Es ist ein Vorgang, bei dem ich mich über die eigene Kultur hinwegsetzen und einen Unterschied machen kann zwischen dem, wie die Kultur mich definiert, und dem, wie ›ich wirklich bin‹" (ebd., S. 333).

In einer Studie über den Mentalitätswandel in modernen Gesellschaften vertieft Kegan diesen Hinweis auf die lebenslange Aufgabe der kulturellen Anpassung und Loslösung:

„As America becomes an older, more sophisticated country it is gradually coming to understand that different cultures have their own ways of going. More people are able to say to themselves in the face of discomfiting difference, ›Perhaps this isn't about right and wrong; maybe it's a cultural thing‹" (Kegan 1994, S. 211).

Diese innere Offenheit und Flexibilität ist für Robert Kegan u.a. das zentrale Merkmal einer modernen Haltung. Sie ist zugleich eine wichtige Voraussetzung für gelingende Transformation in Teams und Organisationen. Kegan und Lahey sprechen sogar davon, dass sich die Begrenzungen des Informationszeitalters durch eine neue Art des Sprechens überwinden ließen. Sie schreiben:

„Perhaps we need leaders who are able both to start processes of learning and to diagnose and disturb already existing processes that prevent learning and change, the active, ongoing immune systems at work in every individual and organization. Perhaps you learned something (…) that help us begin building not simply an information highway but a transformation highway" (Kegan/ Lahey 2001, S. 234).

Für eine tragfähige Theorie der Haltungsbildung lassen sich aus diesen Argumentationen wichtige Anregungen und Schlussfolgerungen ziehen: So ist auch die Veränderung von Haltungen letztlich nicht das Ergebnis eines kognitiven Lernprozesses, sondern ein transformatives Geschehen, in dessen Verlauf Lernende ihre Fähigkeit stärken, das sie Festlegendes und Einengendes loszulassen und eine neue Form des Denkens, Urteilens und Sprechens zu erleben und zu üben. Ein solcher Öffnungsprozess ist nicht nur für die Herausbildung einer „vollständig" gereiften Erwachsenenidentität von grundlegender Bedeutung, er markiert auch die grundlegende Dimension einer gereiften Haltung sich selbst und der Welt gegenüber.

9.2 Die Tendenz zum Selbst

Fragt man genauer nach den einzelnen Elementen einer reflexiven Haltung, so stößt man auf letztlich psychologisch unterfütterte Konzepte der Ichwerdung und Ichbehauptung. Es ist nicht mehr in erster Linie der gemeinsame Horizont an Lesarten, Argumentationsformen, traditionalen Gewissheiten und ethisch-moralischen Deutungsrahmen, welche der professionellen Biographie ihre Substanz zu stiften vermag, sondern eine bloß formal zu beschreibende „Kraft" des Selbst, mit wechselnden Lagen der Vereinsamung, Diskontinuität und Unsicherheit umgehen zu können. Diese *Tendenz zum Selbst* ist in den Entwürfen der Sozialphilosophie und der neueren Sozialforschungen unübersehbar (vgl. Garz 2008; Habermas 1983).

So basieren die umfangreichen sozialwissenschaftlichen Forschungen und Theorien zur Entwicklung von Identität, Bewusstsein und Handlungskompetenz seit den frühen Anregungen von George Herbert Mead (1863-1931), Jean Piaget (1896-1980) und Lawrence Kohlberg (1927-1987) einerseits sowie Bandura (1925-2021) (Konzeption der „Selbstwirksamkeit") und den Konzepten der Kritischen Theorie (Konzeption des „falschen Selbst") andererseits auf folgenden drei zentralen Annahmen:

1. Menschen entwickeln ihre Selbststeuerungs- und Handlungsfähigkeit in einem – frühen! – Bindungserleben, deren wesentlichen Maximen sie verinnerlichen (interiorisieren) und als grundlegende Orientierung ihrer Identität im weiteren Lebenslauf durchformen und ausgestalten.
2. Ihr Selbst entwickelt sich dabei im Kontext eines durch kulturelle Überlieferungen und persönliches Erleben gestalteten Raumes, der ihnen Erfahrungen des selbstwirksamen Handelns ermöglicht oder verbaut. Intentionale moralpädagogische Maßnahmen (z. B. Lernen an „Critical Incidents") sind deshalb stets nur Anschlusserlebnisse an frühe Einspurungen, die i. d. R. prägend und persistent wirken.
3. Ein tiefgreifendes Veränderungslernen kann deshalb auch nicht in kognitiven Lernprozessen allein gelingen, sondern benötigt Phasen einer emotionalen Labilisierung (z. B. „Krisenerfahrungen") und einer professionell angebahnten und begleiteten emotionalen Kompetenzreifung.

9.3 Die Vielfalt der Leitbilder

In grober Betrachtung lassen sich folgende Etappen der Herausbildung einer umfassenden Haltung unterscheiden, die einerseits auf den von Kohlberg u. a. unterschiedenen Stufen des moralischen Bewusstseins voranschreitet, andererseits aber auch den Radius des eigenen Selbstwirksamkeitserlebens zu erweitern vermag.

			Dimensionen der Selbstwirksamkeit
Stufen moralischen Handelns	**Individuum →**	**Organisation →**	**Gesellschaft**
Ethiknutzen (dritte Stufe)	07 der Bildungsbürger („Homo mundandus“)	08 das Vorbild („Homo transformans“)	09 der Weltgestalter („Homo ethicus“)
Sozialnutzen (zweite Stufe)	04 der mitfühlende Mensch („Homo empathicusus“)	05 der solidarische Mensch („Homo civilis“)	06 Der politische Mensch („Homo Politicus“)
Eigennutzen (erste Stufe)	01 Der kalkulierende Mensch („Homo Oeconomicus“)	02 Der Karrierist („Homo carrierensis“)	03 Der Nationalist („Homo nationalis“)

Abb. 23: Leitbilder einer erwachsenen Haltung sich selbst und der Welt gegenüber

In grober Betrachtung kann man davon ausgehen, dass der „Homo Oeconomicus“ (01) dazu neigt, eine Haltung zu universalisieren, welches in überstarkem Maße den individuellen Eigennutz(en) betont und eine Art „Marketingcharakter“ bzw. den „Homo Consumens“ (Fromm 1979, S. 169) hypostasiert – bis hin zu den Equity-Theorien der Sozialpsychologie –, während neuere Konzepte aus dem Umfeld des MIT zu Recht darauf verweisen, dass die Menschheit ihre Fähigkeiten des „Seeing from the Whole“ (Senge u.a. 2005, S. 41ff) erweitern müssen, um die Nachhaltigkeit und damit die Fortexistenz des Ganzen zu sichern:

„Operating from this larger intention brings into play forces one could never tap from just trying to impose our will on a situation“ (ebd., S. 91).

Demgegenüber steht der „Homo Ethicus“ (09) für eine Ichreifung, welche die dominante Wirkung von auf Eigennutz und – engeren – Sozialnutzen bezogenen Orientierungen hinter sich gelassen hat und die eigenen Handlungen nach ethischen Maximen auszurichten vermag. Gleichzeitig steht dieser Idealtypus für eine Haltung, die sich nicht nur an den eigenen Belangen oder denen des eigenen organisationalen Umfeldes orientiert, sondern auch – im Sinne eines „globalen Bewusstseins“ – nach den gesellschaftlichen Dimensionen des Handelns fragt. In diesem Sinne schreibt der amerikanische Soziologe Jeremy Rifkin in seinem Beststeller „Die empathische Zivilisation“:

„Unsere Beteiligung an Netzwerken, unsere neue Fähigkeit zum Multitasking, unser wachsendes Bewusstsein für die gegenseitigen Abhängigkeiten in den Bereichen Wirtschaft, Gesellschaft und Umwelt, unsere Bereitwilligkeit, Widersprüche und kulturelle Vielfalt zu akzeptieren, prädisponieren uns für ein systemisches Verständnis der Erde. Wenn wir das holistische Denken mit einer neuen Ethik verknüpfen, haben wir den Schritt zur Klimaxweltwirtschaft und zum biopsphärischen Bewusstsein getan“ (Rifkin 2010, S. 420f).

Das in der vorstehenden Abbildung skizzierte Puzzle ist noch vorläufig und nur hinweisartig mit der aktuellen sozialpsychologischen und moralpädagogischen Debatte um die Haltungsbildung verbunden. Wichtig ist jedoch die didaktische Erweiterung und Präzisierung des moralpädagogischen Stufungsmodells (sensu Kohlberg und Habermas) um die „Dimensionen der Selbstwirksamkeit". Damit wird eine „Ausweitung des Stufenkonzeptes" im Hinblick auf die Gestaltung der „biographischen Entwicklung", wie sie Detlef Garz vorschlägt, vollzogen (Garz 2008). Gleichzeitig nimmt das Stufenkonzept auch andere Akteure bzw. soziale Konfigurationen des sozialen Wandels in den Blick. Insbesondere die beteiligten Geistes- und Sozialwissenschaften tragen nämlich schwer an ihrem Erbe der Subjektphilosophie und liefern bislang nur wenig substanzielle Hinweise auf eine Entgrenzung des Denkens in Richtung Organisation („das gebildete Unternehmen") oder gar Gesellschaft („die gebildete Gesellschaft"), die diese als eigenständige „Subjekte" im Sinne eines „Seeing from the Whole" zu konzeptualisieren vermögen.

Eine solche didaktische Präzisierung fragt nach den Kompetenzstufen und Lernschritten, die mit einer „Höherentwicklung" – vom „Homo Oeconomicus" zum „Homo Ethicus" – verbunden sind. Diese Entwicklung ist auch eine innere Wende. Um diese erfolgreich durchlaufen und zu einem neuen – anderen – Erleben des Eigenen und des Fremden vorstoßen können, müssen in der Regel zahlreiche Stufen eines krisenhaften Identitätswandels durchschritten werden, wie sie in der folgenden Abbildung dargestellt sind.

1. Stufe:	2. Stufe:	3. Stufe:	4. Stufe:	5. Stufe:
Fremdheit	*Bestürzung*	*Wendung nach Innen*	*Erprobung von Alternativen*	*Integration und Stabilisierung*
Abwehr	Widerstand	Verantwortung	Veränderung	Wandel

Abb. 24: Die Schritte zu einer veränderten Haltung

Lebenslanges Lernen ist nicht bloß eine Vorbereitung auf den – gestaltenden – Umgang mit Ungesichertheit, sondern das beständige Bemühen, den Lernenden zu einem reflexiven Umgang mit den bevorzugten Mechanismen seiner emotionalen und kognitiven Wahrnehmung – besser Wahrgebung – zu befähigen und über die Stufen „Abwehr", „Widerstand", „Verantwortung", „Veränderung" und „Wandel" in dem Prozess der Veränderung seiner Haltung sich selbst und der Welt gegenüber zu begleiten.

Sicherlich: Es wird auch in Zukunft darum gehen, Lernende darauf vorzubereiten, sich an den sprachlichen, kommunikativen sowie kooperativen Prozessen der gesellschaftlichen Umfelder, durch welche sie sich in ihrer Biographie bewegen, gestaltend beteiligen zu können, doch werden diese sich ihnen mit ihren Anforderungen wesentlich fluider und gestaltungsoffener präsentieren. Dabei zeichnet sich ein neues Muster des Umgangs mit Ungesicherheit ab: „Vorbereitung" auf diese Lagen beinhaltet dabei vor allem die reflexive Suchbewegung, Menschen zu befähigen, der inneren Selbstfabrikation von Situationsdeutungen gewahr zu werden und zu erkennen, in welch konservativer Weise dieser Mechanismus sie beständig neu dazu (ver)führt, so zu bleiben, wie sie sind oder zu sein meinen.

Angesichts der Komplexität und Diversität sozialer Situationen sind Menschen im Vorteil, die in ihrem Denken, Fühlen und Handeln nicht länger einer mechanistischen Logik folgen, der zufolge der Input darüber bestimmt, was als Veränderungswirkung (Impact oder Outcome) tatsächlich erreichbar oder gar erzwingbar ist. Solche Menschen sind vielmehr in der Lage, sich wirkungsorientiert in komplexen Gefügen zu bewegen. Solche systemisch orientierte Menschen wissen, dass häufig verstärkte Anstrengungen zu gegenläufigen Wirkungen führen. Sie kennen diese Tendenzen und die „Unschärfen" in komplexen und dynamischen Kontexten. Deren Wirkungsgefüge ist durch zirkuläre Kausalitäten oder gar paradoxe Lagen geprägt, die nicht sicher beherrschbar oder gar gestaltbar sind.

Zudem sind sich Menschen mit einer systemischen Haltung bewusst, dass sie selbst die Quelle für das, was sie beobachten und für wahr halten, sind. Dies gilt auch bei den Fragen, bei denen sie sich ganz sicher zu sein scheinen, weil ihre jahrelange Erfahrung dafür Zeuge zu sein schein. In dieser Sicherheit beobachten sie jedoch nicht nur, sondern bewerten und beurteilen auch – oft mit großen Folgen für die anderen. Aus einer systemischen Haltung heraus gewinnt die Beobachtertheorie somit auch eine praktische Bedeutung (vgl. Baecker 2013). Systemiker beobachten die ihnen begegnende Wirklichkeit, indem sie sich auch stets die Frage stellen, was ihnen diese – so, wie sie auf sie wirkt – über sie selbst in Erinnerung ruft.

Es ist somit ein doppelter Blick, der sich aus einer systemischen Grundhaltung ergibt: Zum einen der Blick auf das jeweilige Wirkungsgefüge (vgl. Wilms 2012), was nur das zum Ausdruck bringen kann, was in ihm als Möglichkeit angebahnt ist, und zum anderen der selbstreflexive – oder genauer: „selbsteinschließende" (Varela u. a. 1992) – Blick, der stets mit der Frage einhergeht, was der eigene sichere Eindruck mir über mich zu sagen vermag.

10 Pädagogische Ethik: Begleiten und Stärken

„Größe ist,
an einem Traum festzuhalten –
ungeachtet der äußeren Umstände“
(Dispenza 2017, S. 82).

Auch professionelle Begleiterinnen und Begleiter bzw. Seelsorgende sehen bloß das, was sie sehen, was aber für das jeweilige Gegenüber nicht allein deshalb richtig und Perspektiven erschließend ist, weil zu den Deutungen gegriffen wird, zu denen gegriffen wird. Helfenden entgeht zumeist die synaptische Engführung ihrer eigenen Zugänge zu den möglichen Wirklichkeiten der Ratsuchenden, deren Bedrängung sie spüren, aber vielleicht gar nicht verstehen können. Deshalb wiederholen sie in der Arbeit mit den Klienten auch nicht selten die blinden Flecken ihrer eigenen Beziehungsschicksale. Anders die seelsorgerische Bewegung. Diese folgt unausgesprochen dem Modell einer „Nichtwissenden Beratung“ (vgl. Arnold 2019 a), die den Ratsuchenden, Verzweifelten und Orientierungssuchenden nicht mit Rat-Schlägen „erschlägt“, sondern ihn liebevoll und im vollen Vertrauen auf seine Selbstheilungskräfte begleitet – spürend, nicht erklärend oder gar wissend, im vollen Bewusstsein der „Wahrnehmung einer Gegenwart“ (Damasio 2021, S. 23) des Anderen im Anderen.

Es muss im Jahre 2019 gewesen sein, als Wolfgang Doll (vgl. Arnold/Erhard/Stief 2022) in einem seiner Gast-Gottesdienste das Gedicht eines weitgehend unbekannten Dichters verlas, welches ihm als Grundlage seiner Überlegungen zur Wiedererstarkung aus eigener Kraft diente. Dieses Gedicht ist Ausdruck einer lebenserschütternden Verzweiflung, die tief geht und den Leidenden perspektivlos zu lassen scheint:

„Testament

Ich hab den Lebensmut verloren,
der vielleicht leicht zu brechen war,
weil angebrochen er geboren
langte Verrat – ein doppelter zwar.

Zu oberflächlich die Parolen
Die sagen: Es geht immer weiter
Doch bin ich leider ohne Sohlen,
um fortzuschreiten auf der Leiter.

Ich weiß nicht mehr, wohin die führt,
suche verzweifelt nach dem Sinn,
der mich im Herzen tief anrührt,
wo meine Liebe doch dahin.

Es fällt mir schwer, euch dies zu sagen:
Unschuldig bliebt ihr an dem nicht,
aus Ichbezug wolltet ihr wagen,
was einen anderen zerbricht.

Und doch ist es die pure Kraft,
die mich an dieser Stell' lässt gehen,
verlassen vor dem letzten Akt,
das Schauspiel der gebrochenen Seel.

Es ist die Würde und Selbstliebe,
die sagt: Mit mir macht ihr dies nicht!
Selbst wenn ich noch ein wenig bliebe,
Verloren habe ich hier nichts.

Ich fliehe in das Land der Träume,
wo meine Liebe findet Raum,
selbst wenn ich hier noch was versäumte,
sie war für euch ein starker Baum.

An ihn gelehnt konntet ihr suchen,
er spendete auch Schatten gar.
War vielleicht knorzig mit viel Furchen,
doch stand er mächtig und stark da.

Bis ihn gefällt ein doppelt' Stoß,
den er so nicht erwarten konnt'.
Jetzt ist er seine Wirkung los,
und modert in der Abendsonn'"
(d'Lonra 2021)

10.1 Aus Wiederholungen befreien

Wie kann man einen Menschen, der sich in dieser Weise zu sich selbst abwendet und sich vom Leben zu verabschieden scheint, begleiten? In der therapietheoretischen Literatur ist die Rede von einer „systemischen Haltung“, auf die es ankomme. Diese ruht im Beratungshandeln deshalb auf einer „Expertise des Nichtwissens“ und einer „Expertise des Nichtverstehens“ (neben den auch zentralen Expertisen „des Vertrauens“ und des „Eingebundenseins“) *(Barthelmess 2016, S. 24f)*. Denn rasch parat liegende Diagnosen zu krisenhaften Situationen nehmen meist wenig Bezug auf die konkret beteiligten Akteure und ihr Empfinden. Sie entstammen zudem einer newtonschen Orientierung, welche die determinierende Wirkung früher Ursachen zum Ausgangspunkt nimmt und selten die Welt der Möglichkeiten. Die Konzepte, Erfahrungen und Lösungsstrategien einer solchen aufdeckenden und bewertenden Psychologie werden auch heute noch in akademischen Bildungsgängen an die professionellen Helfer vermittelt, die dann stets durch die „Brillen" dieser Konzepte auf das jeweilige Drama blicken und es interpretieren. Unterschiede, Abweichungen oder gar Besonderheiten werden ausgeblendet; es dominiert die Durchschnittsorientierung. Sicherlich kommt dabei bisweilen auch Hilfreiches oder gar Heilung zustande, es gibt aber auch vorschnelle Festlegungen oder das konfrontative Insistieren, welches den Rapport zum Klienten häufig vollständig verliert, der dann sogar durch diese Erfahrung in der Therapie selbst retraumatisiert und in seinem Klärungsprozess zurückgeworfen werden kann.

Die rasch vollzogene Zuschreibung stiftet in erster Linie dem Begleiter (Therapeutin, Erwachsenenbildner:in oder Seelsorgende) eine vermeintliche Sicherheit in der Frage, womit er oder sie es in Anbetracht des sich ihm darbietenden Dramas zu tun hat. Gleichzeitig labeln Begleiter:innen den Klienten aber auch und lassen ihn nur noch so in Erscheinung treten, wie es das zu Rate gezogene Krankheitsbild vorsieht. Verschließt sich der ratsuchende Klient gar gegenüber den ihn angetragenen Deutungen, so werden meist *nicht* die angetragenen Deutungsangebote hinterfragt und andere – möglicherweise resonanzfähigere – erprobt, nein „der Klient befindet sich im Widerstand", lautet häufig die wenig professionelle „Exkulpationsstrategie", worauf bereits Milton Erickson (1901–1980) und Jay Haley (1923–2007) hingewiesen haben. Und „Widerstand" – so die verbreitete psychotherapeutische Einschätzung muss gebrochen bzw. überwunden werden.

Eine Begleitung, die sich von solchen Einschätzungen löst, weiß: Das gerne bemühte Widerstandskonzept dient in Wahrheit der Selbstimmunisierung einer newtonschen Psychotherapie gegen jegliche Kritik. Mit Hilfe dieses Konzeptes verlassen Therapeutinnen und Therapeuten nicht selten vorschnell das Feld wissenschaftlicher Seriosität.

Ähnlich hatte auch bereits Viktor Frankl die prinzipiell gesunde Kraft in der Widerstandshandlung des Klienten erkannt und die professionelle Intervention und Begleitung der Maxime untergeordnet, diese habe die Widerstandskraft der Klienten zu unterstützen statt diese zu kritisieren oder gar brechen zu wollen (vgl. Frankl 1980, S. 70 f). Auch systemische Konzepte wissen um die Notwendigkeit, sich mit den Eigenkräften des Klienten zu verbünden, statt dessen vermeintlichen Widerstand „brechen" zu wollen.

Widerstand ist auch deshalb häufig hilfreich, weil sich auch Therapeuten und Therapeutinnen niemals vollständig von ihrer eigenen Lebenserfahrung lösen können; sie vermischen vielmehr – ungewollt und unbeabsichtigt – beständig Eigenes mit ihren professionellen Erklärungen, welche dadurch mehr und mehr in ein Meinungsspiel abzugleiten drohen. Eigene Erfahrungen bestimmen als tief eingebrannte Deutungsmuster das, was sie in den Blick treten lassen, grenzen aber auch dasjenige aus (die „Welt der Möglichkeiten“), wofür sie keinen Blick haben. Es sind die eigenen Neuronenmuster der professionell Agierenden, die dafür sorgen, dass auch sie selbst bei einer distanzierten Betrachtung der Situationen, in die ihre Klienten geraten sind, über keine andere Möglichkeit verfügen, als die, in einer eigenen „Geisteshaltung fixiert zu bleiben“ (Dispenza 2016, S. 26). Auch für ihr Gehirn gilt in solchen Momenten, das dieses „durch unsere wiederholten Gedanken und Reaktionen unseren Blick für das Mögliche trübt“ (ebd.).

Da helfen auch bloß begrenzt die *Supervisionsformen*, in denen die Professionals darum bemüht sind, sich von erfahrenen Kolleginnen und Kollegen über die Schulter blicken und daraufhin überprüfen zu lassen, welchen eigenen Deutungen und Gewissheiten sie im Klientenkontakt immer wieder erliegen und dadurch unvermeidbar dazu beitragen, dass es letztlich *ihre* Wirklichkeit ist, die ihnen als Wirklichkeit des Gegenübers in Erscheinung zu treten vermag. Denn diese Supervisionsformen sind in aller Regel kognitiv-wissend angelegt – selten emotional-selbstreflexiv im Sinne einer Bewegung, in deren Verlauf sich auch die Supervisoren selbst um die biographischen Prägungen sowie um die Tragfähigkeit und emotionale Aushaltbarkeit ihrer leitenden Konzepte kümmern. Sie legen diese vielmehr zugrunde und nutzen die Beobachtung und sprachliche Kommunikation, um Feedback zu geben. Dabei wird von einer geteilten Sicht der Dinge kritisch auf den Beratungsprozess und die Interventionen des Therapeuten geblickt, um Kunstfehler und Selbstwiederholungen jedweder Art auszuschließen. Der eigentliche Kunstfehler, aus der eigenen emotionalen Vergangenheit auf die Vergangenheitsprägungen des Gegenübers zu blicken und dadurch in diesem die synaptische Einwurzelung seiner Problemtrance möglicherweise sogar noch zu verstärken, wird aber in aller Regel übersehen.

Joe Dispenza beschreibt diesen paradoxen Vorgang der ungewollten Verfestigung dessen, was man eigentlich hinter sich lassen will, mit den Worten:

„Wir werden neurologisch zu dem, woran wir wiederholt denken und worauf wir unsere Aufmerksamkeit lenken. Endlich hat man neurowissenschaftlich begriffen, dass wir die neurologische Grundstruktur unseres Selbst durch das prägen, worauf wir immer wieder unsere Aufmerksamkeit richten.

Alles, was uns ausmacht – unsere Gedanken, Träume, Erinnerungen, Hoffnungen, Gefühle, heimlichen Fantasien, Ängste, Fähigkeiten, Gewohnheiten, Freuden und Leiden –, ist im lebendigen Gitterwerk unserer 100 Milliarden Gehirnzellen verankert. (…) Wenn Sie auch nur eine einzige Information aufgenommen haben, sind zwischen winzigen Hirnzellen neue Verbindungen entstanden und Sie sind jemand anderes. Die Bilder, die diese Worte in Ihrem Gehirn hervorriefen, haben in der endlos weiten neurologischen Landschaft dessen, was Sie als ›Ich‹ identifizieren, Fußspuren hinterlassen, denn dieses fühlende Wesen Ihres

›Ich‹ existiert tatsächlich in dem inniglich miteinander verwobenen Geflecht Ihres Gehirns. Ihre Individualität definiert sich durch die Art, wie Ihre Nervenzellen miteinander verbunden sind, ausgelöst durch das, was Sie gelernt haben, an was Sie sich erinnern, was Sie erfahren, was Sie sich vorstellen, was Sie tun und was Sie über sich selbst denken" (ebd., S. 20).

Nur mit „frischem Denken" (vgl. Arnold 2023b) kann erreicht werden, dass auch Therapeutinnen und Therapeuten ihre „gewohnheitsbedingte Urteile aufgeben (werden)" und „bei der Beobachtung von Phänomenen plötzlich unsere eigene Regie wahrnehmbar (wird)" (Scharmer 2009, S. 60). Dadurch verändert sich der Blick auf den Klienten und das ihn Bedrängende und es können neue Möglichkeiten seines Denkens, Fühlen und Handelns in den Raum der Möglichkeiten eintreten.

10.2 Angewandte Erkenntnistheorie

Die erkenntnistheoretische Unreflektiertheit in der Praxis des Verstehens und Heilens erstaunt umso mehr, als die konstruktivistischen Konzepte der vergangenen Jahre *eine* Erkenntnis deutlich in den Vordergrund geschoben haben: Diese ließ den Beobachter selbst in den Fokus treten, der auch bloß ein Mensch ist, für den gilt: „Alles, was gesagt ist, ist von einem Beobachter gesagt" (Maturana 1996). Auch der therapeutische Beobachter ist ein solcher Mensch. Mit seinem synaptischen Ich mischen sich wissenschaftliches Wissen mit eigenem Lebenswissen zu einer nicht selten unauflösbaren Gemengelage. Indem er dieses über das lebensweltliche Suchen und Wissen des Klienten, der ja mit seiner Weisheit zumeist wirklich am Ende ist, stellt und dieser vielleicht bloß noch signalisieren kann, welcher Weg und welche Einsicht für ihn anschlussfähig wären und welche nicht, wirkt er an der von Jürgen Habermas in den 1980er Jahren beschriebenen „Kolonialisierung der Lebenswelt" im Sinne einer „Kolonialisierung der Seelenwelt" mit. Diese ignoriert und dementiert letztlich die eigenen Erfahrungen und Zugänge der Klienten, während es doch im Sinne einer wirklich nachhaltigen Heilung darum gehen müsste, stets an der lebensweltlichen Erfahrung und Praxis der Klienten anzusetzen:

„Die Lebenswelt kann man auch als Welt von Bedeutungen und Sinnkonstruktionen beschreiben, die aus den Interaktionsprozessen des Individuums mit seinen Umwelten hervorgehen und eine affektive und kognitive Komponente besitzen. Ciompi kommt in seiner Arbeit im Anschluss an Piaget zum Begriff der ›Affekt-Logik‹, um auszudrücken, wie eng affektive und kognitive Aspekte in ganzheitlichen ›Schemata‹ verwoben sind, die dann Bedeutungs- und Sinnkonstruktionen der Lebenswelt repräsentieren" (Brandau 2004, S. 137).

Insbesondere expertenschaftliche Einschätzungen haben es schwer, an die Affektlogik des Klienten anzuschließen und deren Resonanz sowie eine Inside-Out-Veränderung wirksam anzustoßen. Deshalb haben sich in der Erwachsenenbildung sowie in der Sozialpädagogik in den letzten 30 Jahren neuartige Professionalitätskonzepte durchgesetzt, die stärker vom Gegenüber her lehren, begleiten und beraten. Deren Handlungs- und Interventionslogik ist eine *intransitive* – ein Adjektiv, welches vielleicht in diesem Kontext etwas fremd und überrraschend daherkommt. Intransitive Verben beschreiben ein Tun und Geschehen, welches ohne Akkusativobjekt auskommt (z. B. schwimmen, schlafen). Sie sind nicht objektbezogen, sondern beschreiben einen Umgang mit der Welt, der diese als selbstorganisiertes Geschehen in den Blick treten lässt. Heilung wird dabei nicht als eine Handlung fokussiert, die auf ein Objekt gerichtet ist, sondern als eine Aktivität, die sich nur gemäß der inneren Affektlogik des Klienten, d. h. seiner emotionalen und kognitiven Strukturbesonderheiten und Ressourcen ereignen kann. Professionals, die in diesem Sinne in der Lagen sind, sich dem Klienten erschließend statt diagnostizierend zu nähern,

„(…) wissen, wie sie in dem, was sie zu erkennen vermögen, durch Eigenes festgelegt sind, was es beständig zu berücksichtigen und zu relativieren gilt, will man sich der Logik des Gegenübersystems tatsächlich öffnen, statt Eigenes zu rekonstellieren" (Arnold 2018, S. 52).

Die gewissermaßen von außen an den Ratsuchenden herangetragenen oder ihm gar zugemuteten und aufgedrängten Deutungen, Aufforderungen oder gar Etikettierungen, welche der Expertise eines wie auch immer legitimierten Therapeuten entstammen, müssen unter dieser intransitiven Sicht des Geschehens eher am eigentlichen Kern der Selbstorganisationskräfte der Klienten vorbeizielen. Im gesündesten Falle leistet der Klient Widerstand gegen die zugemutete Erklärung und mobilisiert dabei gerade auch die inneren Kräfte, aus deren Bündelung und Einbeziehung Einsicht, Veränderung und Heilung für ihn und seine bedrängte innere Welt reifen könnten.

10.3 Begleitung als Unterstützung kraftvoller Wirklichkeitskonstruktion

Wirksame Begleitung in tiefgreifenden Krisen setzt gezielt an dem Sachverhalt an, dass Heilung aufgrund der Neuroplastizität auch durch die entschlossene Stärkung innerer Bilder erreicht werden kann, für die den beteiligten Akteuren – Klient und Therapeut bzw. Seelsorger – zunächst wie nichts zu sprechen scheint. Zudem kann eine Begleitung auch nur nachhaltig wirksam werden und bleiben, wenn diese auch der ernüchternden Einsicht folgt, dass Menschen bloß das zu lernen vermögen, was mit ihrem eigenen Denken, Fühlen und Handeln in Resonanz zu schwingen vermag.

Joe Dispenza schreibt zur wirklichkeitsschaffenden Kraft unserer gewohnten Formen des Denkens, Fühlens und Handelns: „Diese unbewussten Denkmuster werden zu unseren unbewussten Seinsmustern" (Dispenza 2016, S. 67). Deshalb

– so sein Konzept – können Menschen ihr Sein verändern, wenn sie ihre alten synaptisch eingespurten Wege gezielt meiden und „die Oberhand über die alten Denkmuster“ (ebd., S. 71) gewinnen. Jeder der von ihm interviewten Menschen, die eine Spontanheilung erreicht hatten, musste

„(...) sich mit Zweifeln, widrigen Überzeugungen und Ängsten herumschlagen. Jeder musste sich sowohl seiner eigenen, altvertrauten inneren Stimme gegenüber taub stellen wie auch den Kommentaren von außen, von anderen Menschen, die ihm Sorgen einreden wollten und entgegenhielten, was ihn aus schulmedizinischer Sicht erwarte.

Fast alle wiesen darauf hin, diese neue innere Haltung sei nicht so leicht zu erringen. Wie unendlich viel der untrainierte Geist vor sich hinplappert, war ihnen vorher nie klar gewesen. Zuerst fragten sie sich, ob sie wohl in ihre gewohnten Muster zurückfallen oder ob sie überhaupt stark genug sein würden, dem alten Modus Widerstand zu leisten. Würden sie es schaffen, sich den ganzen Tag über ihrer Gedanken bewusst zu sein? Wie sich im Lauf der Zeit jedoch herausstellte, merkten sie es rasch, wenn sie in alte Muster zurückfielen, und so konnten sie das Programm unterbrechen. Je mehr sie trainierten, auf ihre Gedanken zu achten, desto einfacher ging es und desto besser fühlten sie sich hinsichtlich ihrer Zukunft. Und aus diesem Gefühl der Ruhe, Gelassenheit und Klarheit tauchte allmählich ein neues Selbst auf“ (ebd., S. 73).

Die helfende Begleitung von Menschen in seelischen Leidensprozessen steht m.E. heute vor der zentralen Aufgabe, solche Bewegungen zur Selbstveränderung von synaptischen Mustern anzuregen und zu unterstützen. Dies gelingt kaum, wenn mit diagnostischen Festlegungen gearbeitet wird, deren erkenntnis- und beobachtungstheoretische Grundlagen seit jeher fragwürdig waren. Um hingegen Inside-Out-Prozesse anregen und fördern zu können, müssen zuvörderst Therapeutinnen und Therapeuten die Mechanismen ihres eigenen Denkens, Fühlens und Handelns zu durchschauen lernen. Zudem müssen sie sich von der Einsicht tief erschüttern lassen, dass ihre Diagnosen nicht allein deshalb richtig und berechtigt sind, weil sie es sind, die diese treffen, und sie müssen erkennen, dass diese meist einem „Healing from the Past“ verbunden bleiben, dessen Annahmen durch die Einsichten in die Neuroplastizität unserer Hirnprozesse deutlich relativiert worden sind. Entscheidende Durchbrüche scheinen keineswegs ausschließlich in erster Linie durch die Aufdeckung und Bearbeitung früher kognitiv-emotionaler Muster allein bewirkt werden zu können (vielmehr stärkt eine solche Vergangenheitsorientierung – wie gesagt – auch die alten Deutungsmuster der problemsprachlichen Sicht der Dinge). Nachhaltige Heilungsprozesse brauchen aber die Transformation der bisherigen Denkgewohnheiten und inneren Zukunftsbilder.

Nicht erst die Hirnforschung der vergangenen Jahre hat uns unabweisbar mit dem Sachverhalt konfrontiert, dass wir die uns begegnende Welt so sehen, wie wir dies aufgrund unserer bereits biographisch gestifteten synaptischen Verbindungen können. Wahrnehmung ist somit stets auch Erinnerung. In diesem Sinne wies der Hirnforscher Manfred Spitzer – wie bereits erwähnt – bereits 2007 darauf hin, dass wir hirnphysiologisch überwiegend „mit uns selbst beschäftigt (sind)" (Spitzer 2007, S. 54). Gerhard Roth gelangt schon vor nunmehr mehr als 20 Jahren in seinen hirnphysiologischen Studien zu der Einschätzung, dass

„unser bewusstes Ich nur begrenzte Einsicht in die eigentlichen Antriebe unseres Verhaltens (hat). Die unbewussten Vorgänge in unserem Gehirn wirken stärker auf die bewussten ein als umgekehrt. Das bewusste Ich steht jedoch unter (...) Erklärungs- und Rechtfertigungszwang. Dies führt zu den typischen Pseudoerklärungen eigenen Verhaltens, die aber gesellschaftlich akzeptiert werden. (...) Die subjektiv empfundene Freiheit des Wünschens, Planens und Wollens sowie des aktuellen Willensaktes ist eine Illusion. Der Mensch fühlt sich frei, wenn er tun kann, was er zuvor wollte" (Roth 2001, S. 453).

In seinem Werk „Persönlichkeit, Entscheidung und Verhalten. Warum es so schwierig ist, sich und andere zu ändern" (Roth 2007) wird Gerhard Roth noch deutlicher, wenn er schreibt, dass letztlich „jeder in seiner Welt (lebt)" (ebd., S. 263 ff), woraus folgt,

„(...) dass nur solche Bedeutungen entstehen können, die eine neue Kombination bereits vorhandener Bedeutungen darstellen. Was nicht zuvor als Bedeutung in meinem semantischen Sprachgedächtnis vorhanden war, kann auch nicht zur Erzeugung neuer Bedeutungen herangezogen werden. (...) Hieraus folgt ganz radikal, dass Bedeutungen gar nicht übertragen werden können, sondern in jedem Gehirn erzeugt (konstruiert) werden müssen. (...) Dies führt zu der scheinbar paradoxen Tatsache, dass Bedeutung erzeugende Systeme semantisch voneinander abgeschlossen sind. Keine Bedeutung dringt in sie ein und keine verlässt sie, sondern dies trifft nur für Erregungen bzw. Signale zu. Wenn Personen miteinander kommunizieren, tauschen sie untereinander Schalldruckwellen, d. h. akustische Signale aus, die ihr Gehirn als sprachliche Laute interpretiert (das macht das Gehirn automatisch). Welche Bedeutungen in ihren Gehirnen dabei erzeugt werden, hängt ausschließlich von den dort bereits vorhandenen Bedeutungen ab. Ich kann deshalb als Sprecher eine bestimmte von mir gewollte Bedeutungserzeugung im Zuhörer nicht erzwingen" (ebd., S. 269).

Die Konsequenzen dieser Funktionsweise unseres Gehirns sind grundlegend. Sie zeigen, dass wir keine unmittelbare Beziehung zu dem, was um uns herum geschieht, haben, sondern dieses bloß erfahrungs- und mustergeprägt – in Abhängigkeit von dem, was wir schon wissen, vermuten oder erahnen und befürchten – wahr*geben* können. Dies ist und bleibt unsere eigene Geschichte: „Wir sind unsere Synapsen" schreibt der Amerikaner LeDoux, und er kapituliert letztlich vor der Unmöglichkeit, die Frage „Wer bist du?" wirklich gehaltvoll beantworten zu können:

„Wir alle verfügen über dieselben Hirnsysteme, und die Zahl der Neuronen in jedem System ist bei jedem von uns mehr oder weniger gleich. Bei jedem sind die Neuronen aber auf andere Weise verschaltet, und die Einzigartigkeit dieses Musters macht, kurz gesagt, unsere Persönlichkeit aus. (…) Das das Selbst synaptisch ist, kann ein Fluch sein – nur zu leicht bricht es auseinander. Seine synaptische Natur ist aber auch ein Segen, denn immer wieder gibt es neue Verbindungen, die darauf warten, geknüpft zu werden. Wer sind Sie? Sie sind Ihre Synapsen. Aus ihnen besteht Ihr Selbst" (LeDoux 2003, S. 398 und 424).

Diese Erkenntnisse stärken den Eindruck, dass Wahrnehmen, Erkennen und Beurteilen einen Inside-Out-bzw. Aneignungsprozess darstellen, der uns mit dem jeweiligen Außen nur zu den eigenen synaptischen bzw. emotionalen und kognitiven Bedingungen in Verbindung bringen kann. Aussagen, wie „es ist", „objektiv gesehen" oder „es ist doch klar, dass" verführen uns deshalb zu einer Verfestigung der Gewissheit, die uns von dem, wie es anderen der Fall zu sein scheint, entfernen und nicht mit diesem verbinden. Wenn 80% und mehr unserer Wahr*gebung* eigenen Konstruktionen entstammt, dann bleiben uns bloß das Nachfragen und die wertschätzende Konstruktion des Anderen. Wir sollten aber auch damit aufhören, den Anderen dafür verantwortlich zu machen, wie wir uns an seiner Seite fühlen. Vielmehr sollten wir uns mit den eigenen Mustern auseinandersetzen, die er in uns triggert und die uns zur Hinwendung oder zur Abwendung motivieren. Denn, wenn wir diese nicht verändern können, finden wir im Außen stets bloss das, was in unserem Inneren sein „darf" – meist unerkannten und unreflektierten Mustern folgend.

Die These von Joe Dispenza hilft gleichwohl bei der Erweiterung oder gar Aufgabe der newtonschen Kausalitätsannahmen. Die Quantentheorie liefert nämlich ausreichend Gründe, um die beiden tragenden Annahmen eines mechanistisch-linearen Deutungskurzschlusses (= grau unterlegter Bereich in Abb. 26) auch und gerade in der Psychotherapie schonungslos zu dekonstruieren und dem Gedanken nachzuspüren, dass es sich bei diesen um gewohnheitsmäßige Kurzschlüsse handelt, die andere Zugänge zur Welt der Phänomene verstellen, weil sie uns „Einflüsterungen" aufdrängen, denen nicht allein deshalb ein größerer Wirklichkeitsgehalt zukommt, weil sie über *unser* Ohr in *unser* Gehirn einziehen und von dort her unser Bild von der Wirklichkeit konstruieren. Nicht alles, was wir denken und fühlen, ist strukturdeterminiert und durch die fortwirkende Kindlichkeit unseres Inneren bestimmt. Vielmehr ist auch das Verstehen der in uns wirkenden Wahrnehmungs- und Fühlmechanismen möglich, und:

> Menschen können auch ihr „gewohntes Ich", welches „die stärkste Gewohnheit, die wir aufgeben können" (Dispenza 2017, S. 15 ff) ist, hinter sich lassen und ihr Ich neu (er)schaffen – ein Gedanke, der der Aufklärung und der Bildungstheorie gleichermaßen vertraut ist.

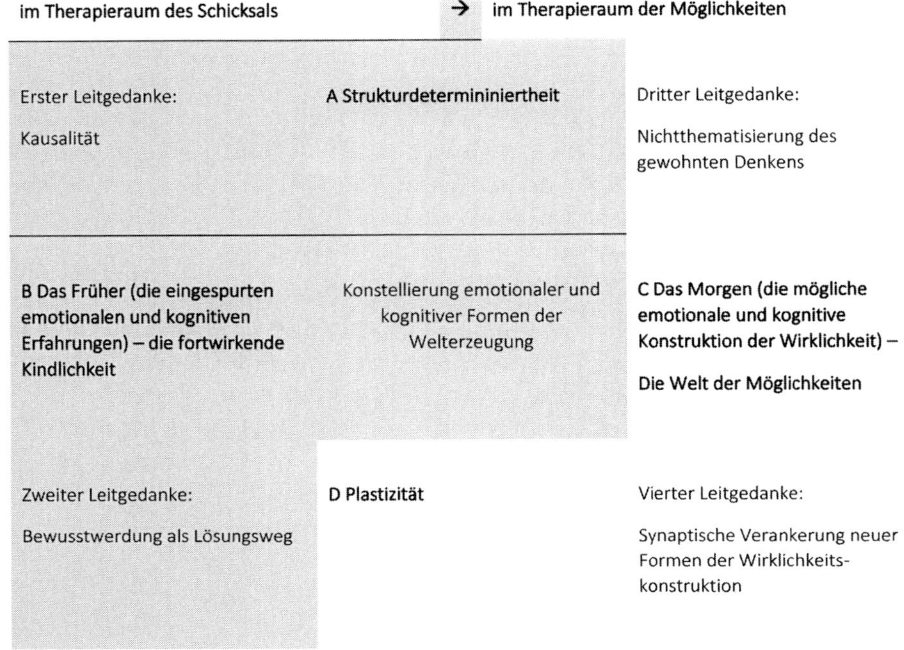

Abb. 26: Von der Strukturdeterminiertheit zur Plastizität

Um die Annahmen der fortwirkenden Kindlichkeit und der Strukturdeterminiertheit zu überwinden oder zumindest in den Hintergrund zu rücken und nicht zu den alleinigen Brillen unseres therapeutischen Blicks auf das Geschehen verkommen zu lassen, ist es wichtig und notwendig, das therapeutische Handeln stärker von der Frage nach den möglichen emotionalen und kognitiven Konstruktionen der Wirklichkeit her zu gestalten und den Ratsuchenden bei ihrem Aufbruch in die neue Welt und deren Möglichkeiten zu begleiten.

Dieser potenzialorientierte Fokus ist im Kern ein bildungswissenschaftlicher. Er folgt den seit Menschengedenken beobachtbaren Versuchen, das Wesen des Menschseins (vgl. Roth 2021) zu durchdringen und nach Möglichkeiten zu suchen, zu einer „sittlicheren“ – wie man früher sagte – „besseren“, „aufgeklärteren“ oder „reflektierteren“ Persönlichkeit zu reifen. Sämtliche Bildungsdiskurse der Neuzeit drehen sich um dieses Thema, wobei seit der Aufklärung der Reflexionsfokus und der Fokus der Selbstbildung (vgl. Arnold 2013a) deutlich gestärkt wurden. War man in früheren Zeiten darum bemüht, Kinder und Jugendlichen erfolgreich an die gesellschaftlich geforderten Verhaltensstandards anzupassen, so verpflichtete die Aufklärung den Einzelnen dazu, die Unmündigkeit zu verlassen und sich seines „Verstandes ohne fremde Hilfe“(Kant) zu bedienen, um Verantwortung für das eigene Denken, Fühlen und Handeln zu übernehmen.

Damit war der Grundstein für eine kritische und auch „respektlose" Reflexion der Verhältnisse gelegt, und man begann sich auch der Frage zuzuwenden, welche anderen Formen eines vernünftigen Umgangs mit Natur und Gesellschaft sowie dem eigenen Lebenschancen denkbar und begründbar seien. Überhaupt rückte die logische und evidenzbasierte sowie kritische Begründung in das Zentrum der Diskurse.

Ging der Bildungsbegriff schon stets von dem Anspruch aus, zu prüfen, was Menschsein eigentlich bedeutet bzw. bedeuten kann, so wurde er mehr und mehr um eine gesellschaftstheoretische Dimension erweitert, welche die Frage nach den zu schaffenden Bedingungen zur Ermöglichung von individueller Reifung und Kompetenzentwicklung ohne Ansehen der Person aufwarf. Der Bildungsdiskurs wurde so zu einem gesellschaftstheoretischen Diskurs, in dessen Hintergrund es aber immer auch um die Grundlinien einer Subjekttheorie ging. Diese suchte die individuellen Mechanismen einer gelingenden emotionalen und kognitiven Entwicklung im Kontext lebensweltlicher und gesellschaftlicher Gegebenheiten genauer zu bestimmen – auch mit dem Ziel, den Einzelnen zu stärken und zu einem aktiven Gestalter seiner Biographie heranreifen lassen. Das Subjekt wurde dadurch vom „Unterworfenen" zum Entwerfer und Gestalter seiner biographischen und gesellschaftlichen Möglichkeiten, wobei der freie Wille, die Selbstverantwortlichkeit sowie die Selbstbewusstheit wesentliche Konnotationen des sich wandelnden Subjektbegriffs wurden. In diesem wurde der Mensch selbst zum eigentlichen Mass aller Dinge bzw. zum Konstrukteur seiner Wirklichkeit, wodurch auch die Tür zu einer vertieften Selbstreflexion des Subjektseins aufgestoßen wurde.
Dabei wurden keineswegs alle überlieferten Kriterien und Maßstäbe über Bord geworfen (z.B. die Menschenrechte mit ihrem Autonomieversprechen), wohl aber hinsichtlich seiner Letztbegründbarkeit kontinuierlich hinterfragt. Herausgekommen ist dabei eine Kultivierung der Vielfalt, Entstandardisierung und Flexibilität, die es letztlich auch nahelegt, sich im therapeutischen Handeln von Standardkonzepten mehr und mehr zu lösen und sich differenzierteren bzw. granularen Deutungen zuzuwenden, die von dem Grundsatz getragen werden, dass es – im konkreten Fall – auch ganz anders sein könne als es die sprachlich gefassten und überlieferten Konzepte der Vergangenheit vorsehen. Psychotherapie und Bildung laufen mit solchen grundlegenden Reflexionen gewissermaßen der Zeit hinterher und deuten das aktuelle Geschehen nicht selten mithilfe der Vorstellungen, Bilder und Konzepte der Vergangenheit.

Solche offenen Vorgehensweisen mit den Bindungserfahrungen in der Ursprungs- und Gegenwartsfamilie sind auch geeignet, in Phasen des rasanten Wandels der üblichen Subjektivierungsformen Zugänge und Verstehen von Klientenbewegungen zu ermöglichen – wissend, dass sich in diesen auch anderes zeigt als das, was man selbst als gültig erlebt und in sich als unverrückbares Bild gespeichert hat. Zeitgemäße Psychotherapie und Pädagogik sind nämlich gehalten, sich an den aktuellen gesellschaftlichen Wandlungsprozessen des Subjektiven bzw. der Identität und des Lebenslaufs zu orientieren, statt diese durch den Rückspiegel aus der Vergangenheit heraus zu beobachten. Angesichts dieser unübersehbaren Wandlungsprozesse entstanden z. B. bereits in der Soziologie der „reflexiven Moderne“ (vgl. Beck 1986) Versuche, neue Formen der denkerischen und operativen Handhabung zu entwickeln, welche gewissermaßen den Wandel selbst zum tragenden Referenzpunkt der Subjektivierung stilisierten – getrau dem Motto: „Das einzig Beständige ist die Unbeständigkeit“. Als neues Leitbild entstand deshalb u. a. das Bild vom „Flexible Man“ (Sennett 1988), welches aber zu stark auf die Verfügbarkeit des Subjektes für beliebige Indienstnahmen setzte und damit zu einem längst versunkenen Konzept der letztlichen Unterworfenheit des Einzelnen in seiner Subjektivierung zurückkehrte. Deshalb wurde in den Bildungsdebatten dieses Bild zum „Reflexible Man“ erweitert:

„Dieser weiß um die selbsterfüllende Kraft seiner Gewohnheiten und der eigenen Traditions- sowie Routineverhaftung. Er ist sich der Tatsache bewusst, dass diese ihn immer wieder dazu verführen, an seinen Gewissheiten festzuhalten und sich die Zukunft auf der Basis der eigenen Erfahrungen zu konstruieren, wodurch er dazu beiträgt, dass auch die Zukunft mehr oder weniger so wird, wie die Vergangenheit bereits gewesen ist. Der ›reflexible man‹ ist deshalb nicht bloß flexibel, sondern auch um Reflexion bemüht. Er weiß, dass er seine Welt bloß verändern kann, wenn es ihm gelingt, sich selbst zu verändern. Indem er lernt, die Gegebenheiten weniger rasch zu beurteilen, öffnet er sich auch dem Fremden, Unbekannten und vielleicht bereits Verworfenen gegenüber. Er vergleicht wertschätzend, wo er früher durch Beurteilungen Eindeutigkeiten herstellte. Dadurch schaffte er zumindest die Voraussetzungen dafür, dass sich ihm die Wirklichkeit in anderer Weise – als andere Wirklichkeit – zu zeigen vermag. Damit erreicht der ›reflexible man‹ eine Flexibilität eigener Art. Diese verdankt sich seiner Eigendrehung, keiner bloßen Anpassung an vermeintlich oder tatsächlich Gegebenes. Und diese Eigendrehung ist Ausdruck der Lernfähigkeit, die er als Potenzial in sich trägt“ (Arnold 2017a, S. 14).

Bezogen auf den therapeutischen Umgang mit Störungsgefühlen lässt sich aus diesem Bilderwechsel die Überlegung folgern, dass mit dem Ende der Normalbiographien und der Standardlebensläufe auch das psychotherapeutische Wirken, nicht weiterhin überlieferten Konzepten folgen kann, so als sei nichts geschehen – zumal auch die Kausalität der Strukturdeterminiertheit in Anbetracht der hirnphysiologischen Plastizitätsmodelle alles andere als gesichert ist und als dominanter Therapieansatz nicht länger aufrechterhalten werden kann. Es gibt nicht bloß vergangene Ursachen, sondern wohl auch zukünftige, weshalb es sinnvoll sein kann, sich den zukünftigen Ursachen für einen im Jetzt gelingenden Wandel denkerisch und therapeutisch noch stärker zu nähern, wie dies die erwähnten Konzepte des Emotionalen Konstruktivismus oder der aktiven Synapsenveränderung nahelegen.

Es wirkt nicht bloß, was gewesen ist, sondern vielmehr auch das, was wir für möglich halten (können). Möglichkeiten können ebenso wahrscheinlich und wirksam sein, wie erlebte Ursachen. Die Ursachen sind allerdings unveränderbar, weil vergangen. Nur die zukünftigen Möglichkeiten lassen sich gestalten und aktiv in ihren Wirkungen für das Hier-und-Jetzt wandeln – so könnte die tastende Ausgangsthese einer Quantenpsychologie lauten, wenn es sie denn überhaupt geben kann und soll.

Systemisch geschulte Begleiter*innen wissen, dass „man (nur) sieht, was man glaubt" (Maturana 1996, S. 31), weshalb man gut beraten ist, der sich in einem wie von selbst versteifenden Gewissheit beständig (!) zu misstrauen – besonders dann, wenn man auf eine professionelle Expertise zurückzugreifen meint. Und sie wissen auch, dass Veränderungen nur im Einklang mit und nicht gegen die subjektiven – kognitiv-emotionalen – Tendenzen der Klienten erreicht werden können. Systemiker sind deshalb auch Anschlussspezialisten bzw. Fachleute im Umgang mit Erkenntnisformen. Humberto Maturana spricht in diesem Zusammenhang von einem „Systemischen Bewusstsein", welches sich bewusst ist, dass

„(...) das System, als solches betrachtet, eine Ganzheit (ist). Um es jedoch in seiner operationalen Komplexität zu verstehen, muss man nach innen blicken. Es gilt also, mit diesem doppelten Blick zu spielen – das heißt beim Umgang mit Systemen muss man zu einem begrifflichen und intellektuellen Apparat werden, stets vom inneren auf den äußeren Blick umschalten und beide aufeinander beziehen, da zwischen ihnen kein Kausalverhältnis besteht. Dabei ist aber zu bedenken, dass man die Totalität selbst unterschieden hat" (ebd., S. 218).

Es ist dieses Umschalten von den äußeren auf die inneren Blicke der Akteure sowie die Fokussierung der Frage, welche Totalität (des Problemzusammenhangs) sie auf welche Weise von was unterschieden haben und warum sie dies so tun, welche die beobachtungstheoretische Basis des systemischen Bewusstseins sowie entsprechender Formen des Umgangs mit den Problemlagen des Klienten charakterisieren. Beobachter nutzen dabei die Möglichkeiten, ihre Beobachtung wie mit einem „Zoom-Objektiv" bewusst zu steuern. Eine solche bewusste Steuerung der Beobachtung basiert auf einem ganzheitlichen Denken in Vernetzungszusammenhängen, welches auf Integration und Zusammenfügen der vielen – überwiegend unbekannten – Einflussfaktoren gerichtet ist:

„Es ist wie beim Verwenden des Zoom-Objektives: Der Bildausschnitt, auf den wir das Objekt momentan einstellen, ist unser System; wovon dieses Bild ein Teil

ist, sehen wir erst, wenn wir einen größeren Ausschnitt wählen" (Ulrich/ Probst 1988, S. 33).

Auch das eigene Erleben seines Dramas konstruiert sich der Klient durch die Art seines Zoomens auf eigene Weise! – ein Hinweis, der nicht bedeutet, das Drama selbst zu leugnen oder gar zu bagatellisieren, sondern bloß als Hinweis darauf verstanden werden soll, dass man auch mit dramatischen Lagen so oder auch anders umgehen kann.

Es ist die vorrangige Aufgabe einer systemischen Therapie, die von den Akteuren bemühte Fokussierung des Problems behutsam zu relativieren und für das Umschalten von den äußeren auf die inneren Blicke der beteiligten Akteure zu sorgen, ohne jedoch dabei zu vergessen, dass der therapeutische Beobachter dabei selbst nur ein Beobachter ist, und alles zu vermeiden, was implizit oder explizit voraussetzt, dass er in der Lage sei, „trotz seiner konstitutiven Beobachterrolle eine unabhängige Außenwelt zu erklären" (Maturana 1996, S. 42).

10.4 Epistemologie, Meditation und emotionale Selbstreflexion

In den letzten 20 Jahren haben die Beobachtungstheorien insbesondere in den Sozialwissenschaften verstärkt Einzug gehalten. Gleichzeitig verlagerte sich der Ansatz von einer Beobachtung erster Ordnung („ich beobachte und erkenne die Wirklichkeit!") zu einer Beobachtung zweiter Ordnung („Ich beobachte mich dabei, wie ich die Wirklichkeit beobachte und zu erkennen meine!"). Bei der Beobachtung zweiter Ordnung werden Beobachtungen beobachtet: Wissenschaftler wenden sich selbstkritisch den Formen und Methoden ihrer Annäherung an die Beschaffenheit und Wirkungszusammenhänge ihrer Erkenntnisobjekte zu, Therapeutinnen und Therapeuten sind – während sie sich auf die Geschichten ihrer Klienten einlassen – zugleich mit einer Art Echolot damit beschäftigt, zu erspüren, welche spontanen Bilder, Assoziationen sowie Wort- und Satzfetzen in ihnen selbst aufscheinen und ihre eigenen Gefühle zu Gedanken und Kommentierungen verdichten. Letztlich widmet sich die Beobachtung zweiter Ordnung dem eigenen blinden Fleck, der nicht zu sehen vermag, was er nicht zu sehen vermag, und rückt gerade professionellen Akteuren dadurch ins Bewusstsein, mit welch selektivem Gestus bzw. auf der Basis welcher eingespurten Unterscheidungen sie sich selbst die Wirklichkeit ihres Gegenübers konstruieren. Die Beobachtung zweiter Ordnung folgt dem Slogan „Das Erkennen des Erkennens verpflichtet" (Maturana 2001). Dabei rückt die Frage nach der Relativität der eigenen Deutungs- und Handlungsroutinen, die nicht allein deshalb angemessen sind, weil sie unsere eigenen sind. Diese „bewährten" Konzepte vielmehr als bloße Konzepte zu erkennen, sie zu relativieren, um sich gar von ihnen zu lösen und sich „theorielos" (vgl. Szabó 2009) zu bewegen, ist die Horizontlinie, auf die sich die Professionalisierung helfenden Tuns zubewegt. Angestrebt wird dabei eine Haltung, deren Ausprägbarkeit nicht vom Entwicklungsstand des kognitiven Nachdenkens allein, sondern auch vom emotionalen Reifegrad des jeweiligen Professionals abhängig ist. Die reflexiven Fragen, mit denen sich Therapeuten dabei konfrontiert sehen, sind: Wozu „brauche" ich diese Helferrolle? Was nützt mir hilfreiches Rechthaben in komplexen Lebenslagen anderer? Welche emotionale Zuwendung beziehe ich selbst aus meinem Tun? Und: Was würde mir fehlen, wenn ich diese sich anvertrauende Nähe zu meinen Klienten nicht mehr hätte?

Im Hinblick auf die professionellen Anforderungen an eine erfolgreiche psychotherapeutische Begleitung muss deshalb festgestellt werden:

> Ein Therapeut oder eine Therapeutin, die nicht wirklich tief verstanden haben, dass *auch sie* selbst die Konstrukteure ihrer Wirklichkeit sind (Spitzer 2007, S. 417) und keineswegs als einzige über ein Superhirn verfügen, welches nur ihnen und niemandem sonst einen objektiven Zugang zu den Gegebenheiten im Außen eröffnet, können die Küchenpsychologie und die newtonsche Psychologie nicht wirklich hinter sich lassen. Sie agieren zudem nicht in dem vollen Bewusstsein, dass es darum geht, sich vollständig von der Vorstellung zu lösen, „that our answers from the past are automatically the answers for the future" (Senge u. a. 2008, S. 40).

Die Hirnforschung spricht in diesem Zusammenhang von der „neuronale(n) Selbstorganisation als Basis von Wahrnehmung" (Manteuffel 1992). Therapeuten und Therapeutinnen, die in dieser Weise die sie leitende Gewissheit als Ergebnis und Ausdruck ihrer eigenen Form der Beobachtung verstanden und akzeptiert haben, stellen sich stets die professionelle Leitfragen: „Was ruft mir dieses Erleben über mich selbst in Erinnerung?" Oder: „Was drohe ich, gerade zu wiederholen (oder zu verwechseln?" Sie lassen die Welt der Theorieeinflüsterungen ebenso hinter sich, wie die der Küchenpsychologie, welche beide einen irgendwie gearteten Zugang zu einer so-und-nicht-anders-gegebenen Welt unterstellen, welchem sich andere bloß unterwerfen oder widersetzen können, wenn diese ihnen mit Druck, Drohung oder aus der Position eines professionell vermeintlich überlegenen Zugangs zum objektiv Gegebenen nahegebracht wird. Sie wissen um die Fragilität und Begrenztheit der menschlichen Beobachtung, welche Humberto Maturana mit den Worten beschreibt:

„Der ›Beobachter‹ ist ein Mensch, wie er spricht, und dabei Unterscheidungen trifft und Beschreibungen anfertigt. Wir alle sind Beobachter. Wir sind nicht mehr und auch nicht weniger als das. Nun, als Beobachter stehen wir in einer gedank-

lichen Tradition, wir gehören einer Kultur an, in der gewöhnlich zwischen dem Beobachter und dem Beobachteten unterschieden wird. Deshalb mag es so erscheinen, dass auch ich mich auf diese Unterscheidung beziehe, wenn ich von dem ›Beobachter‹ spreche. Das tue ich aber nicht, sondern ich beziehe mich dabei nur auf die Operationen eines Menschen, der unterscheidet und über das spricht, was er unterscheidet. Ich führe also die Unterscheidung zwischen einem ›Beobachter‹ und einem ›Objekt‹ nicht ein. Ich beziehe mich lediglich auf die Operation des Beobachtens" (Maturana 1996, S. 58).

Solche Hinweise sind geeignet, den Ansatzpunkt eines wirksamen begleitenden Handelns zu transformieren. Diesem kann es nicht länger um Aufdeckung (unter Anleitung) und Erklärung gehen, sondern vielmehr bloß um die Befähigung zum Umgang mit den Deutungsroutinen und Handlungsgewohnheiten – den eigenen und denen des Gegenübers, welches sich suchend anvertraut. Veränderung und Transformation gelingen bloß aus einer Würdigung und Wertschätzung der bisherigen Interpretationen und Lösungsversuche heraus, wobei es die Aufgabe des therapeutisch Begleitenden lediglich sein kann, diese Wertschätzung auszudrücken und anschlussfähige – andere – Perspektiven des Deutens und Handelns vorzuschlagen. Sobald sich Widerstand im Klienten regt, ist dieser ein Ausdruck seiner inneren Möglichkeiten und ein Signal dafür, dass die vorgeschlagene Perspektive nicht die seine ist oder werden kann. Wirkungsorientierte Therapie ist um Anschlussfähigkeit der Veränderungsschritte und um eine allmähliche Entdramatisierung der eigenen Sicht der Dinge bemüht – getreu dem Ausspruch von Epiktet (ca. 50–138): „Nicht die Dinge selbst, sondern die Meinungen über dieselben beunruhigen die Menschen" (Epiktet o. J., 5).

Mit dem Konzept der „selbsteinschließenden Reflexion" entwickelten Forscher um den chilenischen Hirnforscher Francisco Varela in den 1990er Jahren eine Kognitionstheorie, die die Konstruktivität des Erkennens zum Ausgangspunkt für das Verstehen der menschlichen Wahrnehmung wählte. Den Ansatz dieser epistemologischen Form des Umgangs mit der Welt und sich selbst fassen der Hirnforscher Francisco Varela u. a. in den Satz:

„Wir erkennen vieles, aber wir erkennen nicht, wie wir erkennen. Das ist der Haken" (Varela/ Thompson/ Rosch 1992, S. 57).

Deshalb entwickelte Varela das Konzept eines auf „Achtsamkeit" und „Gewahrsein" bezogenen Kognitionsgebrauchs. Francisco Varela u. a. rücken damit eine reflexive Annäherungsweise an die Außen- und Gegenüberwelt in den Blick, wie sie der buddhistischen Philosophie vertraut ist. Sie greifen deshalb auch auf entsprechende östliche Konzepte zurück und definieren „Kognition als verkörpertes Handeln" (ebd., S. 15). Damit bereiten Varela u. a. eine Sichtweise vor, die – wie der Ansatz von Joe Dispenza – auf die Kraft der Intuition, der uns jenseits unserer Konditionierungen zu einem angemessenen Denken, Fühlen und Handeln befähigenden Orientierungsfähigkeit, vertraut.

Meditation ist dabei das Mittel der Wahl. Wer meditiert, der beobachtet ruhig und gelassen, wie er beobachtet, d. h. wie die eingespurten Gewissheiten tagtäglich von ihm Besitz ergreifen und die Regie für die Wahrnehmung bzw. Wahrgebung übernehmen. Zugleich kann Meditation das Bewusstsein von der Konstruktivität dessen, was ist, stärken und dadurch Türen zu einer neuen Wirklichkeit eröffnen.

Meditation:

„Es könnte auch ganz anders sein – und ist es auch!"

1 Misstraue Schnelldiagnosen über das dich erschreckende oder befremdende Verhalten Deines Gegenübers und beobachte Deine eigene Art der Beobachtung und Beurteilung. Öffne Dich absichtsvoll gegenüber anderen Lesarten!

Rückblick

2 Wie reagierte ich in meinem Leben auf Kränkungen, Enttäuschungen und Betrug?

3 Woher habe ich diese penetranten Routinen des Denkens, Fühlens und Reagierens („alte Bekannte")? Von wem oder durch was habe ich diese eingeübt?

4 Welchen Schaden haben mir diese gestiftet? Von welchen Erfahrungen haben sie mich abgeschnitten?

5 Welchen (heimlichen) Nutzen stifteten mir meine gewachsenen Routinen des Denkens (Diagnostizierens), Fühlens und Handelns?

6 Welchen drohenden Gefühlen weiche ich aus, indem ich darum kämpfe, zu verstehen, zu wissen, zu kontrollieren und Recht zu haben?

Imagination eines neuen – alternativen – Ich

7 Welche anderen – überraschend gelassenen oder gleichgültigen – Formen des Umgangs mit kritischen Ereignissen konnte ich in meinem Leben auch beobachten?

8 Wie will ich zukünftig denken, fühlen und handeln? Was soll an die Stelle meiner alten Denk und Fühlmuster treten?

9 Wer will ich sein, wenn ich mir mein – von inneren Maßgaben – befreites Ich vorstelle, und wie will ich leben?

10 Wie sieht mein ideales Ich aus? Wie bewegt es sich?

11 Wie reagiert mein neues Ich in den bedrängenden Lagen meines Lebens?

Habitualisierung

12 An welchen Vorbildern (Vorfahren, Geistesgrößen, Idolen etc.) könnte ich mich orientieren?

13 Wie kann ich mein neues Ich bereits morgen in meinen Alltag einfließen lassen und seine Ausdrucksformen üben?

14 Wie lenke ich die anspringenden Spontangedanken des Alten, die bereits am Morgen anspringen, auf neue Bahnen?

15 Durch welche Übungen kann ich dazu beitragen, dass mein Denken, Fühlen und Handeln mehr und mehr von meinem neuen Ich durchdrungen werden, während das alte Ich sich zurückzieht?

10.5 Von der Problem- zur Lösungssicht

Eine epistemologisch-meditative Wende der helfenden Berufe zeichnet sich erst in Ansätzen ab, und erst vereinzelt haben Führungs-, Beratungs- oder Lehrkonzepte tatsächlich begonnen, sich von den überlieferten Formen der „Epistemic Culture“ (Knorr Cetina 1999) und den Mechanismen, mit denen Wissenschaften ihr Wissen erschaffen, zu lösen. Diese folgen einer vorausgesetzten Logik, deren Überzeugungswirkung und Macht überlieferten Formen der Wissenserzeugung folgen – in der Regel wenig darum bemüht, die erkenntnistheoretisch begründeten Relativierungen sowie die Risiken und Nebenwirkungen ihrer Festlegungen zu reflektieren.

Eine epistemologisch reflektierte Therapie verfügt einerseits über möglichst sämtliche der bekannten theoretischen „Scheinwerfer“, um das Gegenübersystem auszuleuchten, sie weiß aber, dass man Seelenbewegungen meist angemessener spürt und versteht, wenn man die Theorie-Lichter abdunkelt und sich unbeleuchtet durch das offene Dunkel tastet – allein geleitet von dem, was uns die Problemdarstellung, das Leiden und der Widerstand dieses Gegenübers zeigt. Eine epistemologisch reflektierte Therapie hat die Grundlektionen darüber, wie ein Gehirn funktioniert, gelernt und auch für den Umgang mit der professionellen Kognition stets eine Art „Bedienungsanleitung“ (Hüther 2010) reflexiv verfügbar. Sie weiß, dass sie „nicht weiß“ (Sokrates), sondern bloß Entschiedenheit und Gewissheitsversteifung spürt und dann entsprechen beurteilend wahrnimmt. In ähnlich selbstreflexiver Weise haben sich epistemologisch informierte Therapeuten in die Mechanismen ihrer „emotionalen Konstruktion der Wirklichkeit“ (vgl. Arnold 2005) vertieft. Sie wissen, dass selbst die nüchtern daherkommende Erkenntnis auf einer gefühlten Weltsicht aufruht, die letztlich auch von der eigenen Unsicherheit und Angst des Beobachters im Umgang mit der sich widerständig oder überraschend anders gerierenden Wirklichkeit der Gegenübersysteme zeugt. Insgesamt bewegt sich die epistemologische Therapie im Kontakt mit dem Klienten theorielos.

Es geht auch ihr einzig und allein um die Nützlichkeit für den Leidenden durch die „Anregung zum Wechsel der Präferenzen“, wie es der systemische Therapeut Kurt Ludewig in einem Interview ausdrückte:

„Probleme werden durch Vermeidung stabilisiert; Alternativen werden vermieden, denn man kann nie gewiss sein, ob sie besser sind und ob man dabei vielleicht wesentliche existentielle Beziehungen aufs Spiel setzt. Therapie sollte Bedingungen schaffen, damit Menschen eine Veränderung wagen können. Hier ist Würdigung wichtig. Mir geht es darum, den Menschen zurückzugeben oder zu erkennen zu geben, dass ihre Art zu leben, das was sie erzeugt oder zustande gebracht haben, berechtigt ist. Und dass es da noch Alternativen gibt. Bevor es um Alternativen geht, muss man ihnen das Gefühl geben, so wie du bist, bist du richtig. Wenn das gelingt, ist die Wahrscheinlichkeit viel größer, dass Verände-

rung gewagt wird. Für mich heißt Psychotherapie also die Ultrastabilisierung eines Veränderungsprozesses" (Ludewig 2009, S. 397.).

Damit Veränderung im Sinne einer Selbstveränderung gelingen kann, ist es notwendig, an keiner Stelle der Begleitung der Klienten, mit ihnen um die Wahrheit zu ringen. Vorschnelle Erklärungen, Versuche, ihren Widerstand zu brechen oder gar aufklärende Belehrungen sind deshalb ebenso tabu, wie Versuche einer offenen Konfrontation. Klienten brauchen das tragende Gefühl der Berechtigung, d. h. eine anschließende Therapie lässt Raum und gibt auch Klienten wie Therapeuten

„die Freiheit, Dinge nicht so zu sehen, wie sie angeblich sind oder wie sie von anderen dargestellt werden. (...) Es kann auch anders sein. Mir kommt es darauf an, dass es nützt, nützt auf eine schöne Weise" (ebd., S. 397 und 397).

Diese Überlegungen stützen letztlich eine Erweiterung und Vertiefung des systemischen Denkens im Sinne einer selbstreflexiven Beobachtung. Veränderungen können gelingen, wenn der professionelle Beobachter es versteht, sich auf einen achtsamen Umgang mit seinen eigenen – spontan emergierenden – inneren Bildern und spontan anspringenden Erklärungsmodellen zu fokussieren. Professionelle Begleiter:innen haben verstanden, dass „für denjenigen, der einen Hammer hat, die Welt aus lauter Nägeln besteht" (Watzlawick 1997), weshalb es auch für den Klienten hilfreich sein kann, wenn der Therapeut sich zumindest der Tatsache bewusst ist, über welche „Hämmer" er verfügt – nicht, um das Hämmern insgesamt einzustellen, wohl aber in der Fähigkeit, nicht dort einen Hammer einzusetzen, wo überhaupt gar keine Nägel sind. Die epistemologische Therapie stellt die Professionals vor die Herausforderung, sich kontinuierlich um einen theorielosen Blick auf das Gegenüber zu bemühen. Diese Bewegung setzt die Übung und Profilierung einer Haltung voraus, welche auf der Basis einer epistemologischen Bescheidenheit ("es könnte auch ganz anders sein!") in der Lage ist, sich möglichst (be)wertungsfrei auf das Denken, Fühlen und Handeln des Gegenübers zu beziehen und dessen Selbstheilung zu ermöglichen.

Diese Möglichkeiten werden durch das vorschnelle Für-Wahr-Halten der Begleitenden eher verpasst als entfaltet. Deshalb bedarf es einer geistig disziplinierten Einübung einer professionellen Selbstreflexion, die sich beständig gemäß der Wittgensteinschen Logik bewegt und in dem Bewusstsein handelt, dass das „Es-scheint-mir-so" nicht bedeutet, „dass es so ist" (vgl. Wittgenstein 1984a;b). Diese Fähigkeit zur tatsächlichen (!) selbstreflexiven Bezugnahme auf die eigenen Mechanismen der Konstruktion von Wirklichkeit gelingt nicht im Rahmen eines Chrash-Kurses. Sie ist vielmehr das Ergebnis eines langen Prozesses der Selbstbeobachtung, des Feedbacks und der schweigenden Beobachtung. Therapeuten, die in diesem Sinne gelernt haben, sich mit sich selbst zu befassen, während sie andere professionell begleiten, können es beim Schweigen, Zuhören und Nachfragen belassen. Sie haben zudem Fähigkeiten des Ermunterns, der

Wertschätzung und der intransitiven Kommentierung entwickelt, die ohne Kausalitätsunterstellungen, intentionale Hoffnungen oder Verantwortungszuschreibungen auskommen. Sie rücken Optionen in den Blick, ermöglichen Klärungen und stärken auch im Klienten die Blicköffnung nach innen.

Die Wirkungen dessen, an das man glaubt, auf das, was de facto werden kann, scheinen ihm mächtiger als das Gefangensein in den faktischen Möglichkeiten (des jeweiligen Entwicklungsstandes der „Gegebenheiten"). In diesem Sinne vertritt auch Joe Dispenza ein idealistisches Konzept – allerdings eines, welches mit naturwissenschaftlichen Belegen daherkommt. Dispenza geht es nicht um die Entfaltung ewiger Ideen und Ideale des Geistes, er interessiert sich vielmehr für die Mechanismen im Gehirn, welche dafür verantwortlich sind, dass die Dinge uns so – unausweichlich – scheinen, wie sie uns erscheinen. Seine Frage ist dabei nicht in erster Linie, wie wir den Wirklichkeitsgehalt unseres Denkens, Fühlens und Handelns optimieren. Er interessiert sich vielmehr für die „viele(n) Möglichkeiten", die uns – losgelöst von unseren gewohnten Formen des Umgangs mit Welt – „sonst noch zur Verfügung stehen" (Dispenza 2016, S. 26), um die mögliche Realität auf uns wirken zu lassen. Dieser Ansatz markiert gleichzeitig eine zutiefst therapeutische Strategie, wie Dispenza schreibt:

„Viel zu viele von uns verharren in Situationen, in denen sie unglücklich sind, und meinen, keine andere Wahl zu haben, als zu leiden. Ich weiß auch, dass sich viele von uns entscheiden, in Situationen auszuhalten, die sie ihr ganzes Leben lang quälen. Dass wir uns so entscheiden, ist eine Sache, aber warum wir uns so entscheiden, ist eine andere. Wir treffen die Wahl, in einer bestimmten Geisteshaltung fixiert zu bleiben – zum einen, weil es unserer Veranlagung entspricht, und zum anderen, weil ein Teil des Gehirns durch unsere wiederholten Gedanken und Reaktionen unseren Blick für das Mögliche trübt. Wie Geiseln in einem entführten Flugzeug fühlen wir uns an einen Platz gebunden und glauben, keinen Einfluss auf den Verlauf des Geschehens zu haben. Wir merken gar nicht, wie viele Möglichkeiten uns sonst noch zur Verfügung stehen" (ebd., S. 26).

Für Dispenza sind die Konsequenzen klar: Menschen müssen lernen und üben, die Möglichkeiten ihres Gehirns zu erweitern, um Optionen des Lebendigsein aus sich heraus entstehen zu lassen, für die ihnen aufgrund ihrer Erfahrungen zunächst nichts zu sprechen scheint, und für die sie keine Vorlage haben. Statt sich in den automatisch anspringenden Mustern der eingespurten Synapsenbewegungen des Leidens, der Trauer und des Unglücks oder der Ausweglosigkeit aufzuhalten, ist es nämlich möglich, die „Fähigkeit zur eigenen Neuroplastizität" (ebd., S. 27) gezielt zu nutzen, wie Joe Dispenza schreibt – ein durchaus neuer, weiterführender und proaktiver Umgang mit den gewachsenen und in der bisherigen Biographie (ein)geübten und „bewährten" Deutungs- und Problemlösungsmustern der Klientinnen und Klienten. Zwar plädiert auch Joe Dispenza dafür, uns „unsere gewohnte Art des Denkens, Handelns und Fühlens" (ebd., S. 29) zunächst einmal ins Bewusstsein zu holen und uns selbst klar werden zu lassen, auf welchen routinemäßigen Gewissheiten unsere Alltagswelt aufruht, doch geschieht dies alles mit der Absicht" – wie er seinen Lesern zuruft: „die Gewohnheit Ihres ›Ich‹-Seins hinter sich zu lassen" (ebd.).

Der achtsam Meditierende löst sich dabei von alten Vorstellungen und lernt mehr und mehr, die jeweilige Situation vorbehaltlos zu sehen – ohne vorbereitete Konzepte und Theorien, immer wieder „frisch" im Sinne von Peter Senge u. a., die angesichts der weltweit notwendigen Veränderungen unseres Denkens, Fühlens und Handelns zu gestalten. Sie wissen: „Different ways of thinking lead to different ways of action" (Senge u. a. 2008, S. 43). Indem wir uns darin üben, unsere unmittelbar anspringenden „Gewissheiten" loszulassen, kann eine andere Sicht der Dinge in uns aufscheinen, wie folgende Umkehrmeditation zeigt. Der Umgang mit dieser 8-Schritte-Meditation ist nicht allzu schwer: Zunächst werden die Schritte 1-4 zehn Minuten lang durchspürt, wobei es darauf ankommt, sich einfach entspannt der aufgeworfenen Frage zu widmen und genau zu beobachten, welche Vorstellungen zum Loslassen oder zur Umkehr in einem aufscheinen. Je genauer wir darauf achten, welche Gedanken und Eindrücke dabei in uns aufscheinen, desto wirksamer kann die meditative Bewegung zur Lösungssicht ausfallen. Diese „löst" zwar nicht automatisch und unmittelbar das im Außen uns bedrängende Problem, sie kann uns aber dazu führen, nicht selber Öl in das uns versengende Feuer des Außenproblems zu schütten.

Umkehr-Meditation	**Altes Denken (Problemsicht)**		**Neues Denken (Lösungssicht)**
Thema	1.	Mit welchen Gedanken und Gefühlen springt mich das Thema wann an?	5. Mit welchen Bildern kann ich eine neue Sicht oder einen guten Ausgang der Thematik schaffen?
	→ → → → → → → → →		
Umsteuern	2.	Wie kann ich aus dem Gedanken- und Gefühlssurfen rechtzeitig aussteigen?	6. Welche Vorstellung nutze ich als Ausstiegsbild, wenn die Problemsicht mich anspringt?
	→ → → → → → → → →		
Rückrudern	3.	Was hindert mich daran zurück zu rudern, wenn ich in die Problem-Trance falle?	7. Wie und wohin rudere ich, wenn ich zurückrudere? An welchen Ausgangspunkt kehre ich zurück?
	→ → → → → → → → →		
Normalisieren	4.	Wie kann ich das Nicht-Thematisieren zum Normalzustand werden lassen?	8. Mit welcher absichtsvoll herbeigeführten Vorstellung beginne ich den Tag, indem ich umfokussiere?
	→ → → → → → → → →		

Abb. 27: Von der Problem- zur Lösungssicht

Es ist nicht der (Gegen-)Vorwurf, die Verbitterung oder die Rückschau, sondern die Gesamtschau (gemeint: im nüchternen Blick auf die Vielfalt der Möglichkeiten, die sein könnten), welche die Selbstheilungsfähigkeit unseres Körpers, auf die Joe Dispenza auch mit seinen eigenen Workshops setzt, zu mobilisieren vermag. Deren großes Potenzial wurde – so Dispenza – in der Vergangenheit viel zu wenig beachtet, derweil der Weg zu Veränderung und Erfolg doch eigentlich ganz einfach sei:

„Wir müssen nur unseren gebildeten Verstand aus dem Weg räumen und einer größeren Intelligenz ermöglichen, zu tun, was sie am besten kann" (Dispenza 2016, S. 41).

Diese größere Intelligenz verweist auf eine quasi-automatisch „greifende" Wirkung einer Art Körperintelligenz, die sich dann zu Wort melden kann, wenn das kausale, analytische und schlussfolgernde Denken, Fühlen und Handeln zurückzutreten vermag. Die Wirkungszusammenhänge von Spontanheilungen erklärt Dispenza durch diese zurücktretende Intentionalität. Der Körper selbst bzw. die „Intelligenz", „die bereits in mir wirkt" (ebd.), werden hier als die eigentlichen Dimensionen einer Heilung in den Blick genommen. Es ist „der innere Arzt", der „ans Werk (geht)" (ebd.) und gewissermaßen – von einer höheren Bewusstseinsebene eingeladen – die Regie übernimmt. „Schöpfer der Wirklichkeit" zu werden, ist für Dispenza zunächst einmal der Versuch, über sich selbst und seine bisherigen Beschränkungen hinaus zu wachsen. Es geht darum,

„(...) die alten Denkmuster und die damit verbundenen Gefühle loszulassen" (ebd., S. 55).

Soweit ist der Ansatz durchaus überzeugend und wohl auch im Sinne der positiven Wirkungen einer selbsterfüllenden Prophezeiung wirksam. Gleichwohl bleibt die Begründung dieser größeren Intelligenz, welche die Regie übernehmen kann undeutlich. Dispenza spricht von einer „göttlichen Schöpfungskraft" (Dispenza 2017, S. 18), die in jedem von uns wirken kann, wenn wir uns ihr anvertrauen. Nun, das ist leichter gesagt als getan. Wie soll man zu etwas Zutrauen fassen, das so nebulös daher kommt? Irgendwie geht es Dispenza um eine „Entmystifizierung des Mythischen" (ebd., S. 24) und den Versuch, sich in der Meditation mit etwas zu verbinden, was nicht dem analytischen Geist entstammt. Er schreibt:

„Auf der subatomaren Ebene reagiert Energie auf den aufmerksam ausgerichteten Geist und wird zur Materie. Wie könnte sich ihr Leben verändern, wenn Sie den Beobachter-Effekt gelenkt einsetzen könnten und unendlich viele Wahrscheinlichkeitswellen in die von ihnen gewählte Realität kollabieren ließen? Könnten Sie sich dann zu einem besseren Beobachter des von Ihnen gewünschten Lebens mausern?" (ebd., S. 44f)

Diese quantenpsychologische Begründung kommt zwar etwas unvorbereitet daher, dafür klingt das so Erreichbare aber umso vielversprechender:

„Wenn Sie sich irgendein zukünftiges Ereignis in Ihrem Leben entsprechend Ihren persönlichen Wünschen vorstellen können, existiert diese Realität als Möglichkeit im Quantenfeld und wartet darauf, von ihnen beobachtet zu werden.

Wenn Ihr Geist ein Elektron auftauchen lassen kann, kann er theoretisch alle Möglichkeiten erscheinen lassen.

Das Quantenfeld enthält also auch eine Realität, in der Sie gesund, wohlhabend und glücklich sind und über all die Eigenschaften und Fähigkeiten verfügen, die sie Ihrem idealen Ich in Gedanken zuschreiben.

Bleiben Sie dabei, und Sie werden erkennen, dass Sie durch willentlich gerichtete Aufmerksamkeit, die ernsthafte Anwendung neuen Wissens und ständiges, tagtägliches mentales Wiederholen, also mit Ihrem Geist als Beobachter, Quantenpartikel kollabieren lassen und unendlich viele subatomare Wahrscheinlichkeitswellen in einem gewünschten physischen Ereignis, einer Erfahrung in Ihrem Leben, organisieren können" (ebd., S. 45).

Dies klingt tatsächlich nach einer Schöpferrolle, in die Dispenza glaubt, seine Leser, Zuhörer und Workshopteilnehmer einführen zu können. Die große Intelligenz, der wir uns dabei anvertrauen sollen, ist das Quantenfeld als Feld unbegrenzter Möglichkeiten, die nur darauf warten, von uns beobachtet und auf eine zunächst geheimnisvoll anmutende Art auch materialisiert zu werden. Alles klingt so, als könnten unsere Fokussierungen bzw. unsere Fähigkeit, ideale Zustände zu imaginieren, auch garantieren, dass deren Wahrscheinlichkeit wächst. Das Problem, welches Dispenza dabei gleichwohl nicht berührt, ist darin zu sehen, dass die Glücksmomente, die wir uns vorstellen wollen, nicht allein durch *unsere* Verbindung mit dem Quantenfeld erreichbar sind, sondern auch von der unserer Partner, bei denen wir ja nicht wissen, ob sie sich in gleicher Weise mit dem großen Ganzen zu verbinden wissen oder sich gar ein ganz anderes Glück mit vielleicht anderen Menschen vorstellen. Selbst, wenn man nicht vollständig bestreiten möchte, dass es die von Dispenza angestrebte Schöpferrolle des meditierenden, selbstreflexiven und mit seinem Körper tief verbundenen Ich tatsächlich geben kann, so bleiben doch Zweifel, ob und inwieweit es dieses ganzen quantentheoretischen Begründungsaufwandes überhaupt bedarf, um den neurobiologischen Selbsthilfeansatz überzeugend zu begründen.

Gleichwohl hat Joe Dispenza einen Ansatzpunkt gefunden, wenn er darauf hinweist, dass unsere gewohnten Formen des Denkens, Fühlens und Handelns auch unsere Möglichkeiten einer „bezogenen Individuation" (Stierlin 2010) zu bestimmen vermögen. Es ist deshalb durchaus naheliegend, sich um die Art sowie die Wirkungen unseres überlieferten Ichs zu kümmern – ein Gedanke, den wir aber auch bereits auf der Stufe der systemischen und epistemologischen Psychotherapie antreffen. Neu ist allerdings die starke Fokussierung von Joe Dispenza auf die neurologischen Wirkungsmechanismen unseres Gehirns. Dieses ist grundsätzlich erfahrungsbasiert und selbsterhaltend unterwegs, Selbstheilung ist geradezu der zentrale Mechanismus, mit dem unser Gehirn stets darum bemüht und – folgt man Dispenza – wohl auch in der Lage ist, mit den Gegebenheiten zurecht zu kommen. Gleichwohl ist die Selbsterhaltung der eigenen Wirkungsweise nicht identisch mit der Erreichung von Glück, Gesundheit sowie Zufriedenheit, an dessen Zustandekommen auch der Kontext bzw. die anderen, mit denen man zusammenlebt, beteiligt sind. An dieser Stelle nun setzen die meditativen Übungspraktiken von Dispenza an. Indem es diesen gelingt, die spontan anspringenden und sich Geltung verschaffenden Denk- und Fühlmuster zu verändern, entsteht mehr und mehr eine Kompetenz im Beobachter, die Situationen, mit denen er es zu tun hat, in anderer Weise, d. h. in der Vielfalt der möglichen Formen, zu beobachten und das eigene Denken, Fühlen und Handeln in anderer Weise zu orientieren. Diese bewusste Wende zur automatischen Beobachtung der konstruktiven, erstrebenswerten, gelösten Lagen, kann in der Tat viel verändern und die Entwicklung der eigenen Lebenslagen positiv beeinflussen.

Die „universelle Intelligenz", von der Joe Dispenza redet, ist nach seiner Vorstellung ein „vereinende(s) Prinzip, das die gesamte physische Realität durchzieht" (Dispenza 2017, S. 61). Ihre Wirkungsweise resultiert aus einer „Quantenveränderung" bzw. einem „erweiterten Geisteszustand" (Dispenza 2016, S. 483), wie Dispenza meint:

„Was die menschliche Evolution betrifft, haben wir gerade erst begonnen zu erwägen, dass alles in unserem Umfeld nur eine von unzähligen möglichen Manifestationen ist" (ebd.).

Selbstheilung besteht im ihrem Kern in der meditativen Öffnung des Geistes für diese Fülle der Möglichkeiten, die allein durch das Denken und die eigene Vorstellungskraft Wirklichkeit werden können (vgl. Metzinger 2023a; b). Zur Begründung dieser Möglichkeit greift Dispenza auf Einstein und dessen Erkenntnisse zurück, mit denen dieser das Augenmerk darauf richtete, wie Energie zur Bildung von Materie beizutragen vermag. Aus diesem Effekt folgert er, dass „der subjektive Geist also das Verhalten von Energie und Materie (beeinflusst" (Dispenza 2016, S. 486) – so die für seinen psychologischen Vorschlag grundlegende These:

„Geist und Beobachter sind für das Verständnis des Wesens der Wirklichkeit entscheidend. Jenseits unseres gegenwärtigen Konzepts von Zeit und Raum gibt es ein unendliches Energiefeld, das uns alle vereint. Die Wirklichkeit ist kein kontinuierlicher Strom, sondern ein Feld unendlicher Möglichkeiten, auf die wir enormen Einfluss ausüben können – wenn wir die richtige geistige Haltung einnehmen. Je kraftvoller der subjektive Geist ist, desto mehr Einfluss hat er auf die objektive Welt" (ebd., S. 487).

Mit dieser Schlussfolgerung vollzieht Joe Dispenza einige Kapriolen, die Stück für Stück nachvollzogen bzw. dekonstruiert werden müssten, um die vertretbare Essenz seines Arguments zu überprüfen. So bleibt unbegründet, wieso er Geist und Energie quasi gleichsetzt. Zwar hat die Quantenphysik das newtonsche Weltbild relativiert und uns mit der Einsicht zurückgelassen, dass auch die Materie keine physikalische Struktur aufweist, sondern aus unsichtbarer Energie besteht, was z. B. sichtbar wird, wenn wir Atomkerne unter dem Mikroskop genauer betrachten und ihr fluides Wesen, d. h. die „unendlich kleinen Energiewirbel“[29] erkennen. Diesen Sachverhalt nutzt eine – proaktive – intransitive Begleitung für ihren Ansatz, durch einen konzentrierten Blick auf die idealen Möglichkeiten, die (noch) nicht sind, aber prinzipiell sein können, wenn der Geist in der Lage ist, die Energie seiner Vorstellungen zu bündeln und in den Kreislauf zwischen Materie und Geist einsickern zu lassen.

Die auf Selbstheilung gerichtete Strategie einer proaktiven Begleitung scheint zwar mit einer sehr eigenwilligen quantentheoretischen Begründung[30] daher zu kommen, die sie gar nicht benötigt, ihr spezifisches Veränderungspotenzial liegt jedoch in der hirnphysiologischen Transformation unserer Deutungs- und Emotionsmuster – mit dem Ergebnis, die Welt in anderen vielfältigeren Farben zu zeichnen und dadurch uns und unserem Gegenüber neue Möglichkeiten des Handelns zu eröffnen. Die proaktive Begleitung stellt den durchaus überzeugenden Versuch dar, die Transformation des eigenen Denkens, Fühlens und Handelns nachhaltig zu gewährleisten, indem sie auf eine Art hirnphysiologische Umprogrammierung durch Übung setzt.

Diese geht über den Münchhausen-Versuch von Paul Watzlawick hinaus und gleicht eher dem Bemühen, die Räder eines Autos bei voller Fahrt zu wechseln, um einem neuen Referenzpunkt für das eigene Denken, Fühlen und Handeln folgen zu können. In diesem Sinne fordert Joe Dispenza seine Leser auf,

„(…) über Ihre Lebensumstände hinaus(zu)denken, über die Gefühle, die Sie in Ihrem Körper verinnerlicht haben, hinaus(zu)wachsen und in einer neuen ›Zeitschiene‹ zu leben. Damit Sie sich verändern“ –

schreibt er –

„müssen Sie in Ihren Gedanken ein ideales Bild von sich haben – ein Modell, dem Sie nacheifern können und das anders und besser ist als Ihr ›heutiges‹ Ich in Ihrem spezifischen Umfeld, Ihrem Körper und der Zeit“ (Dispenza 2017, S. 75).

Eine solche Konstruktion, Präzisierung und Imagination eines neuen Referenzpunktes scheint dabei prinzipiell leicht zu sein, wenn – so Dispenza – wir unser

[29] https://www.erhoehtesbewusstsein.de/nichts-ist-solide-alles-ist-energie-wissenschaftler-erklaeren-die-welt-der-quantenphysik/ (Aufruf am 8.3.2018)

[30] So ist es z. B. nicht unmittelbar nachvollziehbar, in welchem Verhältnis die geistige Vielfalt mit den in den Quantenfeldern sich konstellierenden unbegrenzten Möglichkeiten steht. Sind Gedanken Energie, nicht sprachlich und damit oft formelhaft gefasste emotionale Festlegungen in die eine oder andere Richtung, nämlich reaktiv oder proaktiv?

„mentales Proben“ ernsthaft in Angriff nehmen und uns um die synaptische Verankerung einer anderen – idealeren – Sicht der Dinge bemühen. Er schreibt:

„Nach neurowissenschaftlichen Erkenntnissen können wir tatsächlich unser Gehirn verändern – und damit auch unsere Verhaltensweisen, Einstellungen und Überzeugungen -, einfach indem wir anders denken (also ohne im äußeren Umfeld etwas zu verändern). Durch mentales Proben (sich immer wieder vorstellen, wie man etwas Bestimmtes tut) können sich Schaltkreise im Gehirn umorganisieren, sodass sie unsere Ziele widerspiegeln. Wir können unsere Gedanken so real gestalten, dass das Gehirn sich verändert und so ausschaut, als wäre das Ereignis in der physischen Wirklichkeit bereits eingetreten. Wir können das Gehirn vor jeglicher tatsächlicher Erfahrung in der Außenwelt verändern“ (ebd., S. 85).

Wie gesagt, diese Perspektive klingt vielversprechend und scheint von einiger Wirksamkeit zu sein, wie auch die teilweise begeisterten Berichte von Teilnehmenden und Probanden zeigen (vgl. Retzek 2017). Solcher Enthusiasmus ruft aber auch die Skeptiker auf den Plan, liegt doch der Vorwurf der Esoterik greifbar in der Luft. Gleichzeitig findet die These Dispenzas aber zahlreiche weitere Befürworter der Kraft des Bewusstseins über die Materie, wie z. B. in der Theorie der „morphogenetischen Felder und der morphischen Resonanz“ von Rupert Sheldrake (Sheldrake 2008; 2015) oder dem Epigenetiker Bruce Lipton (Lipton 2007). Letzterer ist in seinem Buch „The Biology of Belief“ (eigentlich: „Die Biologie gespeicherter Überzeugungen“) um die Entwicklung einer „Neuen Biologie“ bemüht,

„(…) die das Leben als kooperative Reise starker Einzelwesen betrachtet, die sich darauf programmieren können, freudvolles Leben zu erschaffen. Wenn wir diese Grenze überschreiten und die Neue Biologie wirklich verstehen, dann streiten wir uns nicht mehr um Vererbung versus Konditionierung, um Natur versus Kultur, um angeboren oder erworben, sondern wir erkennen, dass der voll bewusste Geist beides übertrumpft. Ich glaube, der dadurch bewirkte Paradigmenwechsel wird die Welt ebenso erschüttern, wie damals, als einer Zivilisation, die sich auf einer flachen Scheibe wähnte, die Idee von der Erdkugel vorgestellt wurde. (…) Positive Gedanken haben eine mächtige Wirkung auf das Verhalten und die Gene, aber nur wenn sie mit der jeweiligen unterbewussten Programmierung übereinstimmen. Und negative Gedanken sind ebenso mächtig“ (ebd., S. 28f).

Evidenzen, die die Macht des Bewusstseins über die Materie eindrucksvoll zu belegen scheinen, gibt es somit genügend, weshalb der proaktive Beratungs-Ansatz, wie ihn Diszpenza skizziert, durchaus evidenzbasiert daherkommt. Er wendet sich den eigentlichen – hirnphysiologischen – Mechanismen unseres Bewusstseins zu, deren Automatismus bislang häufig behinderte, dass die durch Selbstreflexion und mithilfe von psychologischen Erklärungsmodellen gewonnenen Einsichten tatsächlich zu einer nachhaltigen Verhaltensänderung führen konnten. Dadurch scheint er einen Ausweg aus dem Dickicht der synaptisch verschalteten Gewissheitsmuster zu markieren, indem er diesen Mustern nicht mit Argumenten, sondern mit tiefgehenden meditativen Übungen zu Leibe rückt.

Indem es den Klienten tatsächlich gelingt, in sich andere Emotions- und Assoziationsfelder, die in der spontanen Deutung emergieren, zu aktivieren und synaptisch zu verstärken, kann es auch wahrscheinlicher werden, dass eine neue Wirklichkeit auch im Außen in Erscheinung treten kann – eine Wirklichkeit, die ihn zu sich selbst, zum Wiedererstarken des Eigenen zu verführen vermag.

Auf dieser proaktiven Wende können neue Orientierungen in unsicheren Zeiten erwachsen, wie das folgende Gedicht in poetischer Form zeigt.

„Resurrection

Aus dem gefällten alten Baum
gar bald neue Zweige spießen
zunächst kann man es sehen kaum,
wie sie zum Baum zusammenfließen

(...)

Seine Rinde ist aus Mut gemacht,
sein Stamm aus reiner Liebe,
der Baum, der hier ganz neu erwacht,
übersteht auch alle derben Hiebe.

Er ist nicht hart, wie der zuvor,
nicht klagend vor Gericht,
selbst wenn zu Unrecht er verlor,
die Liebe deutlich aus ihm spricht.

Er kennt das Böse in dem Guten,
wenn Menschen mal im Wald verirrt,
und dann einander viel zumuten,
wenn Gutes Böses auch gebiert.

Dann ist der Tod ganz deutlich Thema
mit seiner ganzen verneinenden Kraft,
es wird auch plötzlich viel bequemer,
zu strafen als dass es sein darf,

was uns fast umbringt vor Seelenqualen,
die Liebe, die von uns wegdängt,
um sich zu suchen neue Wahlen,
denen sie sich freiwillig schenkt.

Der neue Baum kann dies verstehen,
auch wenn es schmerzt, er nichts versperrt,
durch seine Rinde lässt er gehen,
was nur freiwillig wiederkehrt"
(d'Lonra 2021).

11 Am Anfang war … die Gewalt?“ Anmerkungen zum machttheoretischen Defizit der Pädagogik

„Ich habe kein Rückgrat zum Zerschlagen.
Gerade ich muss länger leben als die Gewalt!“
(Bertolt Brecht)

Rainer Winkel wählte für seine Reise durch die Geschichte des Menschen und dessen pädagogischen Entwürfe mit dem Titel „Am Anfang war die Hure“ ein befremdliches Bild. Er führt die Leser in die Zeit des König Gilgamesch zurück, welcher – so die Vermutung – ca. kurz vor 3000 v.Chr. König von Uruk, einem Land zwischen Euphrat und Tigris gelegen, gewesen sein soll, und dessen Taten und die seines Freundes Enkidu im Gilgamesch-Epos überliefert wurden. Diesem König wurde gemeldet, dass in seiner Nachbarschaft ein Unhold Dörfer überfalle, deren Einwohner tötete und bislang auch von den Soldaten des Königs nicht gestoppt werden konnte. Man schlug ihm vor, aufzurüsten und dem Unhold massiv entgegenzutreten, um dessen Übergriffen ein Ende zu bereiten.

Winkel konnte sich der Tatsache nicht bewusst sein, dass fast 20 Jahre später diese Ausgangslage durch den russischen Überfall auf die Ukraine im Februar 2022 eine große Aktualität erfahren würde. Dabei geriet auch der pädagogische Optimismus auf den Prüfstand – etwa durch die Abgesänge auf pazifistische Positionen eines „Friedenschaffens ohne Waffen“. Paradigmatische Wandlungen drückten sich auch in den Einsichten des deutschen Bundespräsidenten Frank Walter Steinmeier aus, der im Rückblick auf seine Leitlinien als früherer Außenminister (1999–2005) am 5. April 2022 um Entschuldigung bat und im ZDF einräumte:

„Die Warnungen von unseren osteuropäischen Partnern hätten wir ernster nehmen müssen. (…) Es war eine Fehleinschätzung, dass wir – und auch ich – gedacht haben, dass auch ein Putin des Jahres 2021 am Ende nicht den totalen politischen, wirtschaftlichen und moralischen Ruin des Landes hinnehmen würden für seinen imperialen Wahn“.[31]

Doch: Was hätte die Politik stattdessen tun können, um für solche unerwarteten Lagen besser gerüstet zu sein? Haben der Pazifismus und mit ihm die reformpädagogisch-humanistischen Leitbilder endgültig abgewirtschaftet? Benötigen wir ein Neudenken der Möglichkeiten friedensichernder Vorbereitungen in Politik und Pädagogik? Müssen die nachwachsenden Generationen nicht nur auf den respektvollen und verständigungsorientierten Umgang mit anderen, sondern auch auf die Abgrenzung, das Aufstehen und den Widerstand gegen Gewalt und Kriegsverbrechen vorbereitet werden, um dem Recht die Macht zu lassen und nicht vor dem Recht der Macht zu kapitulieren? Und welche Orientierungen und

[31] Zit. nach: Spiegelonline am 5.4.2022, um 17.33

Handlungsoptionen können den Nachwachsenden Erziehung und Bildung für einen solchen Kampf um die Macht des Rechts stiften – auch in Anbetracht der atomaren Drohkulissen, vor deren Hintergrund grenzenlose Zumutungen gegenüber denen durchsetzbar zu sein scheinen, die das Risiko verantwortlich einschätzen und auf jeden Fall vermeiden wollen, um nicht nur das eigene Leben, sondern auch das Überleben aller zu bewahren? Ist es Opportunismus oder letztlich doch eine ethisch tragfähige Basis, wenn Bertolt Brecht seinen Herrn Keuner in der Geschichte „Maßnahmen gegen die Gewalt“ sagen lässt: „Ich habe kein Rückgrat zum Zerschlagen. Gerade ich muss länger leben als die Gewalt“ (Brecht 1975, S. 254)?

11.1 Das Paradoxon der Toleranz

Prinzipielle Gewaltlosigkeit und Pazifismus muss man sich leisten können – so lehrt uns die offensichtliche Faktizität der Bedrohung. Oder: Gewaltlosigkeit ist an Bedingungen geknüpft, worauf bereits Karl Popper in seinem 1945 erstmals erschienenen Werk „Die offene Gesellschaft und ihre Feinde“ (Popper 2003) hingewiesen hat. Als „Intoleranz zweiten Grades“ beschreibt Popper die Notwendigkeit, Menschen hart entgegenzutreten, die selbst intolerant und gefährlich sind – eine Beurteilung, die im konkreten Fall oft schwer zu treffen ist. Nur als Ultima Ratio ist es nach Popper zu vertreten, dabei Intoleranz im Namen der Toleranz zu praktizieren. Er schreibt:

„Damit möchte ich nicht sagen, dass wir z. B. intolerante Philosophien auf jeden Fall gewaltsam unterdrücken sollten; solange wir ihnen durch rationale Argumente beikommen können und solange wir sie durch die öffentliche Meinung in Schranken halten können, wäre ihre Unterdrückung sicher höchst unvernünftig. Aber wir sollten für uns das Recht in Anspruch nehmen, sie, wenn nötig, mit Gewalt zu unterdrücken, denn es kann sich leicht herausstellen, dass ihre Vertreter nicht bereit sind, mit uns auf der Ebene rationaler Diskussion zusammenzutreffen, und beginnen, das Argumentieren als solches zu verwerfen; sie können ihren Anhängern verbieten, auf rationale Argumente, die sie ein Täuschungsmanöver nennen – zu hören, und sie werden ihnen vielleicht den Rat geben, Argumente mit Fäusten und Pistolen zu beantworten.

Wir sollten daher im Namen der Toleranz das Recht für uns in Anspruch nehmen, die Unduldsamen nicht zu dulden. Wir sollten geltend machen, dass sich jede Bewegung, die die Intoleranz predigt, außerhalb des Gesetzes steht, und wir sollten eine Aufforderung zur Intoleranz und Verfolgung als ebenso verbrecherisch behandeln wie eine Aufforderung zum Mord, zum Raub oder zur Wiedereinführung des Sklavenhandels“ (ebd.).

Popper warnt vor einer unbegrenzten Toleranz, da diese notwendig letztlich zur Intoleranz führen müsse, und auch der Philosoph John Rawls sah eine Begrenzung der Toleranz für *den* Fall als zulässig an, dass die Freiheit aller in Gefahr sei

(Rawls 1975). Denn die Intoleranz, der man nicht entgegentrete, schüre die Bereitschaft, zur Gewalt zu greifen, um die eigene Deutungshoheit oder imperialen Ambitionen durchzusetzen. Der ungebremst Intolerante muss notwendig den Boden der Evidenzen und der Vernunft verlassen, und stattdessen zu Lügen und Verschwörungstheorien greifen, um seinem Handeln zumindest den Anschein einer Berechtigung zu verleihen. Er und seine Anhänger müssen sich unterscheiden, abgrenzen und selbststärkenden Narrativen folgen, da sie im rationalen und ethischen Diskurs, der den Maßstäben der Aufklärung und den Menschenrechten verpflichtet ist, bereits zuvor verloren haben. Es sind nicht selten die abgehängten Einzelnen oder die abgehängten Regionen, die sich den Narrativen der übergriffigen Intoleranz bereitwillig öffnen und sich von Fakenews in ihren emotional angelegten Vorurteilen „bestätigen“ lassen.

Wenn man der übergriffigen Intoleranz nicht mit Argumentationen, Verträgen oder Abschreckung Einhalt gebieten kann, ist guter Rat teuer. Rainer Winkel markiert mit seiner Bezugnahme auf das Gilgamesch-Epos einen Weg, in welchem das Grundmotiv jeglicher pädagogischen Beziehung angelegt sind. Gilgamesch weist seine Ratgeber an, dem bedrohenden Unhold die Tempelhure Tehiptilla mit dem Auftrag zu senden, sich diesem hinzugeben, ihn mit ihrer Liebe zu umfangen und so Menschlichkeit aus ihm „herauszulieben“ – ein Verbum, welches die Schweizer Psychologin Verena Kast in ihren Büchern verschiedentlich verwendet, um die persönlichkeitsentfaltende Wirkung der Liebe zu beschreiben (vgl. Kast 2000).

Indem Rainer Winkel an diesem Grundmotiv pädagogischer Begegnung anknüpft, folgt er dem von Pestalozzi und anderen vorgezeichneten Weg der pädagogischen Liebe. Diese rückt das lebendige Interesse am Wachstum des Gegenübers in den Fokus – ein professioneller Kern, den Winkel in seinen pädagogischen Bemühungen, „Schule neu (zu) machen“ (Winkel 2009), immer wieder selbst zum Ausgangspunkt nahm. Sicherlich ging es auch dabei um die Einübung von Toleranz, doch war diese gepaart mit der Beziehungspflege zum Gegenüber in seiner jeweiligen Einzigartigkeit sowie seiner Verschiedenheit. Im Konzept der pädagogischen Liebe stellt die Bezogenheit gewissermaßen das Rückgrat für eine wirksame Befähigung zur Toleranz und zum Umgang mit Intoleranz dar. Ob und inwieweit dadurch auch Kompetenzen zum Widerstand gegen Intoleranz eingeübt werden, ist eine sehr gute, vom pädagogischen Gewaltdiskurs kaum berührte Frage. Diese widmet sich nahezu ausschließlich der Gewaltproblematik in Schule und Familie (vgl. Helsper/Wenzel 2008). Die Frage, wie Bildung und Erziehung auch Kompetenzen zum Kampf gegen Intoleranz und zur Verteidigung der Freiheit zu stiften vermögen wird nahezu vollständig ausgeklammer1 und auch im Kontext der politischen Bildung nur selten erörtert.

11.2 Das Paradoxon der Gewaltlosigkeit

Der Machtdiskurs in der Pädagogik ist wenig elaboriert und immer noch von Mythen durchzogen (vgl. Arnold 2007). Wenn überhaupt wird über die Zulässigkeit und Nützlichkeit des Einsatzes von Macht und Erziehungsgewalt gegenüber Kindern und Jugendlichen gestritten, wobei alte Disziplinierungsparolen einerseits und der Verweis auf deren schädliche Wirkungen auf den Individualisierungsprozess der Nachwachsenden andererseits unversöhnlich aufeinanderprallen. Diese Unversöhnlichkeit ist auch und gerade in Anbetracht der deutschen Erziehungsgeschichte und deren Wirkungen in den Phasen der Verrohung und des Zivilisationsbruchs sehr verständlich und markiert auch eine erziehungswissenschaftlich grundlegende Grenzziehung:

Man kann – nach Auschwitz (vgl. Adorno 1970) – nicht länger übersehen, dass das Mitläufertum und auch die Beteiligung an den Gräueltaten durch eine Erziehung vorbereitet und erleichtert wurden, die das Eigene in den Kindern und Jugendlichen zerbrach, einen unreflektierten Gehorsam gegenüber der „Obrigkeit“ einübte und Bezogenheit und Mitmenschlichkeit als Schwäche und Gefühlsduselei diskreditierte und durch martialische Bilder brutaler Männlichkeit ersetzte.

Insofern richtet Rainer Winkel tatsächlich den Blick auf das eigentliche Grundmotiv jeglicher Pädagogik, der es um die Förderung des Wachstums der Persönlichkeit und des friedvollen und menschliche Zusammenlebens geht. Die bundesrepublikanische Erziehungswissenschaft war gut beraten, sich in ihren Bildungsdiskursen auf diese beiden Aspekte einer gelingenden Bildung zu konzentrieren. Mit diesen beiden Aspekten hoffte man auch Kompetenzen einer Wehrhaftigeit – welch ein lange gemiedenes Wort! – im Subjekt anbahnen zu können, da man glaubte erkannt zu haben, dass auch nur der- oder diejenige eine standfeste Haltung entwickeln könne, der oder die sich von den Einflüsterungen überlieferter Konzepte lösen und die eigenen Fähigkeiten zur Kritik, Überprüfung und Verantwortung stärken konnte. Kritische Pädagogik wurde so zum tragenden Konzept der Erziehung zur Mündigkeit. Nicht Anpassung, sondern Auseinandersetzung, nicht Übernahme, sondern Reflexion und nicht Starrheit, sondern Flexibilität waren ihre Hauptmotive – gipfelnd in der Zielkategorie der „Reflexible Person“ (Arnold / Schön 2021). Diese ist in der Lage, dem Grundsatz von Keynes zu folgen, der – wie bereits erwähnt – einmal bemerkte:

„Wenn sich die Fakten ändern, ändere ich meine Meinung. Und Sie, was machen Sie?“ (zit. nach Chamberland 2016, S. 191).

Zudem ist die Reflexible Person in ihrem Denken, Fühlen und Handeln auch an Prinzpien gebunden, die einer Weltethik entstammen. Sie ist in der Lage, bedingungslos für das Recht einzutreten und zu fragen: „Wenn anderen Unrecht geschieht, kritisiere ich dies und bemühe mich, dieses Unrecht zu bekämpfen – auch, wenn es meinen Feinden geschieht. Und Sie, was machen Sie?" (ebd.) Mit dieser Fähigkeit drückt die Reflexible Person „die höchste Form von menschlicher Intelligenz" aus, die Marshall B. Rosenberg (1934–2015) darin sah, „Beobachtungen von Bewertungen" unterscheiden zu können (Rosenberg 2005, S. 43 ff). Dies zu können, ist eine Basis dafür, komplementäre durch symmetrische Formen der Kommunikation zu ersetzen und Formen einer „beschützenden Machtausübung" (ebd., S. 185) zu entwickeln.

Das Paradoxon der Gewaltlosigkeit liegt darin verborgen, dass man der manifesten Gewaltausübung zwar ausweichen kann, die Gewalt selbst aber dadurch andauern lässt oder sie gar stärkt. Im andauernden Ukrainekonflikt wurde das Plädoyer für einen gewaltlosen Rückzug der ukrainischen Regierung und die Etablierung einer Exilregierung insbesondere von dem Politikwissenschaftler Johannes Varwick (Universität Halle-Wittenberg) vertreten. Varwick kommentiert das Geschehen „vom Ende her" und vergleicht das durch einen noch so heldenhaften Einsatz des ukrainischen Militärs bei nüchterner Betrachtung Erreichbare mit den dafür notwendigen Opfern sowie den damit verbundenen mittel- und langfristigen Nebenwirkungen. In zahlreichen Interviews argumentiert Varwick für eine emotionslose und sachliche Realpolitik, die sich nicht von Gut-Böse-Bewertungen leiten lässt, und plädiert für die Einstellung von Waffenlieferungen und die Intensivierung der internationalen Bemühungen um eine Verhandlungslösung[32]. Für diese nüchterne Position ist Varwick in der Öffentlichkeit stark kritisiert worden – nicht zuletzt mit der entrüsteten Einschätzung, dass eine solche Haltung opportunistisch sei und vor der Gewalt zurückweiche, wodurch die Macht zum Recht werde – eine moralisch nachvollziehbare Protesthaltung.

Was die Protestierenden jedoch nicht erklären können ist, wie sie der an Skrupellosigkeit kaum zu überbietenden Gewaltbereitschaft tatsächlich in einer Weise entgegenzutreten vermögen, ohne dass die Gefahr einer nuklearen Katastrophe ins Unkalkulierbare wächst. Es ist dieses Aufeinandertreffen einer Skrupellosigkeit, die sämtliche internationalen Normen über Bord wirft, einerseits und der Unfähigkeit, die Entwicklungen klug vom möglichen Ende her zu denken, andererseits, in der das Paradoxon der Gewaltlosigkeit offen zu Tage tritt. Wenn die Gewalt nicht zurückweicht und die Gegengewalt nur zu Verlängerung und Vergrößerung des Leidens von Menschen beizutragen vermag, ist es die Aufgabe von Wissenschaft, die implizite Fragwürdigkeit und die drohenden – ungewollten? – Nebenwirkungen dessen, was die Akteure mit ihren jeweils eigenen „guten Gründen" fortsetzen, aufzudecken und gangbare Perspektiven in den Blick zu rücken. In diesem Sinne dient die Autoritarismusforschung von Johan-

32 Vgl. u.a. https://www1.wdr.de/radio/wdr5/sendungen/neugier-genuegt/redezeit-johannes-varwick-100.html

nes Varwick der Aufklärung über die tatsächlichen Möglichkeiten einer zukunftssichernden Sicherheitspolitik (Lahl / Varwick 2021); es wäre die Aufgabe einer zukunftssichernden Pädagogik, Sicherheitskompetenzen in den Subjekten zu stärken, die ihnen in konkreten Bedrohungslagen helfen können, nicht zum Mitläufer zu werden und sich selbst sowie andere zu schützen.

Die Geschichte „Maßnahmen gegen die Gewalt“ von Bertolt Brecht geht weiter; sie endet nicht mit dem Satz „Gerade ich muss länger leben als die Gewalt“ (Brecht 1975, S. 254). Vielmehr lässt Brecht Herrn Keuner selbst eine Geschichte erzählen:

„In der Wohnung des Herrn Egge, der gelernt hatte, nein zu sagen, kam eines Tages in der Zeit der Illegalität ein Agent, der zeigte einen Schein vor, welcher ausgestellt war im Namen derer, die die Stadt beherrschten, und auf dem stand, dass ihm gehören solle jede Wohnung, in die er seinen Fuß setze; ebenso sollte ihm auch jedes Essen gehören, das er verlange; ebenso solle ihm auch jeder Mann dienen, den er sähe.

Der Agent setzte sich in einen Stuhl, verlangte Essen, wusch sich, legte sich nieder und fragte mit dem Gesicht zur Wand vor dem Einschlafen: ›Wirst du mir dienen?‹

Herr Egge deckte ihn mit einer Decke zu, vertrieb die Fliegen, bewachte seinen Schlaf, und wie an diesem Tage gehorchte er ihm sieben Jahre lang. Aber was immer er für ihn tat, eines zu tun hütete er sich wohl: das war, ein Wort zu sagen. Als nun die sieben Jahre herum waren und der Agent dick geworden war vom vielen Essen, Schlafen und Befehlen, starb der Agent. Da wickelte ihn Herr Egge in die verdorbene Decke, schleifte ihn aus dem Haus, wusch das Lager, tünchte die Wände, atmete auf und antwortete: Nein (ebd.).“

Dieser Umgang mit dem Paradoxon der Gewalt markiert einen gewaltlosen, aber doch aufrechten Weg. Dies ist ein gewaltloser Weg im Sinne eines Abwartens und Ausharrens. Um diesen Weg gehen zu können, braucht es die Stärkung und Ausstattung der Subjekte – nicht im Sinne eines Freilassens und Loslassens, sondern im Sinne einer Zuwendung und Begleitung. In diesem Sinne hat sich Rainer Winkel mit dem Gewaltproblemen an Schulen befasst, sich um die Decodierung von Gewaltäußerungen bemüht und der pädagogischen Praxis wesentliche Hinweise für Vermeidung und Reduzierung gewaltsamer Lösungsversuche gestiftet (vgl. Winkel 2006). Was Winkel zu der Ukrainekrise gesagt hätte, ist eine offene Frage. Sicherlich hätte er es nicht bei der Gilgamesch-Strategie belassen, sondern hätte vielleicht in die Richtung von Varwick und Brecht tendiert. Eines jedoch scheint mir sicher: Er wäre keiner vordergründigen Lesart des Konfliktes gefolgt, hätte auch die Problematik vom Ende her durchdacht bei gleichzeitiger Entrüstung über die Demütigungen, die das „Humanum“, wie er sich gerne ausdrückte, derzeit täglich erdulden muss.

11.3 Nachtrag (2024): Das Paradoxon der Ratlosigkeit

Nach über zwei Jahren Ukrainekrieg ist der Pazifismus weitgehend verstummt. Er war niemals wirklich eine Option im Streit um die richtige und berechtigte Haltung gegenüber einem Angriffskrieg, wie ihn die Welt seit dem Einfall Russlands in ein autonomes Nachbarland erleben muss. Waffenlieferungen zur Unterstützung der Verteidigungsanstrengungen der Ukraine werden heute selbst von Politikern vehement gefordert, die einer bislang pazifistischen Partei entstammen, und differenzierende Kommentare, wie u. a. die von Klaus von Dohnany (von Dohnany 2021) vorgetragenen Zweifel an der Nato- und US-Interessenpolitik, werden oft mit dem pauschalierenden Verdacht, ein Putinversteher zu sein, im Keim erstickt. Bellisiten haben sowohl auf der Seite des Agressors, wie auch auf Seiten der Unterstützer des angegriffenen Staates die Regie übernommen – ohne einen wirklichen Plan zu haben, wie das Geschehn beeinflusst und zu einem friedlichen Ende die Auseinandersetzung geführt werden kann. Man liest, dass es äußerst unwahrscheinlich sei, dass Russland als Atommacht seinen imperialistischen Krieg gegen die Ukraine und ihre Unterstützer jemals verlieren werde, man gleichzeitig Russland aber auch nicht gewinnen lassen könne, da damit bloß der erste Stein einer Dominoreihe zum Umfallen gebracht worden sei.

Eine Lehre aus den Erfahrungen der sytemischen Konfliktlösung, dass bei unüberwindbar erscheinenden Gegensätzen zwischen zwei Parteien gegenseitige Verurteilung durch Verstehen der unterschiedlichen Positionen ersetzt werden müsse, ist bislang nicht aufgegriffen worden. Nach den „berechtigten“ Motiven auch auf Seiten des Agressors zu suchen, ist ein Tabu – ein Zurückrudern gar, um zu möglichen verpassten Kompromissen zurückkehren zu können, wird mir dem Hinweis, die Gegenseite verstehe bloß die Sprache der Gewalt vollkommen ausgeschlossen. Doch ist es realistisch zu erwarten, dass eine Seite sich mit ihren Interessen vollkommen durchsetzen kann? Ist nicht die Gefahr viel größer, dass es zu einem jahrelang schwelenden Kriegsgeschehen kommen wird, in dessen verlauf Hunderttausende von Soldaten und Zivilisten ihr Leben verlieren werden? Wieviele Menschenleben rechtfertigt eine ebenso kompromiss- wie planlose Fortsetzung einer militärischen Eskalation?

Friedenspolitik muss solche Fragen erwägen und aus der Planlosigkeit herausführen. Muss sie auch selbst in die paradoxe Forderung einer Aufrüstung für den Frieden einsteigen, um nicht nur der Macht, sondern auch der Unbelehrbarkeit des Stärkeren entschlossen entgegenzutreten? Zu welchem Preis? Mit welchen Erfolgsaussichten? Wem nützt die moralische Berechtigung zur Gegenwehr, wenn diese nicht zu einem durchschlagenden Erfolg führt, sondern das Risiko eines viel größeren Flächenbrandes mit unzähligen Opfern erhöht? – Gerade diese letzte Frage erinnert an eine Grundposition des Pazifismus, Leben um jeden Preis – auch um den Preis der Wehrlosigkeit, des eigenen Zurückweichens oder gar einer Niederlage bzw. eines Wechsels zu Formen eines gewaltlosen Widerstandes – zu schützen, eine Position, zu der man sich bloß schwer entscheiden kann, solange die Hoffnung auf einen Sieg bzw. eine tragfähige Verhandlungslösung fortdauert.

Gleichzeitig kann man nicht einseitig verhandeln, wenn jedes Wanken oder gar Entgegenkommen von der Gegenseite als Schwäche ausgelegt und als Bestätigung der eigenen Stärke betrachtet wird. Und man kann auch nicht aus einer Position der ethischen Überlegenheit – so gerechtfertigt und anerkannt diese auch sein mögen – heraus erfolgreich verhandeln. Es bedarf also ganz offensichtlich zwar der eigenen Stärke, um auf Augenhöhe in einem Dialog seine eigenen Interessen glaubwürdig vertreten zu können und sich keinem Diktatfrieden beugen zu müssen. So weit, so vertraut. Was allerdings bislang auch weitgehend fehlt, ist eine Bereitschaft, die eigenen Positionen wirklich zu überdenken, mögliche andere Sichtweisen zu entwickeln und mit den bisherigen flexibler umzugehen oder gar zurückweichen zu können, um eine Kompromisslösung zu ermöglichen. Nur wenn die Posotion der Gegenseite „verstanden“ wird – was nicht bedeutet, dass man diese für gerechtfertigt hält! – rückt eine Verständigung in den Raum des Möglichen. Er wäre der eigentlich Stärkere, der ein solches Zurückweichen riskiert, um weitere Eskalation und Schäden zu vermeiden.

Insofern müsste die bisherige Entschiedenheit bebehalten, aber zugleich um eine Verfielfältigung der *eigenen* Möglichkeiten erweitert werden. Ein solches Vorgehen würde der Intransitivität konflikthafter Verwickelungen Rechnung tragend – wissend, dass eine wirkungssichere Intervention auch in kriegerischen Geschehen nicht möglich ist, eine Kontextsteuerung – durch Sanktionen – bei gleichzeitiger Erweiterung und Flexibilisierung der Perspktiven gleichwohl Wirkungen entfalten kann (vgl. Willke 1989).

12 Am richtigen Ort suchen

Heutzutage entlassen wir unsere Absolventinnen und Absolventen aus Hochschulen oder der Berufsausbildung in eine Zukunft, von der wir immer weniger zu sagen wissen, mit welchen Anforderungen diese – für sie, aber auch für uns – verbunden sein wird. Zwar ist die bereits erwähnte Einschätzung von Ray Kurzweil, dem Chefingenieur von Google, vielleicht übertreiben, wenn er feststellt, wir würden im 21. Jahrhundert allein eine Veränderungsintensität erleben, die allenfalls mit den Veränderungen der letzten 20.000 Jahre vergleichbar sei, doch völlig aus der Luft gegriffen ist sie nicht.

Die zentrale Frage für uns alle – egal an welchem Punkt wir in unserer Berufsbiographie stehen – lautet:

Welche Kompetenzen benötigen wir, um uns eine Zukunft zu erschließen?

Und für die Universitäten, wie das Bildungssystem insgesamt, lautet die Frage:

Was müssen die Nachwachsenden können, um in einer Zukunft der Unsicherheit, Unverfügbarkeit und Ungewissheit nicht nur zu (über)leben, sondern diese in professioneller Verantwortung zu mitzugestalten?

„Weiter so, wie bisher", „Es hat noch keinem geschadet" oder „Die Lösungen der Vergangenheit sind auch die Lösungen für die Zukunft" – all diese Slogans schicken uns in Sackgassen, die letztlich nirgendwo hin führen, wohl aber den Vorteil haben, dass wir uns bis zum Abwinken wiederholen können, ohne jedoch den Schlüssel in die Zukunft zu finden.

Dieser Sachverhalt erinnert mich an die bekannte Geschichte von Paul Watzlawick, die sie möglicherweise auch kennen, aber vielleicht auch verfrüht lachen – an einer Stelle, an der es noch gar nichts zu lachen gibt.

Der verlorene Schlüssel

„Unter einer Straßenlaterne steht ein Betrunkener und sucht und sucht. Ein Polizist kommt daher und fragt ihn, was er verloren habe, und der Mann antwortet: ›Meinen Schlüssel‹. Nun suchen beide. Schließlich will der Polizist wissen, ob der Mann sicher ist, den Schlüssel gerade hier verloren zu haben, und jener antwortet: ›Nein, nicht hier, sondern dort hinten – aber dort ist es viel zu finster‹,

Finden Sie das absurd? Wenn ja, suchen auch sie am falschen Ort. Der Vorteil ist nämlich, dass eine solche Suche zu nichts führt, außer mehr desselben, nämlich nichts" (Watzlawick 2007, S. 27).

Diese Geschichte öffnet uns einen Zugang zu drei Fragen, über die ich im Folgenden nachdenken werde. Ich verzichte dabei auf sämtliche Belege, Verweise auf Studien und Gegenstudien und werde Sie – zusammenfassend – mit Sachverhalten und Einschätzungen einer Intransitiven Pädagogik konfrontieren, über die man streiten kann und streiten muss! Nur ignorieren können wir diese Themen m. E. nicht (länger).

12.1 Sehen wir die Welt so, wie sie ist, oder sehen wir sie so, wie wir sind?

Diese Frage geht letztlich auf den Talmud, einem der bedeutendsten Schriftwerke des Judentums, zurück. Darin heißt es: „Wie sehen die Welt nicht so, wie sie ist, sondern so, wie wir sind!“ Diese Aussage gilt nicht allein für die Formen unseres Alltagsausdrucks, sondern auch für das wissenschaftliche Erkennen. Als bekannte Physiker zu dem Ergebnis kamen, dass die bis dato hilfreichen und nützlichen Naturgesetze keine universelle Gültigkeit haben, sollen sich einige betrunken haben (wie man Tagebüchern entnehmen kann).

Zu ähnlichen Saufgelagen soll es auch unter Mathematikern gekommen sein, die – wie ich finde: spät – erkannten, dass das Dezimalsystem, mit dem sie ihre Berechnungen anstellen, sich der schlichten Tatsache verdankt, dass Menschen 10 Finger haben. Hätten wir bloß 5, hätten wir eine andere Mathematik (deren Berechnungen uns vielleicht zu ähnlichen Einsichten führen würden). Gibt es deutlichere Hinweise darauf, dass die Formen unseres Ausdrucks (besser: Eindrucks) – unserer Beschreibungen, Schlussfolgerungen und Bewertungen – zutiefst anthropozentrisch (menschgemacht) sind? Wir spiegeln die Welt in unseren Formen, ohne jemals „hinter den Spiegel blicken zu können“ – so eine frühe Formulierung von Konrad Lorenz (vgl. Lorenz 1987)

Vielleicht ist der Hinweis auf das Dezimalsystem fragwürdig, gleichwohl verdeutlicht er, wie durchschaubar das menschliche Erkennen und Für-wahr-Halten zu Werke geht: Wir nutzen das Naheliegende, Bekannte und Gewohnte, um uns neue Sachverhalte zu erklären, wobei wir mit dem, was wir dann aussagen meist mehr bei uns sind als bei dem, was da frisch auf uns zukommt. So wiederholen wir uns und erstarren im Bekannten. Während wir erkennen, vermengen wir „selbsterzeugte Erregungsmuster“ mit den „von draußen“ auf uns einwirkenden Eindrücken, wie der Hirnforscher Wolfgang Singer schreibt (Singer). Dabei kommen auf jede Faser, die in die Großhirnrinde hineingeht, 10 Millionen interne Verbindungen – worauf Spitzer bereits 2007 verwies (Spitzer 2007). Sein amerikanischer Kollege Siegel stellt deshalb fest, dass jedes Erkennen ein Erinnern sei (Siegel 2007). Deshalb können wir auch das jeweilige Gegenüber nicht verstehen, sondern bloß verwechseln – ein Mechanismus, den Gerhard Roth als „Illusion der falschen Ursachenzuschreibung“ markiert. Wir können das Gegenüber auch bloß beobachten aber nicht verändern.

Das Gegenüber bleibt uns letztlich „unverfügbar“ (Rosa 2019) – ein schwieriger Befund für Sozialwissenschaftlerinnen und Sozialwissenschaftler, die ja auch – professionell – intervenieren, gestalten, verbessern wollen.

Sind wir uns der Grenzen und Gefahren des Wiedererkennens bewusst, wenn uns z. B. Einschätzungen – auch aus berufenem Munde – begegnen, die wie folgt lauten:

- „Die spinnen, die Römer!“ (Asterix)
- „Du bist nicht ok! Das finden meine Freundinnen auch“
- „Alle Lehramststudierende sind doof! (Anonymus)
- „Putin erinnert mich an Hitler!) (Hillary Clinton)
- etc.

Solche unverrückbar in den Raum gestellte Beurteilungen sagen in der Tat mehr über den- oder diejenige aus, die sich in dieser Weise äußern, als über die Personen, um die es geht. In dieser Weise (uns) „behauptend“ verharren wir in unserer Trance und begreifen nicht, „dass bisher nur unsere Irrthümer uns einverleibt waren und dass alle unsere Bewusstheit sich auf Irrthümer bezieht“, wie Friedrich Nietzsche schon zu sagen wusste. Mit diesen Irrtümern erlauben wir uns, „von der eigenen Wirklichkeit überzeugt zu bleiben“, wie sein Biograph Rüdiger Safranski schreibt, um sodann das Dilemma auf den Punkt zu bringen: „Wir haben zwar ein kopernikanisches Weltbild – und heutzutage ein Einstein-Weltbild – was aber die Einverleibung betrifft, so sind wir immer noch Ptolemäer“ (vgl. Safransky 2002) – ein Vorwurf, der uns hart trifft, der uns aber auch zu der Ausgangsfrage jeglicher kopernikanischen Suche führen kann, die da lautet „In was erinnert mich der aktuelle Sachverhalt an mich bzw. meine bislang bevorzugten Formen des Beobachtens, Schlussfolgerns und Beurteilens?“ Und eine weitere Frage könnte lauten: „Möchte ich so bleiben, wie ich – zufällig – geworden bin, oder möchte ich andere, neue und hilfreichere Seiten aus mir herausentwickeln?“ – womit wir den Kern der Bildung, genauer: der Persönlichkeitsbildung bzw. Bewusstseinsbildung, berühren.

Der Ptolemäer sucht dort, wo er die bisherige Antwort verloren hat (unter der Hecke) und wird letztlich nicht fündig. Wer dort sucht, wo es hell ist, sucht kopernikanisch, dem Augenscheinlichen misstrauend, sein Selbst stets mitdenkend (und in Abzug bringend) und kann dadurch eine andere Wirklichkeit in den Blick treten lassen und in diese „hineinleben“ – eine Wirklichkeit, für die vielleicht zunächst nichts zu sprechen scheint, die aber gleichwohl möglich ist.

Dies bedeutet:

Eine wahrhaft kopernikanische Erkenntnis ist selbsteinschließend.

Wir blicken auf die Welt – wissend, dass wir diese nur so zu sehen vermögen, wie wir sind (mit unseren Sehgewohnheiten, inneren Bildern und eigenen Verhaltensmustern). Wer sich in dieser Weise darum bemüht, sich selbst, andere und die Welt neu bzw. „frisch“ zu sehen, der übt sich in einem Denken im Unterschied und folgt dem Hinweis von Ludwig Wittgenstein, der – wie bereits mehrfach zitiert – in seinem Arbeiten über Gewissheit feststellt: „Dass es mir oder allen so scheint, heißt nicht, dass es so ist!“ (Wittgenstein 1984a; b)

Finden Sie dies absurd? Wenn ja, so suchen auch Sie am falschen Ort! Wie heißt es bei Watzlawick: *Der Vorteil einer solchen Suche ist, dass diese zu nichts führt, außer mehr desselben, nämlich nichts".*

Wie würden wir auf das aktuelle – politische – Geschehen blicken, wenn wir unsere vertrauten Formen der Beobachtung und Beurteilung hinter uns lassen könnten?

Würden wir Klaus von Dohnanyi, ehemaliger Bundesminister und Mitgestalter der Ostpolitik Willy Brandts, einfach als Putinversteher abkanzeln, oder würden uns seine Ausführungen (für die uns vielleicht nichts zu sprechen scheint) nachdenklich stimmen, wenn er den Westen davor warnt, weiter Öl ins Feuer zu gießen und feststellt:

„Ich würde Präsident Bush ja auch nicht zum Kriegsverbrecher erklären und vor Gericht stellen, obwohl er ohne Zweifel einen noch folgenreicheren Krieg im Irak geführt hat, mit sehr viel mehr Toten und ohne jeden Grund, wie wir heute wissen. (...) Soll denn Moskau zukünftig der einzige Ort sein, wo man mit Putin verhandeln kann?" (von Donanyi 2022, S. 129).

Auch der zitierte Soziologe Hartmut Rosa warnte vor jeglicher – weiteren – Ausgrenzung und Polarisierung. Er mahnt:

„Die Menschen, die die andere Auffassung vertreten, was immer das in dem Konflikt gerade sein mag, werden nicht einfach als Andersdenkende wahrgenommen, als argumentatives Gegenüber, sondern als verachtenswerte Menschenfeinde zuzusagen" (Rosa 2022).

Solche Anmerkungen sind der Kern jeder wirklichen Entspannungspolitik im Sinne der Ostpolitik Brandts oder der Perestroika Gorbatschows. Von Dohnany resümiert mit den Worten Willy Brandts:

„Einige haben sich (...) einreden lassen, sie könnten an der Lage etwas ändern, indem sie Sprengstoff bemühen oder ihre Köpfe am Beton blutig stießen. Ich habe mich damals (...) gegen solche Art von Flucht vor der Wirklichkeit gewandt und mich für ein Verhalten engagiert, unmenschliche Auswirkungen der Tabus (gemeint: Es gibt keinen Dialog mit dem Osten!) mildern zu helfen" (von Donanyi 2002, S. 129).

12.2 Sind wir bewusst oder leben wir im Repeat-Modus – immer so bleiben zu wollen, wie wir haben werden können?

Was ist die Aufgabe von sozialwissenschaftlich gebildeten Menschen bzw. Professionals? Welche spezifischen Kompetenzen unterscheiden diese von Menschen, die – lediglich – mit ihrem Alltagssachverstand mit sich selbst und anderen sowie mit Gruppen, Organisationen oder gar Gesellschaften umgehen? Und: Was machen wir, die Universitäten, um den Studierenden wirklich *die* Kompetenzen zu vermitteln, die ihnen helfen, in einer Welt der Unverfügbarkeit wirksam und mit nachhaltigen Wirkungen zu erziehen, zu lehren, zu führen, zu gestalten und zu verändern?

Es geht im Kern um schlaues Denken – smart thinking.

Diesem Denken ist die Unverfügbarkeit bewusst – die eigene, innere Welt der Deutungsmuster ebenso, wie die Welt der äußeren Unverfügbarkeit, von der man gerade im Hinblick auf die internationale Zusammenarbeit, aber auch im Hinblick auf das Mißlingen von Führung, Bildung und Organisationsentwicklung sowie Friedenssicherung mehrstrophige Lieder singen könnte.

Sicherlich: Schlaues Denken ist evidenzbasiert. Es folgt dem bereits zitierten Aufruf von Sir John Maynard Keynes (1883–1946) „Wenn sich die Fakten ändern, ändere ich meine Meinung. Und Sie, was machen Sie!“ Schlaues Denken weiß aber zugleich, dass Faktenkenntnis alleine auch nicht gelingendes Handeln garantiert. Auch hier gilt: „Man kann viel wissen und nichts können!“ Und die Frage, welche sozialwissenschaftlichen Forschungsergebnisse der letzten Jahre uns wirklich neue Perspektiven und Möglichkeiten für eine wirksamere professionelle Intervention – oder gar für Friedenssicherung – gestiftet haben, ist eine wirklich gute Frage, die ich hier jetzt aber nicht weiter verfolgen will, könnte es doch sein, dass wir dabei auf ein Mehr desselben, nämlich Nichts stoßen würden!

Sozialwissenschaften haben es mit Unverfügbarkeit zu tun.

Und diejenigen, die sozialwissenschaftlich „geschult“ auf sich und die Welt zu blicken gelernt haben und zu einem smart thinking in der Lage sind, auch. Doch was ist Unverfügbarkeit?

Wie kann man schlau und erfolgreich mit ihr umgehen?

Die erste Frage beantwortet in unübertroffener Weise der Dichter Rainer Maria Rilke, wie bereits erwähnt (vgl. Kapitel 6). Er tut dies ganz ähnlich, wie der kürzlich verstorbene Edgar Schein (1928–2023), der Erfinder und Grandseigneur der OE aus Boston: Mit Geduld bzw. Demut (vgl. Schein 1995)!

Eine Antwort auf die zweite Frage (Wie kann man schlau und erfolgreich mit Unverfügbarkeit umgehen?) fällt nicht leicht, geht es doch letztlich um eine andere Form des Beobachtens, Beurteilens und Handelns – kurz: um eine kopernikanische Wende im Umgang mit Gewissheit – eine Form, die man üben kann, wenn man bereit ist, frisches Denken zu lernen und die alten Formen einer „Voice of Judgement“ tatsächlich aufzugeben (vgl. Arnold 2023 b). Zahlreiche Unternehmen haben mittlerweile erkannt, dass es der Repeat-Modus ihrer Führungskräfte und Mitarbeitenden ist, der sie aktuelle Entwicklungen übersehen und verpassen lässt. Die Schicksale von KODAK (dereinst Marktführer in der Filmtechnik), PFAFF (dereinst wichtiger Player in der Nähtechnik) oder NOKIA (von 1998–2011 Handykönig) sind mahnende Beispiele dafür, wie die Slogans „Wir sind gut!“, „Wir gehören schließlich zur Spitze!“ oder: „Wer meinen Standards nicht folgt, kann doch nicht wirklich gut sein!", zu einem lähmenden Selbstbewusstsein (ver)führt, welches den eigenen Untergang ungewollt einleitet.

12.3 Welche Wissenschaft stärkt Professionalität und Wirksamkeit?

Wir haben bereits gesehen: Es geht um den geübten Ausstieg aus den eigenen Routinen des Denkens, Fühlens und Handelns, um „bewusster" auf die Potenziale reagieren zu können, die in dem jeweiligen Gegenüber bzw. in der jeweiligen Situation schlummern und nicht nur auf die, die wir darin zu erkennen glauben. Dies gilt für Beziehungen ebenso, wie für den Umgang mit Organisationen oder Regionen (Staaten und Gesellschaften).

Professionalität ist ein Handeln auf der Basis der zukünftigen Möglichkeiten des Gegenübers, nicht die unreflektierte Wiederholung eigener – mehr oder weniger: unreflektierter – Muster (Muster des Bescheidwissens, des Urteilens, der Konfliktregelung etc.). Auch für sozialwissenschaftliche Professionals (spätere Lehr-, Führungskräfte, Berater:innen oder Forscher:innen) gilt zwar der Satz von Francois Lelord „People doní choose who they are!" (Lelord 2019), doch unterscheiden sich Professionals durch eine persönliche Meisterschaft im Umgang mit Individuen, Gruppen, Organisationen und Gesellschaften, die dem Anspruch folgt: „Ich weiß um die Gefahr, Dich so zu sehen, wie ich – geworden – bin, aber ich bin ständig in einer Bewegung, dafür zu sorgen, dass mein Eigenes nicht meinen Blick auf Dich verzerrt!"

Professionals, die über diese Meisterschaft („Personal Mastery") verfügen, sich selbst und andere „frisch" zu sehen und von deren – möglichen – Zukunft (Potenzialen) her zu begleiten, beschreiten einen eigenen Weg.

Professional Mastery verpflichtet uns zu einem Selbstverständnis, das drei Blickrichtungen verknüpft:

- die der Wissenschaft (Lass Daten sprechen!),
- die der Führungs- und Veränderungspraxis (Man kann ein System nicht verstehen, solange man es nicht verändert!) und
- die der Selbstreflexion und Selbstbildung (Erkenne und erhelle Deinen blinden Fleck!)

Solche Professionals wissen um die komplexen Wechselbezüge zwischen

- eigenen Gewohnheiten des Denkens, Fühlens und Handelns,
- einem Erkennen, das im Kern Erinnern ist und
- den sich wiederholenden „blinden Flecken"
- mit ihren sich selbst erfüllenden Deutungen.

Solche Professionals wissen, dass jede gelingende Intervention „bewusstseinsbasiert" ist, da neues Denken, Neues in den Blick treten und bislang übersehene

Potenziale zur Wirkung kommen lassen kann. Diese Formen eines „Awareness-based systemic Change“ markieren den Weg eines nachhaltigen Wirkens. Es bleibt zu wünschen, dass Professionals einer Inransitivien Pädagogik in diesem Sinne wirksam werden und sich aus den Gefängnissen früher Sehgewohnheiten befreien können – ganz so, wie es in der folgenden Geschichte zum Ausdruck kommt:

Jorge Burkay zeigt:

Der angekettete Elefant

„Als ich ein kleiner Junge war, war ich vollkommen vom Zirkus fasziniert, und am meisten gefielen mir die Tiere. Vor allem der Elefant hatte es mir angetan. Wie ich später erfuhr, ist er das Lieblingstier vieler Kinder. Während der Zirkusvorstellung stellte das riesige Tier sein ungeheures Gewicht, seine eindrucksvolle Größe und seine Kraft zur Schau. Nach der Vorstellung aber und auch in der Zeit bis kurz vor seinem Auftritt blieb der Elefant immer am Fuß an einen kleinen Pflock angekettet.

Der Pflock war allerdings nichts weiter als ein winziges Stück Holz, das kaum ein paar Zentimeter tief in der Erde steckte. Und obwohl die Kette mächtig und schwer war, stand für mich ganz außer Zweifel, dass ein Tier, das die Kraft hatte, einen Baum mitsamt der Wurzel auszureißen, sich mit Leichtigkeit von einem solchen Pflock befreien und fliehen konnte.

Dieses Rätsel beschäftigt mich bis heute. Was hält ihn zurück?

Warum macht er sich nicht auf und davon?

Als Sechs- oder Siebenjähriger vertraute ich noch auf die Weisheit der Erwachsenen. Also fragte ich einen Lehrer, einen Vater oder Onkel nach dem Rätsel des Elefanten. Einer von ihnen erklärte mir, der Elefant mache sich nicht aus dem Staub, weil er dressiert sei.

Meine nächste Frage lag auf der Hand: „Und wenn er dressiert ist, warum muss er dann noch angekettet werden?"

Ich erinnere mich nicht, je eine schlüssige Antwort darauf bekommen zu haben.

Mit der Zeit vergaß ich das Rätsel um den angeketteten Elefanten und erinnerte mich nur dann wieder daran, wenn ich auf andere Menschen traf, die sich dieselbe Frage irgendwann auch schon einmal gestellt hatten.

Vor einigen Jahren fand ich heraus, dass zu meinem Glück doch schon jemand weise genug gewesen war, die Antwort auf die Frage zu finden: Der Zirkuselefant flieht nicht, weil er schon seit frühester Kindheit an einen solchen Pflock gekettet ist.

Ich schloss die Augen und stellte mir den wehrlosen neugeborenen Elefanten am Pflock vor. Ich war mir sicher, dass er in diesem Moment schubst, zieht und schwitzt und sich zu befreien versucht. Und trotz aller Anstrengung gelingt es ihm nicht, weil dieser Pflock zu fest in der Erde steckt. Ich stellte mir vor, daß er erschöpft einschläft und es am nächsten Tag gleich wieder probiert, und am nächsten Tag wieder, und am nächsten … Bis eines Tages, eines für seine Zukunft verhängnisvollen Tages, das Tier seine Ohnmacht akzeptiert und sich in sein Schicksal fügt.

Dieser riesige, mächtige Elefant, den wir aus dem Zirkus kennen, flieht nicht, weil der Ärmste glaubt, dass er es nicht kann. Allzu tief hat sich die Erinnerung daran, wie ohnmächtig er sich kurz nach seiner Geburt gefühlt hat, in sein Gedächtnis eingebrannt. Und das Schlimme dabei ist, dass er diese Erinnerung nie wieder ernsthaft hinterfragt hat. Nie wieder hat er versucht, seine Kraft auf die Probe zu stellen" (Burcay 2007, S. 7ff).

Literatur

Adorno, T. W.: Erziehung zur Mündigkeit. Frankfurt 1970.

Adorno, T. W.: Negative Dialektik. Frankfurt 1966.

Ahrendt, H. / Fest, J.: Ein Jahrhundert-Briefwechsel. In: www.dradio.de/dkultur/sendungen/lesart/1619703.

Anderson, H. / Goolishian, H. A.: Dialog rather than interventionist: An interview by L. Winderman. Family Therapy News. Nov. / Dec. 1989.

Arnold, R.: Aberglaube Disziplin. Antworten der Pädagogik auf das „Lob der Disziplin". Heidelberg 2007.

Arnold, R.: Ach, die Fakten! Wider den Aufstand des schwachen Denkens. Heidelberg 2018.

Arnold, R.: Agile Führung aus Geschichten lernen. Heidelberg 2021.

Arnold, R.: Betriebliche Weiterbildung. Selbstorganisation – Unternehmenskultur – Schlüsselqualifikationen. 2. Auflage. Baltmannsweiler 1995.

Arnold, R.: Deutungsmuster und pädagogisches Handeln in der Erwachsenenbildung. Bad Heilbrunn / Obb. 1985.

Arnold, R.: Die emotionale Konstruktion der Wirklichkeit. Beiträge zu einer emotionspädagogischen Erwachsenenbildung. Baltmannsweiler 2005.

Arnold, R.: Die persönliche Bildungsverantwortung stärken. Perspektiven einer innenweltorientierten Erwachsenenbidlung. In: Forum Erwachsenenbildung, 4/2023 a, S. 33–36.

Arnold, R.: Emotional kompetent agieren. Das eigene Denken, Fühlen und Handeln bewusst verstehen und verändern. Wiesbaden 2022.

Arnold, R.: Entlehrt Euch! Auswege aus dem Vollständigkeitswahn. Bern 2017 a.

Arnold, R.: Es ist später als du denkst! Perspektiven für die Restbiografie. Bern 2017 b.

Arnold, R.: Irritationslernen. In: ders. (Hrsg.): Veränderung durch Selbstveränderung. Impulse für das Changemanagement. Baltmannsweiler 2011 a, S. 159–170.

Arnold, R.: Leadership by Personality. Von der emotionalen zur spirituellen Führung. Ein Dialog. Wiesbaden 2014.

Arnold, R.: Nichtwissende Beratung. Von der Intervention zur Übung. Baltmannsweiler 2019 a.

Arnold, R.: Schubumkehr im Fühlen, Denken und Handeln. In: Pädagogische Rundschau, 4/2020, S. 349–362.

Arnold, R.: „Seit wann haben Sie das?" Grundlinien eines emotionalen Konstruktivismus. Heidelberg 2009; 3. Auflagen 2019 b.

Arnold, R.: Selbstbildung. Oder Wer kann ich werden und wenn ja wie? 2., korrigierte Auflage. Baltmannsweiler 2013 a.

Arnold, R.: Systemische Bildungsforschung – Anmerkungen zur erziehungswissenschaftlichen Erzeugung von Veränderungswissen. In: Ochs, M. / Schweitzer, J. (Hrsg.): Handbuch Forschung für Systemiker. Göttingen 2012, S. 123–136.

Arnold, R.: Systemische Erwachsenenbildung. Die transformierende Kraft des begleiteten Selbstlernens. Baltmannsweiler 2013 b.

Arnold, R.: Wie man ein Kind erzieht, ohne es zu tyrannisieren. 29 Regeln für eine kluge Erziehung. Heidelberg 2011 b.

Arnold, R.: Wie man frisch beobachtet, um neu wahrzugeben. 29 Regeln der Achtsamkeit. Heidelberg 2023 b.

Arnold, R.: Wie man wird, wer man ist sein kann. 29 Regeln zur Persönlichkeitsbildung. Heidelberg 2016.

Arnold, R./Arnold-Haecky, B.: Der Eid des Sisyphos. Eine Einführung in die Systemische Pädagogik. Baltmannsweiler 2009.

Arnold, R./Erpenbeck, J.: Wissen ist keine Kompetenz. Dialoge zur Kompetenzreifung. Baltmannsweiler 2014.

Arnold, R./Gonon, P./Müller, H.-J.: Einführung in die Berufspädagogik. 3. Auflage. Opladen 2016.

Arnold, R./Nuissl, E./Rohs, M.: Erwachsenenbildung. Eine Einführung in Grundlagen, Probleme und Perspektiven. Baltmannsweiler 2017.

Arnold, R./Schön, M.: Ermöglichungsdidaktik. Ein Lernbuch. Bern 2022 a.

Arnold, R./Schön, M.: The Reflexible Person. Toward an Epistemological Learning Culture. In: Journal of Awareness Based Systems Change, 1/ 2, 2021, pp. 51–71.

Arnold, R./Schüssler, I.: Wandel der Lernkultur. Ideen und Bausteine für ein Lebendiges Lernen. Darmstadt 1998.

Arnold, R./Siebert, H.: Konstruktivistische Erwachsenenbildung. Von der Deutung zur Konstruktion von Wirklichkeit. 4. Auflage. Baltmannsweiler 2006.

Arnold, R./Stroh, C.: Methoden systemischer Erwachsenenbildung. Baltmannsweiler 2016.

Arnold, R./Faulstich, P./Mader, W./Nuissl von Rein, E./Schlutz, E. (Redaktion): Forschungsmemorandum für die Erwachsenen- und Weiterbildung. In: https://www.die-bonn.de/esprid/dokumente/doc-2000/arnold00_01.pdf (geöffnet am 8.4.2022).

Arnold, R./Erhardt, U./Stief, E. (Hrsg.): „Glaube als Befreiungshilfe der Vernunft“. Festschrift für Wolfgang Doll. Pädagogische Materialien der TU Kaiserslautern. Bd. 52. Kaiserslautern 2022.

Arnold, R./Schön, M. (Hrsg.): Lernbegleitung.Anmerkungen zu einem Modus päadagogischer Professionalität. Baltmannsweiler 2022 b.

Arnold, R./Holzapfel, G. (Hrsg): Emotionen und Lernen. Die vergessenen Gefühle in der (Erwachsenen-) Pädagogik. Baltmannsweiler 2088

Arnold, R./Lermen, M./Haberer, M. (Hrsg.): Selbstlernangebote und Studienunterstützung. Bd. III zur Fachtagung „Selbstgesteuert, kompetenzorientiert und offen?!“. Baltmannsweiler 2017.

Baecker, D.: Beobachter unter sich. Eine Kulturtheorie. Frankfurt 2013.

Balgo, R.: Wie konstruiere ich mir eine Lernbehinderung? Eine provokative Anleitung. In: Voss, R. (Hrsg.): LernLust und EigenSinn. Systemisch-konstruktivistische Lernwelten. Heidelberg 2005, S. 65–76.

Barthelmess, M.: Die systemische Haltung. Was systemisches Arbeiten im Kern ausmacht. Göttingen 2016.

Bauer, U.: Keine Gesinnungsfrage. Der Subjektbegriff in der Sozialisationsforschung. In: Geulen/Veith 2004, S. 61–92.

Bauer, U.: Wie wir werden, wer wir sind. Die Entstehung des menschlichen Selbst durch Resonanz. München 2019.

Beck, U. (Hrsg.): Kinder der Freiheit. Frankfurt 1997.

Beck, U.: Risikogesellschaft. Auf dem Weg in eine andere Moderne. Frankfurt a. M. 1986.

Bernard, A.: Komplizen des Erkennungsdienstes. Das Selbst in der digitalen Kultur. 2. Auflage. Frankfurt 2017.

Binning, G.: Aus dem Nichts. Über die Kreativität von Natur und Mensch. München 1992.

Bittner, G.: Der Erwachsene. Multiples Ich in multipler Welt. Stuttgart 2001.

BMBW (Bundesministerium für Bildung und Wissenschaft): Berufsbildungsbericht 2007. Berlin 2007.

Borinzki, F.: Gespräch am 17.3.1986 in Baden-Baden mit Bernd Besch und Heinz Lang. In: 40 Jahre Heimvolkshochschule Bildungszentrum Jagdschloss Göhrde. Göhrde 1986, S. 47–72.

Brandau, H.: Das ADHS-Puzzle. Systemisch-evolutionäre Aspekte, Unfallrisiko und klinische Perspektiven Wien 2004.

Brater, M./Freygarten, S./Rahmann, E./Rainer, M.: Kunst als Handeln – Handeln als Kunst. Was die Arbeitswelt und Berufsbildung von Künstlern lernen können. Bielefeld 2011.

Brater, M.: Beitrag. In: Rohs, M. u. a. (Hrsg.): Eigentlich war ich ein Self-made man. Festschrift zum 70. Geburtstag von Rolf Arnold. Baltmannsweiler 2022, S. 24–33.

Brater, M.: Berufsbildung und Persönlichkeitsentwicklung in der historischen Dimension. In: Arnold, R./Lipsmeier, A./Rohs, M. (Hrsg.): Handbuch Berufsbildung. 3. Überarbeitete und ergänzte Auslage. Wiesbaden 2020, S. 6–23.

Brecht, B.: Maßnahmen gegen die Gewalt. In: Ders.: Geschichten. Bd. 4 des Gesamtwerkes. Hrsg. von Mittenzwei, W. unter Mitarbeit von Hofmann, F. 2. Auflage. Berlin 1975, S. 253–254.

Brüggemann, H. u. a.: Systemische Beratung in fünf Gängen. Ein Leitfaden. Göttingen 2007

Buber, M.: Reden über Erziehung. Heidelberg 1986.

Buchen, H./Rolff, G. (Hrsg.) (2006): Professionswissen Schulleitung. Weinheim.

Burcay, J.: Komm, ich erzähl Dir eine Geschichte. Frankfurt 2007.

Chamberland, M.: Von Eins bis Neun. Große Wunder hinter kleinen Zahlen. Heidelberg 2016.

Chomsky, N.: Was für Lebewesen sind wir. Frankfurt 2017.

Christensen, C. M.: The Innovators Dilemma. Warum etablierte Unternehmen den Wettbewerb um bahnbrechende Innovationen verlieren. München 2011.

Couvert, B.: Vererbte Geschichte. Wie psychische Erfahrungen an nachfolgende Generationen weitergegeben werden. Heidelberg 2024.

Culler, J.: Dekonstruktion. Derrida und die post-realistische Literaturtheorie. Reinbek bei Hamburg 1988.

Damasio, A.: Wie wir denken, wie wir fühlen. Die Ursprünge unseres Bewusstseins. München 2021.

Danner, S.: Erziehung als reflektierte Improvisation. Bad Heilbrunn/OBB 2001.

de Shazer, S.: Das Spiel mit den Unterschieden. Wie therapeutische Lösungen lösen. Heidelberg 2006.

de Shazer, S.: Der Dreh. Überraschende Wendungen und Lösungen in der Kurzzeittherapie. 25. Auflage. Heidelberg 2022.

Depraz, N./Varela, F./Vermersch, P. (Ed.): On Becoming Aware. A pragmatics of experiencing. Amsterdam 2002.

Derksen, M./Beaulieu, A.: Social Technology. In: Jarvie, I./Zamora-Borilla, J. (Hrsg): The Handbook of Philosophy of Social Science. Thousand Oaks 2011, S. 703–719.

Derrida, J.: Die Schrift und die Differenz. Frankfurt 1976.

Derrida, J.: Vergessen wir nicht – die Psychoanalyse. Frankfurt 1998.

Detjen, J.: Politische Bildung. Geschichte und Gegenwart in Deutschland. 2., aktualisierte und erweiterte Auflage. München 2013.

Dispenza, J.: Ein neues Ich. Wie sie Ihre gewohnte Persönlichkeit in vier Wochen wandeln können. 8. Auflage. Burgrain 2017.

Dispenza, J.: Schöpfer der Wirklichkeit. Der Mensch und sein Gehirn. Wunderwerk der Evolution. 5.Auflage. Burgrain 2016.

d'Lonra, F.: Häutungen der Liebe. Krisenreime. o. O. (United p. c.) 2021.

Dörner, D.: Die Logik des Misslingens: Strategisches Denken in komplexen Situationen. 18. Neuauflage. Hamburg 2003.

Dohmen, G.: Bildung und Schule. Bd. 1. Weinheim 1964.

Dürr, W. u. a.: We have to learn tot hink in a new way. Potsdamer Manifest. Potsdam 2005 (www.gen.de).

Dürr, W.: Sag nie, dass etwas unmöglich ist. In: von Lüpke, G.: Zukunft entsteht aus Krise. Antworten von den Pionieren der globalen Zivilbewegung. München 2009, S. 62–79.

Emcke, C.: Die Populisten und Fanatiker hassen nicht unbedingt selbst – sie lassen hassen. In: Süddeutsche Zeitung vom 23. Oktober 2016.

Engelmann, P.: Einführung. Postmoderne und Dekonstruktion. Zwei Stichwörter zur zeitgenössischen Philosophie. In: ders. (Hrsg.): Postmoderne und Dekonstruktion. Texte französischer Philosophen der Gegenwart. Stuttgart 1993, S. 5–32.

Epiktet o.J.: Handbuch der Moral. In: https://de.m.wikiquote.org/wiki/Epiktet. o. O., o. J.

EQR (Europäischer Qualifikationsrahmen). In: Amtsblatt der Europäischen Union, C 111/1 vom 6.5.2008. Brüssel 2008.

Erikson, E.H.: Identität und Lebenszyklus. Drei Aufsätze. 2. Auflage Frankfurt 1976.

Erpenbeck, J./Heyse, V.: Die Kompetenzbiographie. Wege der Kompetenzentwicklung. 2. Auflage. Münster 2007.

Esposito, E.: Die Möglichkeit der Beobachtung dritter Ordnung. In: Jahraus, O./Grizeli, M. (Hrsg.): Theorietheorie. Wider die Theoriemüdigkeit der Geisteswissenschaften. München 2011, S. 135–147.

Euler, D./ Severing, E.: Flexible Ausbildungswege in der Berufsbildung. Bielefeld 2007.

Faulstich, P./Zeuner, C.: Erwachsenenbildung und soziales Engagement. Historisch-biographische Bezüge. Bad Heilbrunn/Obb. 2001.

Feuser, G.: Geistigbehinderte gibt es nicht. Zur Negation der Entwicklungsfähigkeit des ›Geistes‹. In: GEW-Zeitung Rheinland-Pfalz, 3/2014, S. 4.

Foucault, M,; Analytik der Macht. Frankfurt 2005.

Foucault, M,; Der Mut zur Wahrheit: Die Regierung des Selbst und der anderen II. Vorlesungen am Collége de France 1983/84. Frankfurt 2009 a.

Foucault, M.: Der Mensch ist ein Erfahrungstier. Frankfurt 1996.

Foucault, M.: Die Regierung des Selbst und der anderen. Vorlesungen am College de France 1982/83. Frankfurt 2009 b.

Frankl, V.: Theorie und Therapie der Neurosen: Einführung in Logotherapie und Existenzanalyse. Frankfurt 1993.

Fromm, E.: Escape from Freedom. (1947). In: Funk, R.: Erich Fromm – Gesamtausgabe. Bd. 1: Sozialpsychologie. Stuttgart 1999, S. 215–392.

Fromm, E.: Haben oder Sein. Die seelischen Grundlagen einer neuen Gesellschaft. München 1979.

Garz, D.: Sozialpsychologische Entwicklungstheorien. Von Mead, Piaget und Kohlberg bis zur Gegenwart. 4. Auflage. Wiesbaden 2008.

Geißler, H. (Hrsg.): E.Coaching. Baltmannsweiler 2008.

Geldermann, B./Seidel, S./Severing, E.: Rahmenbedingungen zur Anerkennung informell erworbener Kompetenzen. Bielefeld 2009.

Geulen, D./Veith, H. (Hrsg.): Sozialisationstheorie interdisziplinär. Stuttgart 2004.

Gieseke, W./Nuissl, E./Schüßler, I. (Hrsg.): Reflexionen zur Selbstbildung. Festschrift für Rolf Arnold. Bielefeld 2012.

Gieseke, W./Meueler, E./Nuissl, E. (Hrsg.): Zentrifugale und Zentripedale Kräfte der Disziplin Erwachsenenbildung. Ein Diskurs über die Gründe der Zerfaserungsprozesse in der Erwachsenenpädagogik. Jahrestagung 1988 der Kommission Erwachsenenbildung der Deutschen Gesellschaft für Erziehungswissenschaft. Mainz 1989.

Göhlich, M./Weber, S.M./Schöer, A. u.a. (2014): Forschungsmemorandum Organisationspädagogik https://www.dgfe.de/sektionen-kommissionen-ag/sektion-14-organisationspaedagogik/forschungsmemorandum-organisationspaedagogik)

Grotlüschen, A./Pätzold, H.: Lerntheorien in der Erwachsenen- und Weiterbildung. Bielefeld 2020.

Gunnlaugson, O./Sarath, E.W./Scott, C./Heeson, B.: An Introduction to Contemplative Learning and Inquiry. In: Gunnlaugson, O./Sarath, E.W./Scott, C./Heeson, B. (Ed.): Conteplative Learning and Inquiry across Disciplines. New York 2014.

Guski, S.: Die biologischen Ursprünge der freien Rede. Noam Chomsky: „Was für Lebewesen sind wir?" In: https://hpd.de/artikel/noam-chomsky-fuer-lebewesen-sind-wir-13631. O.J.

Habermas, J.: Moralbewusstsein und kommunikatives Handeln. Frankfurt 1983.

Habermas, J.: Rede anlässlich des ihm im Jahre 2004 verliehenen Kyoto Preises. In: Frankfurter Allgemeine Zeitung vom 15.11.2004, S. 35.

Habermas, J.: Thesen zur Theorie der Sozialisation. Sichworte und Literatur zur Vorlesung im Sommensemester 1968. Unveröff. Msk.

Harari, Y.: Eine kurze Geschichte der Menschheit. München 2013.

Heisig, D./Savory-Deermann, C.: Mein Echo im Beruf. Wege zum Einklang zwischen innerer Entwicklung und Arbeitsleben. Gießen 2001.

Helsper, W./Wenzel, H. (Hrsg.): Pädagogik und Gewalt. Opladen 1995.

Heydorn, H.-J.: Bildungstheoretische und pädagogische Schriften. Liechtenstein 1995. Liechtenstein 1995.

Hofer. J.M.: Sprache der Transzendenzerfahrungen. Die Briefsammlung der Parapsychologischen Beratungsstelle in Freiburg i.B. Bielefeld 2018.

Holtz, K.L.: Einführung in die systemische Pädagogik. Heidelberg 2008.

Holzkamp, K.: Lernen. Subjektwissenschaftliche Grundlegung. Stuttgart 1993.

Hurrelmann, K./Holler-Nowitzki, B.: Pädagogische Intervention. In: Hörmann, G./Nestmann, F. (Hrsg.): Handbuch der psychosozialen Intervention. Opladen 1988, S. 81–92.

Hurrelmann, K.: Das Modell des produktiv-realitätsverarbeitenden Subjekts in der Sozialisationsforschung. In: Zeitschrift für Sozialisationsforschung und Erziehungssoziologie, 3/1983, S. 91–103.

Hüther, G.: Bedienungsanleitung für ein menschliches Gehirn. Göttingen 2010.

Hüther, G.: Mit Freude Lernen – ein Leben lang. Weshalb wir ein neues Verständnis vom Lernen brauchen. Göttingen 2016.

Jungaberle, H./Gasser, P./Weinhold, J./Verres, R. (Hrsg.): Therapie mit psychoaktiven Substanzen. Heidelberg 2008.

Kade, J.: System, Protest und Reflexion. Gesellschaftliche Referenzen und theoretischer Status der Erziehungswissenschaft/ Erwachsenenbildung. In: Zeitschrift für Erziehungswissenschaft, 1999/4, S. 527–544.

Kahneman, D.: Schnelles Denken – langsames Denken. München 2011.

Kaiser, A./Kaiser, R./Hohmann, R. (Hrsg.): Metakognitiv fundierte Bildungsarbeit. Leistungsfördernde Didaktik zur Steigerung der Informationsverarbeitungskompetenz im Projekt KLASSIK. Bielefeld 2012.

Kämpfer, H.: Sigmund Freud Spachdenken. Ein Beitrag zur Sprachbewusstseinsgeschichte. In: Cherubim, D. u. a. (Hrsg.): Neuere Sprachgeschichte: mentalitäts-, kultur- und sozialgeschichtliche Zusammenhänge. Berlin 2002, S. 239–251.

Karafilidis, A.: Unmittelbares Handeln und die Sensometorik der Situation. Über Francisco Varela, Ethical Know-How (1992). In: Baecker, D. (Hrsg.): Schlüsselwerke der Systemtheorie. 2. Auflage. Wiesbaden 2016, S. 223–254.

Kast, V.: Lebenskrisen werden Lebenschancen. Freiburg 2000.

Kegan, R./Lahey, L. L.: How the Way We Talk Can Change the Way We Work. Seven Languages for Transformation. San Francisco 2001.

Kegan, R.: Die Entwicklungsstufen des Selbst. Fortschritte und Krisen im menschlichen Leben. 6. Auflage. München 2011.

Kegan, R.: In Over Our Heads. The Mental Demands of Modern Life. Cambridge 1994.

Knorr Cetina, K.: Epistemic Caultures: How the Sciences Make Knowledge. Cambridge 1999.

Koch, C.: Bewusstsein. Bekenntnisse eines Hirnforschers. Heidelberg 2013.

Krause, D.: Luhmann-Lexikon. 4. Auflage. Stuttgart 2005.

Kreszmeier, A. H.: Das Schiff Noah. Dokumente einer therapeutischen Reise. Graz 1994.

Kucklick, C.: Die granulare Gesellschaft: Wie das Digitale unsere Wirklichkeit auflöst. München 2015.

Kurzweil, R.: Menschheit 2.0. Die Singularität naht. 2., durchgesehene Auflage. Berlin 2014.

Lahl, K./Varwick, J. (Hrsg.): Sicherheitspolitik verstehen. Handlungsfelder, Kontroversen und Lösungsansätze. Frankfurt 2021.

Lange, H.: Wovon handelt dieses Buch. In: Ders. (Hrsg.): Nachhaltigkeit als radikaler Wandel. Die Quadratur des Kreises? Wiesbaden 2008, S. 7–12.

LeDoux, J.: Das Netz unserer Persönlichkeit. Wie unser Selbst entsteht. Düsseldorf und Zürich 2003.

LeDoux, J.: Synaptic Self: How Our Brains Become who We are. London 2002.

Lelord, F.; Hector und die Kunst der Zuversicht. Hamburg 2019).

Lenzen, D.: Lösen die Begriffe Selbstorganisation, Autopoiesis und Emergenz den Bildungsbegriff ab? Niklas Luhmann zum 70. Geburtstag. In: Zeitschrift für Pädagogik, 43 (1997), 6, S. 949–968.

Liessmann, K. P.: Geisterstunde. Die Praxis der Unbildung. Eine Streitschrift. München 2016.

Lipton, B.: Intelligente Zellen: Wie Erfahrungen unsere Gene steuern. 4. Auflage. Burgrain 2007

Livingstone, D.: Adults' Informal Learning: Definition, Findings, Gaps and Futur. Research. Working Paper 21/2001. Toronto 2001.

Lorenz, K.: Die Rückseite des Spiegels. München 1987.

Lotmann, J. M.: Die Innenwelt des Denkens. Eine semiotische Theorie der Kultur. Frankfurt 2010.

Löwenstein, H.: Ohne Selbst geht es nicht. Pragmatische und phänomenologische Hinweise auf relationale Identitätsarbeit. In: von Eschenbach, M./Schäffter, O. (Hrsg.): Denken in wechselseitiger Beziehung. Das Spectaculum relationaler Ansätze in der Erziehungswissenschaft. Weilerswist 2021, S. 31–49.

Ludewig, K. (im Gespräch mit Günter Reich): „Es kann auch anders sein“. In: KONTEXT, 40 (2009), 4, S. 387–398.

Ludwig, J.: Modelle subjektorientierter Didaktik. In: Report: Literatur- und Forschungsreport Weiterbildung, 2005, 1, S. 75–80.

Luhmann, N./Schorr, K.-E.: Das Technologiedefizit der Erziehung und der Pädagogik. In: Zeitschrift für Pädagogik, 25(1979a), 3, S. 345–365.

Luhmann, N./Schorr, K.-E.: Reflexionsprobleme im Erziehungssystem. Stuttgart 1979b.

Luhmann, N.: Die Autopoiesis des Bewusstseins. In: ders.: Soziologische Aufklärung 6. Die Soziologie und der Mensch. 2. Auflage. Wiesbaden 2005, S. 55–198.

Luhmann, N.: Erziehung als Formung des Lebenslaufs. In: Lenzen, D./ders. (Hrsg.): Bildung und Weiterbildung im Erziehungssystem. Frankfurt 1997, S. 11–29.

Lyotard, J.: Immaterialität und Postmoderne. Berlin 1985.

Manteuffel, G.: Neuronale Selbstorganisation als Basis von Wahrnehmung. In: Niegel, W./Molzberger, P. (Hrsg.): Aspekte der Selbstorganisation. Berlin 1992, S. 19–26.

Maturana, H.: Das Erkennen des Erkennens verpflichtet. In: Pörksen, B.: Abschied vom Absoluten. Gespräche zum Konstruktivismus. Heidelberg 2001, S. 70–111.

Maturana, H.: Was ist Erkennen? München 1996.

Mauthner, F.: Sprache und Grammatik. Beiträge zu einer Kritik der Sprache. Bd.3. Berlin 1913. http://www.textlog.de/mauthner-grammatik-intransitive.html)

Mazumdar, P.: Der archäologische Zirkel: Zur Ontologie der Sprache in Mickel Foucaults Geschichte des Wissens. Bielfeld 2008.

McClelland, C. E.: Die Professoren an der Friedrich-Wilhelm-Universität. In: Geschichte der Universität Unter den Linden. Bd. 1: Gründung und Blütezeit. Hrsg. von E. Tenorth und C. E. McClelland. Berlin 2012, S. 427–512.

Mehari, S. G.: Wüstenlied. München 2007.

Metzinger, T.: „Meditation wird als irgend so ein Schnuller für Erwachsene betrachtet. Es geht aber um Erkenntnis“. In: Die Zeit vom 9.November 2023b, S. 58.

Metzinger, T.: Der Begriff einer „Bewusstseinskultur“. https://www.philosophie.fb05.uni-mainz.de/files/2013/04/TheorPhil_Metzinger_DerBegriffeinerBewusstseinskultur.pdf (Aufruf am 3.2.2022). 2013.

Metzinger, T.: Der Ego-Tunnel. Eine neue Philosophie des Selbst: Von der Hirnforschung zur Bewusstseinsethik. 7. Auflage. Berlin 2009.

Metzinger, T.: Der Elefant und die Blinden. Auf dem Weg zu einer Kultur der Bewusstheit. Berlin 2023a.

Meueler, E.: Lob des Scheiterns. Baltmannsweiler 1993.

Monk, R.: Wittgenstein. Das Handwerk des Genies. 3. Auflage, Stuttgart 2021.

Müller-Commichau, W.: Lebenskunst lernen. Annäherungen an eine Pädagogik des Zulassens. Baltmannsweiler 2007.

Müller, H,-J./Schüßler, I./Rohs, M./Schiefner-Rohs, M. (Hrsg.): Pädagogische Perspektiven auf Tranformationsprozesse. Reflexionen auf Rolf Arnolds Forschen und Wirken. Bielefld 2019.

Nemiz, R.: 14 Thesen über die Wahrheit des Subjekts. In: https://lacan-entziffern.de/subjekt/wahrheit-des-subjekts 2012.

Neuser, W.: Wissen begreifen. Zur Selbstorganisation von Erfahrung, Handlung und Begriff. Wiesbaden 2013.

Nold, H./Michel, L.: The performative triangel. A model for corporate agility. In: Leadership & Organisation Development Journal, 37 (2016), 3, S. 341–356.

Ochs, M./Schweitzer, J. (Hrsg): Handbuch Forschung für Systemiker. Göttingen 2012.

OECD: Krise der dualen Berufsbildung. Mitgeschnitten: Debatten, Datem Dokumente. In: www.https://blog.oecd-berlin.de/krise-der-dualen-ausbildung. 2022 (Aufruf: 3.1.2024).

Oelkers, J.: Einführung in die Theorie der Erziehung. Weinheim 2001.

Pätzold, H. in: Rohs, M. u.a. (Hrsg.): Eigentlich war ich ein Self-made man. Festschrift zum 70. Geburtstag von Rolf Arnold. Baltmannsweiler 2022, S. 91–97.

Parker, D.W./Holesgove, M./Pathak, R. (2015): Improving productivity with self-organised teams and agile leadership. In: Journal of Productivity and Performance Management, 64/1, S. 112–128.

Parmentier, M.: Haltung entscheidet. Führung und Unternehmenskultur zukunftsfähig gestalten. München 2019.

Pasamonik, B.: The Paradoxes of Intolerance. In: The Social Studies, 95 (2004), S. 206–210.

Pfeiffer-Schaupp, U.: Systemische und personenzentrierte Ansätze: Perspektiven der Begegnung. In: Gesprächspsychotherapie und Personenzentrierte Beratung 1/2015, S. 9–17.

Piaget, J.: Biologie und Erkenntnis. Frankfurt 1983.

Picht, G.: Die deutsche Bildungskatastrophe. 2. Auflage. Freiburg 1965.

Pinker, S.: Warum wir den Konjunktiv brauchen (Interview). In: Psychologie heute, 36(2009), 9, S. 36–39.

Popper, K.: Die offene Gesellschaft und ihre Feinde. Bd.1. 8., bearbeitete Auflage. Tübingen 2003.

Pörksen, B.: Die Gewissheit der Ungewissheit. Gespräche zum Konstruktivismus. 2. Auflage. Heidelberg 2008.

Qvarsell, B.: Questions on Play, Work and Studies. What can we learn from Street and Working Children? In: Wulff, C./Merkel, C.(Hrsg.): Globalisierung als Herausforderung der Erziehung. Theorien, Grundlagen, Fallstudien. New York u.a. 2002, S. 116–126.

Rawls, J.: Eine Theorie der Gerechtigkeit. Frankfurt 1975.

Reckwitz, A.: Gesellschaftstheorie als Werkzeug. In: Ders./Rosa, H.: Spätmoderne in der Krise. Was leistet die Gesellschaftstheorie?. Frankfurt a.M. 2021, S. 23–150

Retzek, H.B.: Joe Dispenza – Zauberer des Bewusstseins. www.homeopathy.at/joe-dispenza-zauberer-des-bewusstseins (Aufruf am 10.3.2018).

Riemer, F.W.: Griechisch-Deutsches Handwörterbuch für Anfänger und Freunde der griechischen Sprache. 3. Neubearbeitete Auflage. Jena/Leipzig 1819.

Rifkin, J.: Die empathische Zivilisation. Wege zu einem globalen Bewusstsein. Frankfurt 2010.

Rogers, C.: Der neue Mensch. 10. Auflage. Stuttgart 2016.

Rohr, D.: Eine kleine Theorie-Einführung in Systemische und Humanistische Ansätze am Beispiel des Inneren Teams. Mit Begleittexten von Friedemann Schulz von Thum, Bernd Schmid und Jürgen Kriz. Weinheim 2016.

Rose, H.: Wir werden unweigerlich Schuldig. In: https://Spiegel.de/Kultur/waffenlieferungen-in-die-ukraine-wir-werden-unweigerlich-schuldig-debattenbeitrag-von-hartmut-rosa-a-219590d3-012e-4c52-9c18-c69c5ce904b1.

Rosa, H.: Unverfügbarkeit. 3. Auflage. Wien/Salzburg 2019.

Rosenberg, M. B.: Gewaltfreie Kommunikation. Eine Sprache des Lebens. 6. Auflage. Paderborn 2005.

Roth, G.: Fühlen, Denken, Handeln. Wie das Gehirn unser Verhalten steuert. Heidelberg 2001.

Roth, D.: Häufigkeit und Struktur von Berufswechseln in Deutschland. In: Berufsbildung in Wissenschaft und Praxis, 2/2019, S. 26–30.

Roth, G.: Persönlichkeit, Entscheidung und Verhalten. Warum es so schwierig ist, sich uns andere zu ändern. Stuttgart 2007.

Roth, G.: Über den Menschen. Frankfurt 2021.

Roth, H. D.: A Pedagogy for the New Field of Contemplative Studies. In: Gunnlaugson, O./Sarath, E. W./Scott, C./Heeson, B. (Ed.): Contemplative Learning and Inquiry across Disciplines. New York 2014, p. 97–118.

Röttgers, K.: Identität als Ereignis. Zur Neudefinition eines Begriffs. Bielefeld 2016.

Ruhloff, J.: Bildung im problematisierenden Vernunftgebrauch. In: Borelli, M./Ruhloff, J. (Hrsg.): Deutsche Gegenwartspädagogik. Bd. II. Baltmannsweiler 1996.

Safransky, R.: Nietzsche: Biographie seines Denkens. Frankfurt 2002.

Scala, K.: Der iff-oegd-Forschungsansatz. In: www.iff.ac.at/oe/media/documents/Der_IFF_OEGD_Forschungsansatz.pdf (2007)

Schäfer, E.: Historische Vorläufer der wissenschaftlichen Weiterbildung. Von den Universitätsausdehnungsbewegungen bis zu den Anfängen der universitären Erwachsenenbildung in der Bundesrepublik Deutschland. Opladen 1988.

Schäffter, O.: „Genealogie des erwachsenenpädagogischen Blicks" durch eine relationslogische Optik geschärft. Eine Replik auf Ulla Klingovsky. In: Debatte, 2(2019), 1, S. 40–63.

Schäffter, O.: Lernzumutungen. Die didaktische Konstruktion von Lernstörungen. In: http://www.die-bonn.de/publikationen/online-texte/index.asp (April 2000).

Schäffter, O.: Systemische Veränderungsforschung aus relationaler Sicht. Erwachsenenbildung zwischen Inklusion und Exklusion. In: Gieseke, W./Nuissl, E./Schüßler, I. (Hrsg.): Reflexionen zur Selbstbildung. Festschrift für Rolf Arnold. Theorie und Praxis der Erwachsenenbildung. Bielefeld 2012, S. 32–58.

Schäffter, O.: Weiterbildung in der Transformationsgesellschaft. Zur Grundlegung einer Theorie der Institutionalisierung. Baltmannsweiler 2011.

Scharfetter, C.: Geleitwort: Nachdenken über Psychotherapien und Psychotherapeuten. In: Jungaberle u. a. 2008, S. 7–20.

Scharmer, C. O.: Theory U. Leading from the Future as it Emerges. The Social Technology of Presencing. San Francisco 2009 (deutsch: Heidelberg 2009).

Schein, E.: Humble Consulting. Heidelberg 1995.

Schiepek, G.: Intervention. In: Wirth, J. V./Kleve, H. (Hrsg.): Lexikon der systemischen Praxis. Methodik und Theorie. Heidelberg 2012, S. 188–191.

Schmidt, G.: Einführung in die hypnosystemische Therapie und Beratung. Heidelberg 2007.

Schmitz, E.: Erwachsenenbildung als lebensweltbezogener Erkenntnisprozess. In: Enzyklopädie Erziehungswissenschaft. Bd. 11. Stuttgart 1984, S. 95–123.

Schüßler, I.: Nachhaltigkeit in der Weiterbildung. Theoretische und empirische Untersuchungen zum nachhaltien Lernen. Baltmannsweiler 2012.

Schützenberger, A. A.: Oh, meine Ahnen. Wie das Leben unserer Vorfahren in uns wiederkehrt. 17. Auflage. Heidelberg 2021.

Senge, P. u. a.: The Necessary Revolution. How Individuals and Organizations Are Working Together to Create a Sustainable World. New York 2008 (dt. Heidelberg 2011).

Senge, P. / Scharmer, C. O. / Jaworski, J. / Flowers, B. S.: Presence. Exploring profound Change in People, Organizations and Society. London 2005.

Sennett, R.: Der flexible Mensch. Die Kultur des neuen Kapitalismus. Berlin 1998.

Sesink, W.: Bildungstheorie. Skript zur Vorlesung TUD SS. 2006. (https://docplayer.org/28497212-Transitiver-intransitiver-und-reflexiver-bildungsbegriff.html).

Sesink, W.: Einführung in die Pädagogik. Münster 2001.

Sheldrake, R.: Der Wissenschaftswahn. Warum der Materialismus ausgedient hat. München 2015.

Siegel, D.: Das achtsame Gehirn. Freiburg 2007.

Simon, F. B.: Die Kunst, nicht zu lernen. Und andere Paradoxien in Psychotherapie, Management, Politik … Heidelberg 1999.

Simon, F. B.: Einführung in Systemtheorie und Konstruktivismus. Dritte Auflage. Heidelberg 2008.

Spaemann, R.: Wer ist ein gebildeter Mensch? In: Scheideweg. Jahresschrift für skeptisches Denken, 24 (1994/1995), S. 34–37.

Spencer-Brown, G.: Gesetze der Form. Lübeck 1973.

Spitzer, M.: Lernen. Gehirnforschung und die Schule des Lebens. München 2007.

Spranger, E.: Das Gesetz der ungewollten Nebenwirkungen in der Erziehung. Heidelberg 1862.

Spranger, E.: Lebensformen. Geisteswissenschaftliche Psychologie und Ethik der Persönlichkeit. Berlin 1922.

Stahl, E.: Die Psychologie der Situation. Kontexte entschlüsseln und gestalten. Heidelberg 2024.

Stahlbaum, D.: „Probleme kann man niemals mit derselben Denkweise lösen, durch die sie entstanden sind“ (A. E.). Zeitkritische Beiträge. München 2014.

Stern, E.: Was Hänschen nicht lernt, lernt Hans hinterher. Der Erwerb geistiger Kompetenzen bei Kindern und Erwachsenen aus kognitionspsychologischer Perspektive. In: Nuissl, E. (Hrsg.): Vom Lernen zum Lehren: Lern- und Lehrforschung für die Weiterbildung. Bielefeld 2006, S. 93–106.

Sternfeld, N.: Das pädagogische Unverhältnis. Lehren und lernen bei Rancière, Gramsi und Foucault. Wien 2009.

Stierlin, H.: Sinnsuche im Wandel. Herausforderungen für die Psychotherapie. Eine persönliche Bilanz. Heidelberg 2010.

Sweetman, C. T. / Smith. G. / Martill, D. M.: Highly derived eutherian mammals from the earliest Cretaceous of Britain. In: Acta Pakeontologica, 62(2017). 4m pp. 657–665

Szabó, P.: Eine Theorie der Theorielosigkeit – lösungsorientierte Annahmen im Coaching. In: Birgmeier, B. (Hrsg.): Coachingwissen – Denn sie wissen nicht, was sie tun? Wiesbaden 2009 (zit. nach: www.solutionsurfers.com/wp-content/uploads/2014/08/Theorie-der-Theorielosigkeit.pdf, Aufruf am 20.2.2018).

Taylor, C.: Das sprachbegabte Tier. Frankfurt 2017.

Tenorth, E.: Technologiedefizit in der Pädagogik? Zur Kritik eines Missverständnisses. In: Fuhr, T. (Hrsg.): Zur Sache der Pädagogik. Bad Heilbrunn/OBB 1999, S. 252–266.

Tomasello, M.: Eine Naturgeschichte des menschlichen Denkens. Frankfurt 2014.

Tomasello, M.: Mensch werden. Eine Theorie der Ontogenese. Frankfurt 2024.

Trager, B./Wilbers, K.: Selbstreflexion als besonderer Lernprozess. E-Coaching: Wege zur Unterstützung mittels E-Learning. In: Geißler 2008, S. 55–70.

Tricker, R. A. R.: Die Beiträge von Faraday und Maxwell zur Elektrodynamik. Braunschweig 1974.

Türcke, C.: Lehrerdämmerung. Was die neue Lernkultur in den Schulen anrichtet. München 2016.

Uhlmann, A./Krewer, B./Arnold, R.: Diversitätskompetenz lernen. GIZ. Bonn 2014.

Ulrich, H./Probst, G.: Anleitung zum ganzheitlichen Denken und Handeln. Ein Brevier für Führungskräfte. Bern 1988.

van Rejen, W.: Das unrettbare Ich. In: Frank, M. u. a. (Hrsg.): Die Frage nach dem Subjekt. Frankfurt 1988, S. 373–400.

Varela, F. u. a.: Der Mittlere Weg der Erkenntnis. Der Brückenschlag zwischen wissenschaftlicher Theorie und menschlicher Erfahrung. Bern u. a. 1992.

Varga von Kibéd, M.: Vorwort. In: de Shazer/Dolan, Y.: Lösungsfokussierte Kurztherapie. Heidelberg 2008, S. 9–16.

Vereinigung der Bayerischen Wirtschaft e. V. (Hrsg): Bildung. Mehr als Fachlichkeit. Gutachten. Münster 2015.

Vollmer, G.: Evolutionäre Erkenntnistheorie. Stuttgart 1975; 1998.

von Dohnanyi, K.: Nationale Interessen. 6. Auflage. Berlin 2022

von Foerster, H.: KybernEthik. Leipzig 1993; 2008.

von Schlippe, A./Schweitzer, J.: Systemische Interventionsformen. Göttingen 2009.

Voss, R.: Der Wert des Eigenen. In: ders. (Hrsg.): Wir erfinden Schulen neu. Lernzentrierte Pädagogik in Schule und Lehrerbildung. Weinheim 2006, S. 11–18.

Wahl, D.: Handeln unter Druck. Weinheim 1991.

Watzlawick, P. : Anleitung zum Unglücklichsein. 15. Auflage. München 2007.

Watzlawick, P.: Wie wirklich ist die Wirklichkeit. München 1997.

Welsch, W.: Wenn du wüsstest, was ich denke. Die Biowissenschaften und ihre Herausforderung: Wie Jürgen Habermas Geist und Natur versöhnt. In: Der Tagesspiegel vom 17.6.2009 (https://m.tagesspiegel.de/kultur/habermas-wenn-du-wuesstest-was-ich-denke/1538062.html).

Wiede, W.: subjekt und Subjektivierung. In: https://docupedia.de/zg/Wiede_Subjekt_und_subjektivierung_v3_-de_2020.

Willke, H.: Controlling als Kontextsteuerung – Zum Problem dezentralen Entscheidens in vernetzten Organisationen. In: Eschenbach, R. (Hrsg.): Supercontrolling – vernetzt denken, zielgerichtet entscheiden. Wien 1989, S. 63–92

Willke, H.: Strategien der Intervention in autonome Systeme. In: Baecker, D. u. a. (Hrsg.): Theorie als Passion. Frankfurt a. M. 1987, S. 333–361.

Willke, H.: Systemtheorie. 4. Auflage. Stuttgart 1993.

Wilms, F. E. P. (Hrsg.): Wirkungsgefüge. Einsatzmöglichkeiten und Grenzen in der Unternehmensführung. Bern u. a. 2012.

Wimmer, A.: Sprachphilosophie. Wie Worte Sinn machen. Frankfurt 2007.

Winkel, R.: Am Anfang war die Hure: Theorie und Praxis der Bildung oder: Eine Reise durch die Geschichte des Menschen – in seinen pädagogischen Entwürfen. Baltmannsweiler 2005.

Winkel, R.: Der gestörte Unterricht. Diagnostische und therapeutische Möglichkeiten. Baltmannsweiler 2006.

Winkel, R.: Schule neu machen. Baltmannsweiler 2009.

Wittgenstein, L.: Bemerkungen über die Philosophie der Psychologie. Werkausgabe Bd. 7. Frankfurt 1984 a.

Wittgenstein, L.: Über Gewissheit. Werkausgabe. Bd. 8: Bemerkungen über die Farben. Über Gewissheit. Zettel. Vermischte Bemerkungen. Frankfurt 1984 b.

Wolf, K.: Wie wirken pädagogische Interventionen? In: Jugendhilfe, 6/2006, S. 294–301 (www.bildung.uni-siegen.de/mitarbeiter/wolf/files/download/wissveroeff/wirkungen.pdf).

Wunderlich, D.: Sprache. In: Enzyklopädie Erziehungswissenschaft. Bd. 1. Stuttgart 1984, S. 546–554.

Zima, P. V.: Theorie des Subjekts. Subjektivität und Identität zwischen Moderne und Postmoderne. Tübingen, Basel 2000.

Zirfas, J.: Bildung. In: Kade, J./Helsper, W./Lüders, C./Egloff, B./Radke, F.-O./ Thole, W. (Hrsg.): Pädagogisches Wissen. Erziehungswissenschaft in Grundbegriffen. Stuttgart 2011, S. 13–19.

Zizek, S.: Die Tücke des Subjektes. Frankfurt 2010.

Zwingmann, E. u. a.: Management von Dissens. Die Kunst systemischer Beratung von Organisationen. Frankfurt 1998.

Quellennachweise

Kapitel 1: Arnold, R.: Die Unverfügbarkeit der Bildung. In: Zeitschrift Pädagogik, 7–8/2023.

Kapitel 2: Eröffnungsvortrag der Tagung zur Systemischen Pädagogik am 11.3.2011 an der Universität Koblenz. In: Arnold, R.: Systemische Erwachsenenbildung. Die transformierende Kraft des begleitetend Selbstlernens. Baltmannsweiler 2016, S. 59 ff und Arnold, R.: Another Brick in the Wall. Zugänge zur Systemischen Pädagogik. Baltmannsweiler 2019, S. 31 ff.

Kapitel 3: Arnold, R.: Das Selbst: Homunculus oder Ausdruck der Evolution. Oder: Welche Akteure steuern die Persönlichkeitsentwicklung? In: Pädagogische Rundschau, 5/2023, S. 553–570.

Kapitel 4: nach: Arnold, R.: Das „Why?" in der Bildung – Zukunftsbilder der Pädagogik zwischen Kontinuität, Aufbruch und Kontemplation. In: Burow, O.-A./Gallenkamp, C. (Hrsg.): Bildung 2030. Sieben Trends, die Schule zu revolutionieren. Weinheim 2017, S. 40–52 und Arnold, R.: „Wenn die Fakten sich ändern ..." Zukunftsbilder der Pädagogik zwischen Kontinuität, Aufbruch und Kontemplation. In: Pädagogische Rundschau, 71(2017), S. 683–682. Bei beiden Veröffentlichungen handelt es sich um die Rede des Autors, welche dieser im Juni 2017 anlässlich der Verleihung des Ehrendoktors an der Universität Timisoara (Rumänien) gehalten hat.

Kapitel 5: Arnold, R.: Systemische Berufsbildung. Kompetenzentwicklung neu denken. Baltmannsweiler 2010, S. 2 ff. – gekürzt und aktualisiert sowie überarbeitet und weiter entwickelt.

Kapitel 6: Vortrag an der Universität Hamburg April 2016 (Teile 6.1–6.3).

Kapitel 7: Arnold, R.: Bewusstseinsbildung und selbsteinschließende Professionalität. Wie können Führungskräfte ihre inneren Bilder wirksam transformiern. In: König, O. (Hrsg.): Inklusion und Transformation in Organisationen. Bad Heilbrunn/OBB 2022, S. 301–316.

Kapitel 8: 8.2–8.5: Arnold, R.: Begriffe sind Fenster, Systemische Pädagogik von A bis Z. Baltmannsweiler 2014, S. 154–160; 8.6: ebd., S. 64–70;

Kapitel 9: Arnold, R.: Begriffe sind Fenster. Systemische Pädagogik von A bis Z. Baltmannsweiler 2014, S. 54–62.

Kapitel 10: Überarbeitete und aktualisierte Textpassagen aus: Arnold, R.: Nichtwissende Beratung. Von der Intervention zur Übung. Baltmannsweiler 2019.

Kapitel 11: Arnold, R.: „Am Anfang war ... die Gewalt?" Anmerkungen zum machttheoretischen Defizit der Pädagogik. In: Benikowski, B./Hörmann, G./Kaiser, A. (Hrsg.): Antinomische Pädagogik und Kommunikative Didaktik. Ein Rück- und Ausblick. In memoriam Rainer Winkel. Baltmannsweiler 2023, S. 271–287.

Kapitel 12: Fest-Rede zur Verabschiedung der Studierende der Sozialwissenschaften der RPTU Rheinland-Pfalz (Campus Kaiserslautern) am 3.11.2023.